經學研究叢書・經學史研究叢刊

民國經學六家研究

車行健　著

序一

　　傳統中國社會大致上都承認經書是聖人留給後人的經典，同時也承認經書是聖人教化後世的倫理規範性文本，故而《四庫全書總目・經部總敘》有「經稟聖裁，垂型萬世。刪定之旨，如日中天，無所容其贊述」之論。但傳統中國社會的經書基本觀，進入民國以後逐漸消逝，因而也就導致傳統經學和現代經學，在研究上產生不小的差異。簡單的來說，傳統經學的研究討論，理所當然預設有實踐的可能性，即使看似與實踐無關的字詞詮解，依然隱藏有針對該經書文本內容，在實踐上是否符合聖人本意的基本要求。現代的經學在「新文化運動」以後，逐漸失去原初必然依附存在的實踐要求，轉而成為純粹的現代式學術討論，於是原本具有實質倫理規範意義的經書，身分因而也跟著轉變，從帶有聖人光環的「聖經」，變成為歷史文獻的材料，「國粹」於是變成「國故」，歐美圖書館學的尋書分類，以及人文社會學科的分類，取代原本隱含有價值判斷內涵的經史子集四部分類。研究的視野因而大開，詮釋的方向因而多方，原本以實踐為必然依歸的研究本質逐漸淡化退位，不同角度的多元詮釋逐漸興起增強，民國以來的經學界，經學文本或義理的研究，多元詮釋的研究態勢，於是成為常態性的存在。

　　民國以來的經學界，相對於經學文本或義理研究的眾聲喧嘩，經學史的研究反而顯得單一且缺乏變化，無論是皮錫瑞《經學歷史》（1907）、本田成之《支那經學史論》（1927）、大東文化學院研究部編《經學史》（1933）、瀧熊之助《支那經學史概說》（1934）、馬宗霍

《中國經學史》（1937）、影山誠一《中國經學史綱》（1970）……等等，或其他經學史相關的探討，雖然在評價上的標準有別，但在研究模式上的差異則並不大，大致上是某些重要經學專著及其作者的探討，最多則加上學術環境的討論，這種專著或學者的獨立式研究，雖然可以看到不同時段的重要經學專著與經學家，但卻沒有照顧到如何傳播、接受與流傳等，實際具備歷史意義的相關資訊，這樣研究獲得的成果，顯然無法呈現連貫性或聯貫性等的實際情況。一般來說，經學史或學術史的發展，大致上是循著「創生→傳播→選擇→接受→影響→衍化→傳播」這樣的過程，一代一代的傳衍發展。但長期以來，以書籍和作者為對象的研究模式，當其進行經學史的研究探討之際，並沒有確實的將這個傳衍的過程如實的呈現，多數的研究都將重點放在某些特別被關注或具備特殊表現，因而具有全國性知名度的對象上，這類的研究模式，隱藏有一個似乎只要擁有前述兩個基本條件者，就理所當然的被接受而流傳且發生影響的必然答案，故而幾乎完全不理會傳播的過程中，何者在傳播和如何進行傳播？以及如何影響與如何被影響等，這類經學史研究必須關注的基本資訊，此種研究模式獲得的成果，雖然可以部分說明經學史上被重視和關注對象的實際情況，但並不十分貼切經學史研究需要的基本內涵，因而學術的說服力，顯然還存在有一些瑕疵。經學史的研究，如果可以將傳衍的過程納入考慮，就比較有可能將整個經學史的關注重視及其流衍的表現連貫在一起，於是就可以較為清楚如實的呈現經學史發展的原貌，如此獲得的答案，自然比較確實可信，因此加入傳衍研究的資訊，多多少少應該可以彌補現行經學史研究的不足或缺漏，取得比較具有說服力的成果，不至於讓讀者興起一種是否太過「理所當然」的質疑或疑惑。

臺灣經學界涉及經學史的研究，同樣比較關注單一經學家或經學

專著的探討，對於經學傳衍過程的研究，一直沒有受到應有的重視。行健兄的這部大作卻是個例外，行健兄的大作從一開始，就立意要擺脫現在一般經學史研究模式的窠臼，專為探討民國經學傳衍過程而作，並且還取得相當可信的成果，至於實際成果如何？當然需要讀者們自行參閱囉，因為「如人飲水，冷暖自知」啊！就筆者個人的認知而論，行健兄當是臺灣經學界首位有意識進行經學傳衍探討的作者，同時這部大作也是首部探討民國經學傳衍過程的專著。未來若有學者研究民國經學史，行健兄這部大作絕對是無法繞過的山頭，若是有人要重新書寫比較圓滿可信的經學史，行健兄的此種探討傳衍內容的研究模式，絕對是學者們在研究考慮上，有必要參考的重要甚至主要的專著。

筆者跟行健兄相識二十年以上，了解行健兄在學術上的專注及用心，尤其經學研究上的深思與熱忱；另外，筆者還和行健兄有一位共同的老師：顏崑陽教授。基於這些學術與私人的關係，筆者乃將拜讀行健兄大作後的感想陳述如上。至於行健兄這部大作的內容，有興趣的讀者，應該可以從中獲得不少的啟發，這也是筆者很實際的了解與建議。

民國一〇九年九月十五日楊晉龍
識於南港中研院文哲所思玫秀影齋

序二

　　車行健教授鴻作《民國經學六家研究》付梓在即，命我作序。竊思混跡學林，雖曾於大學部承乏《詩經》課，而專長又非經學。無的放矢，只恐貽笑方家。但車教授提攜後進，不以我淺陋為意，且以切磋交流相勵，故敢用讀書心得形式略陳一二鄙見，僅作獻曝之資，還望車教授及各位大雅有以教我。

　　鴉片戰爭後的一個世紀，是中國學術發展的一大關捩。中國人從「臣民」蛻變成「國民」，尤其是讀書人從傳統士大夫演化成現代意義的知識份子，走過了一段風雨長路。傳統中國學術雖有六經子史，但相對於近代西學之細緻分類，仍不啻混沌無面目的中央之帝。這位中央之帝倩西洋、東洋之手來開鑿七竅，過程可謂痛苦不已。七竅既鑿，混沌狀態不復存在。雖如晚清張之洞所云「中學為體、西學為用」，乃至民初許之衡所說「國粹者精神之學也，歐化者形質之學也」，但欲求取船堅炮利的形質之用，最終不得不棄捐六經子史的精神之體。尤其是在西化步伐日疾、儒家喪失官學地位的民國，經學的傳播與接受者逐漸從全國的莘莘學子局限至象牙塔內人文學科的師生。《詩經》被歸為文學，《尚書》、《春秋》被歸為歷史，三《禮》被歸為社會學，《周易》被歸為哲學或民俗學——僅觀圖書分類，便可知背負著「首要之惡」（借用段昌國教授語）的經學如何瀕臨支解的命運。然而，正因經學不復被奉為官學，反得以在民國的歐風美雨中獲得自由，在撞擊與質疑中不斷自我糾謬、融會西學、重新詮解、多所創發，展現出堅韌的生命力。可以說，一部民國經學史，就是傳統

文化在學術轉型的進路中努力修復與再傳播的歷史；而其意義與價值除了整理國故、重新建構中國學術脈絡外，還在於為現代國民性的塑造提供更豐富的參考系數。

五四運動以後，傳統學術轉型進一步展開。如胡適、聞一多等對《楚辭》之探討，駱鴻凱、周貞亮對《文選》之研究，皆可視為新楚辭學、新文選學的開端。作為被五四健兒「打倒」的對象，經學的學術轉型又是如何進行的？以《詩經》為例，如胡樸安於一九二八年付梓的《詩經學》，提出要從文字學、文章學、史地學、博物學、禮教學等五方面來析論《詩經》，這未嘗不是新詩經學的濫觴。當然，不少「新學」書籍往往有教科書性質，乃配合新式大學的課綱設計而產生。若就整體的經學研究而言，情況自然更為複雜。

如車教授所言，現存民國經學著作估計有一千五百餘種，但時至今日，許多經學家已遭遺忘，其論著也面臨著流傳不易的窘境。因此相關研究的啟動，洵然刻不容緩。可是，吾人研究的途徑除了申請經費，馬不停蹄地訪書、撰文、發表、結集之外，同樣重要的是在沒有過度壓力的環境下，對相關文獻進行細讀、比勘、考證、解會，宣諸筆墨，精益求精。本書的卷上是國科會計畫「民國時期罕傳經學論著之整理與研究：以羅惇曧、陳延傑與蘇維嶽三家之著作為中心」的成果，而卷下則並未特別申請計畫，故整體來說有較大的彈性，在研究步調上鬆緊得宜。詳言之，全書以「重新走回當時整全的經學學術世界，並以此來擴展、補充既有的民國經學研究，儘可能地使民國經學的研究貼近、切合實際的狀況」為終極考量，而著眼於六位經學家。這六人的相關研究又可分為兩個主題：一、羅惇曧、陳延傑與蘇維嶽屬於「被遺忘的經學家」，而何定生、牟潤孫、楊向奎則皆為顧門弟子。每位經學家都是一個點，兩個主題的相互交集更形成了多個面，讓我們知悉民國經學的天空隔限多有。抽離看這些點、面形成的隔

隈，雖或只是「隱微間際」，但透過車教授及各位學者努力不懈的累積、拼接，定能一步步揭示出民國經學群星熠耀的全貌。愚見以為，車教授這部大作討論的雖僅六家，卻具體而微地展現出民國經學的三大面向：

其一為視野的專與博。西學的引入促成了研究的專門化、細緻化。但是就經學家而言，卻依然保有較寬廣的研究興趣。如牟潤孫之經學傳承自柯劭忞，史學則主要師承柯劭忞與陳垣，形成經史該備的學術特色。楊向奎致力於中國古史研究，但也兼顧今古文的經學問題。又如陳延傑除了箋注《詩品》、唐宋詩集外，還究心《周易》、《詩經》，有著作傳世。研究的專門化、細緻化，似乎意味著「道術為天下裂」，但深耕厚植、以小見大，無疑又為跨領域、跨學科研究提供了契機。在這個意義上，專而能博，反倒與傳統學術「七竅未鑿」的特徵遙相呼應。

其二為舊說的疑與信。民初顧頡剛等人為代表的古史辨派，影響深遠，學者無論疑古、信古，都很難不與這個學派發生互動。如本書所論陳延傑說《詩》不取《詩序》、羅倬漢以《史記》證《左傳》非偽書，正好可作一反一正的印證。再如何定生、牟潤孫、楊向奎皆嘗師承顧頡剛，但對乃師的態度卻各有不同，車教授將之分為疏離者、叛離者、悖離者三類。疏離者以何定生為代表，其因環境隔絕或性格齟齬等原因而與顧氏疏於來往或斷絕音訊，但學問仍有所承襲。（何氏對《詩經》與樂歌關係的論述，即是延續古史辨派的理路。）楊向奎可謂叛離者，與顧頡剛公開決裂，於師門和學問並皆棄離。作為悖離者的牟潤孫介於上述二者之間，師門雖未棄絕，但學問卻有所背離。據此而考索民國經學的學脈沿革，思過半矣。

其三為西學的捨與用。遜清之世，西方學者如王西里（V. P. Vasiliev）、理雅各（J. Legge）、翟理斯（H. A. Giles）等已對中國經典

頗有關注與研究。五四以後，各種西方思潮紛紛引進，大大開拓了中國學者的研究視野與方法。許之衡提出「國粹不阻歐化」，正是民國經學的宏觀趨勢。本書所關注的經學家，對西方思潮的態度各異。如羅倬漢比勘《史記》、《左傳》，固是承自乾嘉諸老的傳統方法。而蘇維嶽「大力提倡科學，反對封建迷信」，卻認為在中國「科學幼稚，不能迎頭趕上」之際，仍可通過讀經來達到「澈上澈下」的效果。牟潤孫則採用文化人類學的觀點，撰寫了〈春秋時代母系遺俗《公羊》證義〉、〈宋人內婚〉等文。如是觀之，誠可謂多彩多姿。

車教授喜談前賢掌故，平素相聚，每每得聞。好些年前，車教授知我關注民初以來舊體文學，特意提及陳延傑的《晞陽詩》，令我耳目一新。而本書第三章透過陳延傑《晞陽詩》來挖掘其生平史料，第七章針對顧頡剛女公子顧潮先生保存的何定生信函加以考察，從而為深入探究陳、何之經學奠下堅實基礎，足見車教授之研究事業與個人喜好互為表裡。且若非積學有素，孰能為此！我的專長雖非經學，然拜讀車教授大作，在研究方法、思考進路、文獻資訊諸方面皆深有啟發、收穫，由是益知車教授於我關愛之殷矣。謹賦七律一首，以賀大作付刊云：

> 毀室取雛嗟彼鴞。連年風雨所飄搖。
> 焚坑猶幸傳詩禮，囚放姑從論姒姚。
> 道隱無名道自在，天行有始天何聊。
> 若非失守王官後，安得人間奏九韶。

陳煒舜謹識於烏溪沙壹言齋

二〇二〇年八月廿一日

目次

第一章
導論

第一節 民國與民國經學

一 概念與義界

「民國」是個充滿歧義且又複雜敏感的概念，作為政治實體或國號的民國自然指的是「中華民國」，但問題是這樣的民國究竟是否仍具有憲政或法理的地位，抑或已是歷史的陳跡，被視做中國歷史中的一個曾經存在的「朝代」，這在現今海內外抱持不同政治立場的陣營，仍處於各說各話的階段，難以形成共識。由此而延伸的作為時代標識或紀元方式的所謂「民國時期」、「民國時代」等概念，也同樣顯得曖昧不清。目前學界對此主要持有兩種不同的觀點，一是將「民國時期」直接限制在一九一二至一九四九年的三十八年間，理由是中華民國這個政權已在一九四九年覆亡，由中華人民共和國取而代之。如此一來，與民國時期關涉的政治、經濟、軍事、外交、教育、文化……等諸多層面及事務，皆僅及於這三十八年間由中華民國政府所直接及間接管轄的區域與空間（包含列強佔領的租界、敵方佔領區、偽政權及共產黨控制的蘇區等），而不及於割讓出的列強殖民地，如臺灣（僅及於一九四五年日本戰敗結束）、香港及澳門等。另外一種觀點則是民國時期從一九一二年起一直延續到現今，未曾中斷過。只是從政治現實的角度考量，中華民國政府從一九四九年之後，並未實際治理過中國大陸的領土，因而一九四九年後的民國時期只能適用於

臺灣、澎湖、金門、馬祖等地區。前者可稱之為狹義的民國概念，後者則為廣義的民國概念。廣義的民國概念又可分為民國的大陸時期和民國的臺灣時期兩個階段。如果涉及中華民國的前三十八年，則廣狹二義的民國並未有歧義，但若指涉一九四九年之後的歲月，則往往端視使用者看待中華民國政權在臺灣延續的態度。這事涉個人的政治理念與認同的問題，很難用一固定不變的尺度來強求一律。即使對於歷史上的遺民，或殘存政權的效忠者來說，使用故國紀年，或拒絕改換新朝正朔，不但是他一己政治態度的表現，往往更關係到他的氣節操守，仍以尊重當事人的意願為宜。

然如若民國的概念如此糾結複雜，何不改用較為中性的「近代」或「現代」概念？這樣的用法誠然可以免去種種政治或意識形態上的困擾，但問題是，「近代」、「現代」等概念的模糊分歧比之「民國」一詞，恐猶有過之。且先不論其時間斷限如何解決的難題，其本身亦常因過度使用所導致的意義貶值，而使其陷於難以達義的風險。[1]不過，近、現代的用法與民國來比較的話，其最大的問題應在於很難將

---

1 從事現代文學研究的學者，對此頗有反省，如陳福康教授嘗謂在中國大陸的劃分：「在古代文學史以後，再分為近代文學史、現代文學史和當代文學史。其中『近代』約七十年，『現代』約三十年，而『當代』則有五十年了。隨著『當代』的繼續不斷地增延，夾在『近代』與『當代』之中的『現代』，便越來越顯得尷尬。」由此他主張仿效史學界、圖書館學界和出版界，以「民國時期」來替代過去常用的「現代」一詞。（參氏撰：〈應該『退休』的學科名稱〉，原刊《文學報》，1997年11月20日，收錄於陳氏所撰《民國文壇探隱》〔上海市：上海書店，1999年〕，本文引自李怡、羅維斯、李俊杰編：《民國文學討論集》〔北京市：中國社會科學出版社，2014年〕，頁3-5。）相關討論又參張福貴：〈從意義概念返回到時間概念——關於中國現代文學史的命名問題〉，同上，頁6-10；王力堅：〈「民國文學」抑或「現代文學」——評析當前兩岸學界的觀點交鋒〉，《二十一世紀》雙月刊，2015年8月號，頁35-46。案：「民國文學」的概念是陳福康於一九九七年發表的上揭文首先提出來的。又案：本文關於「民國文學」相關議題的討論，得到政治大學中文系張堂錡教授的許多協助，包括資料的提示和觀念的啟發，謹伸謝忱於此。

民國這個特殊的歷史時期的文化特色與時代風味傳達出來，就如同這類的概念用語很難精準傳神地將中國的「乾嘉時期」或日本的「江戶時代」所蘊含的豐富歷史文化風貌和內蘊表現出來。[2]或許正是基於對這段時期（大多仍集中在民國的大陸時期）所透顯出的文化內涵的興趣，近年來學界對民國時期的歷史文化的研究有日益增加的趨勢，中國大陸文化界甚至有所謂「民國熱」的潮流。[3]以「民國」為主題的研究逐漸成為學界的熱門領域，這似乎標識著民國研究從近現代史相關領域的廣大範圍中，慢慢浮現出自己明晰的疆界與特色。

　　做為民國學術文化重要一環的「民國經學」，其義界也有廣狹二義，廣義的民國經學指涉的是民國以來迄於今的經學研究，可稱之為「民國以來的經學」。狹義的民國經學則專指所謂民國元年至三十八年間的經學發展，學界目前多用「民國時期的經學」指稱之。持此說者認為一九五〇年代以後隨著兩岸分治的政治格局之確立，經學的研究與發展也呈現著更加多元與分歧的面貌，實難再以「民國經學」概念涵蓋之。因此其所謂「民國經學」專指狹義的民國時期在中國大陸及一九四五至一九四九年回歸中國後的臺灣所開展的經學，兼亦括及

2　如李怡嘗論民國文化對文學的機制性影響還體現為一種獨特的精神氣質與人文性格，即包含著溫厚、寬容、謙恭的所謂「民國氣質」，雖然其中有不少可能是後人出於誤會或想像所塑造出來的。（參氏撰：〈從歷史命名的辨正到文化機制的發掘——我們怎樣討論中國現代文學的「民國」意義〉，《民國文學討論集》，頁289。）無論這種印象或感受是否真實存在著，但這都說明了使用「民國」、「乾嘉」或「江戶」之類的特定歷史階段的分期概念，其對受眾產生的效應，的確是和近現代之類的以單純時序區劃的概念大不相同。

3　參盧素梅：〈民國熱大陸懷舊思潮正蔓延〉，原刊於《旺報》2014年10月11日，又刊於《中時電子報》（https://www.chinatimes.com/newspapers/20141011000716-260301?chdtv），檢索日期為2020年6月28日。相關討論又參張琍璇：〈共和國看民國——書評《民國文學討論集》〉，《民國文學與文化研究》第1輯（2015年12月），頁191；張堂錡：〈從《民國老試卷》看民國想像與民國氣象〉，《民國文學與文化研究》第3輯（2016年12月），頁284-285。

香港、澳門等地與中國內地互動較為密切的學人與學術社群的經學表現。不過，吾人考量中華民國政府在一九四九年後仍持續存在的現實，且直到一九七一年方被迫退出聯合國，而世界主要國家亦遲至一九八〇年代以前仍承認中華民國的情況下，實難遽謂民國時期只止於一九四九年。再加上散居海外的華人學者，仍有許多人持有中華民國護照，認同中華民國政府，延用民國紀年，甚至與臺灣的中華民國互動往來密切，更亦有受中華民國政府資助的教育文化單位（如香港新亞研究所）。這種種的情況皆說明了不能將民國及民國經學僅僅限制在一九四九年前的大陸階段，而一九四九年後的民國及民國經學亦非只侷限在臺灣而已。

雖然從實務的角度來說，狹義的民國經學，其概念和範圍較為明晰，不似廣義的民國經學，確實面臨著一九四九年之後兩岸分治的難題。因而即使是持廣義定義的論者，也會很自然地將民國經學區分為一九四九年的大陸階段和一九四九年後的臺灣階段。但做這樣的區劃在進行實際的研究工作時，又常會面臨研究對象在一九四九年後留在大陸，或遷居臺灣及海外的情況，因而造成認定和判斷上的困難。留在中國大陸後的經學表現，自然不宜目之為民國經學。但中華民國政府遷臺後的經學成就是否亦可一律納入民國經學的範圍中？鄙意以為應持動態發展的眼光來看待此問題，亦即在臺灣本土化運動之前的種種文化學術作為，主要皆以繼承、接續一九四九年前在中國大陸所推動者，如此表現出的經學，仍可視之為民國大陸時期經學的沿續，將其納入民國經學的範圍中，當有其合理性。然自一九九〇年代之後的經學（其他學術領域皆然）成果，其所秉賦的民國質素日趨淡薄，若將其整體或全部的表現皆視做民國經學，恐亦非合乎實際之舉。[4]

---

4 民國文學研究亦面臨相同的情況，張堂錡認為對民國文學的闡釋與建構過程中，時

　　然而無論是狹義或廣義的民國經學，其內涵基本上也受「傳統」與「現代」這兩個重要元素的影響與制約，其所發展的方向與軌跡，亦如同其他學術文化面向的表現，一直不斷持續地擺盪在這兩個極端的元素中，故時而保守，時而激進；一方面固守傳統，一方面又趨向現代；又或融保守激進於一體，或呈現守舊與趨新的矛盾情況……。總而言之，這個時期的經學表現是多元且複雜的，面貌多端，難以一律。但綜括來說，現代學術成分的引進已是不可否認且亦不容忽視的狀況。因此儘管再如何守舊、固守傳統，但整體的學術表現，包含最深層的思維方式，一直到學術語言、研究方式、理論概念和表層的論文格式，乃至於發表的方式、管道與機制等，莫不受到現代學術的影響與宰制。從這個意義上說，民國經學（甚至整個民國學術），相較於晚清以前的傳統經學，確是有著全然不同的風貌與內涵，而這正是當代經學的主要源頭或基礎。如欲對經學在當代及未來世界的持續發展有所關注理解，捨棄這個活水源頭而不顧，或無視此重要基礎的話，則終將事半功倍，甚至事與願違。因此可以說，惟有對民國經學的了解，才能對當代經學有較整全的理解；而欲對經學在當代及未來的發展有更深切的體察，也惟有透過對民國經學的深入把握方能達致。[5]

空框架的界定是最必須解決且無法迴避的根本問題，他在〈「民國文學」研究的時空框架問題〉（《中國現代文學》第26期〔2014年12月〕，頁73-88）一文中指出，民國的時間框架存在著斷裂與延續的歷史事實，空間框架則有破碎與統一的複雜現象。他為此提出「民國性」的概念來解決此一困擾，主張「民國性」於「中華民國在大陸」階段形成，於「中華民國在臺灣」階段延續，試圖藉此使民國文學研究的時空框架問題得到釐清和合理的操作。但若當「民國性」逐漸被「本土性」或「臺灣性」稀釋淡化，甚至轉換取代後，這樣的民國文學、學術與文化的研究，是否還能持續下去，頗令人疑惑。

5　本段根據拙著：〈「民國時期經學之研究：拓墾與深淵」導言〉改寫而成，見《政大中文學報》第21期（2014年6月），頁11。

二 民國經學研究概況

　　民國經學雖然存在已歷一世紀，但學界從民國學術的角度，將其視為中國經學發展歷史的特殊階段，具有其自身的內涵及特色，而以「民國經學」或「民國時期經學」的概念加以指涉，並進行系統的研究，當是較為晚近的事。由林慶彰和蔣秋華二人於二〇〇七年在中央研究院中國文哲研究所提出並執行的「民國以來經學之研究」（2007-2012），或當為嚆矢。據林先生所述，此研究計畫係從二〇〇七年一月開始執行，至二〇一二年十二月結束，前後六年。前四年（2007-2010）執行民國時期經學研究計畫，後兩年（2011-2012）執行新中國的經學研究計畫。此大型研究計畫執行的內容計有：（一）編輯經學家著作目錄。（二）編輯《民國時期經學叢書》。（三）編輯經學家著作集。（四）舉辦八次學術研討會。（五）出版研討會論文集。[6]（六）組織學者赴中國大陸四川、雲南、上海、北京等地考察與民國經學相關的遺址、設施、學校；經學家的故居與墓地；拜訪經學家後人以及蒐集相關文獻資料等。[7]林先生和文哲所經學組所推動的民國經學研究的工作，其所指涉的皆為狹義的民國經學概念，正式的用語為「民國時期經學」。

　　這些工作所完成的具體成果包括第一項的編輯經學家著作目錄，如刊登在《中國文哲研究通訊》17卷4期（2007年12月）的「民國時期經學家著作目錄專輯」，收有陳柱（1890-1944，袁明嶸編輯）、張西堂（1901-1960，陳恆嵩編輯）、李鏡池（1902-1975，黃智明編輯）、李源澄（1909-1958，林慶彰編輯）和張壽林（1907-?，陳文采、

6　林慶彰：〈總序〉，《變動時代的經學與經學家——民國時期（1912-1949）經學研究》（臺北市：萬卷樓圖書公司，2014年），第1冊，頁2-5。

7　林文未提到第六項，本人因曾參與此項計畫，依實際執行狀況，將此項補入。

袁明嶸編輯）等民國經學家的著作目錄。又如高雄師範大學經學研究
所出版的《經學研究集刊》亦與林慶彰先生合作，刊登了多種民國學
人的著作目錄，包括第5期（2008年11月）的張爾田（1874-1945，張
晏瑞編輯）、周予同（1898-1981，陳亦伶編輯）、陳登原（1900-1975，
郭明芳編輯）、趙紀彬（1905-1982，趙威雄編輯）和金德建（1909-
1996，林彥廷編輯）。第6期（2009年5月）的童書業（1908-1968，王
桂蘭編輯），第7期（2009年11月）的蔣善國（1898-1986，趙惠瑜編
輯），第8期（2010年4月）的陳中凡（1888-1982，陳水福編輯）、楊
伯峻（1909-1992，陳水福編輯），第11期（2011年10月）的馬一浮
（1883-1967，楊子葳編輯），第14期（2013年5月）的王欣夫（1901-
1966，林佩均編輯），第15期（2013年11月）的王闓運（1833-1916，
羅章軒編輯）和胡玉縉（1859-1940，張詠婷編輯）。第二項的編輯
《民國時期經學叢書》，主要由林先生與林登昱主持的文听閣圖書公
司合作，預計分八輯出版，自二〇〇八年九月出版第一、二輯。至二
〇一四年時，已編成六輯，每輯六十冊，六輯合計三百六十冊，總計
收錄近一千種，約占民國時期經學著作的三分之二。第三項的編輯經
學家著作集，已出版的有《李源澄著作集》四冊（林慶彰、蔣秋華主
編；黃智明、袁明嶸編輯，臺北市：中央研究院中國文哲研究所，2008
年）和《張壽林著作集》六冊（林慶彰、蔣秋華主編，臺北市：中央
研究院中國文哲研究所，2009年）。此外，亦出版了胡樸安（1978-
1947）的《周易人生觀》（汪學群點校、林慶彰校訂，臺北市：中央
研究院中國文哲研究所，2012年）。第四項的舉辦八次學術研討會，
與會學者總共發表論文一百四十餘篇。並且在第八場研討會上（2010
年11月4、5日），林先生在筆者的建議下，策劃了一場「民國經學家後
人談親人」的座談會，邀請了顧頡剛（1893-1980）之女顧潮、童書業
之女童教英、張西堂之子張銘洽和聞一多（1899-1946）之孫聞黎明四

人，暢談他們父祖的經學研究。此外，又舉辦了「顧頡剛逝世三十週年的座談會」。由丁亞傑（1960-2011）、蔡長林、劉德明和筆者擔任引言人，顧潮女士也到場參加。第五項的出版研討會論文集，目前已出版有《變動時代的經學與經學家：民國時期（1912-1949）經學研究》，共七冊，總計收入一百二十五篇論文。二〇一四年委由萬卷樓圖書公司出版。[8]至於第六項的考察活動，一共舉辦兩次，第一次是二〇〇七年七月二十一日至三十一日，至上海、北京地區考察民國時期經學家遺跡。第二次是二〇〇八年九月二日至十一日，進行雲南、四川地區民國經學家遺跡的考察。考察團的成員除中研院文哲所經學組的成員（包含研究人員和助理）外，還包括臺灣各大專院校研究經學的專家學者及其學生，甚至亦有中國大陸和德國高校的學者加入。[9]

林、蔣二先生在此期間，除了藉由文哲所的大型計畫推動民國經學的研究外，自己還以身作則，帶領研究生撰寫相關論文。經查「臺灣博碩士論文知識加值系統」，自二〇〇七年開始執行「民國以來經學之研究」計畫始，林先生指導民國經學領域的學位論文共有七篇，計有陳水福《楊伯峻春秋學研究》（臺北市立教育大學中國語文學系碩士論文，2008 年畢業）、謝智光《雪廬老人《論語講要》研究》（東海大學中國文學系碩士論文，2010 年畢業）、曹任遠《熊十力周禮學研究》（臺北市立教育大學中國語文學系碩士論文，2010 年畢業）、林彥廷《民國時期軍閥之經學研究》（東吳大學中國文學系碩士論文，2010 年畢業）、陳韋哲《錢基博《四書解題及其讀法》研究》（東吳大學中國文學系碩士論文，2011 年畢業）、黃智明《林義光

8　林慶彰：〈總序〉，《變動時代的經學與經學家——民國時期（1912-1949）經學研究》，第1冊，頁2-5。正文所述內容間有筆者補充者，不盡為林先生文中所述之內容。

9　此據中央研究院中國文哲研究所經學研究室當時編寫的團員手冊所載。

《詩經通解》研究》（東吳大學中國文學系博士論文，2013 年畢業）、李麗文《民國時期《詩經》修辭學史》（臺北市立大學中國語文學系博士論文，2020 年畢業）。蔣先生指導的學位論文則有二篇，分別為黃昭雅《劉師培孔學思想研究》（與黃復山共同指導，淡江大學中國文學系碩士論文，2009 年畢業）和陳勇維《張西堂經學研究》（華梵大學中國文學系碩士論文，2010 年畢業）。

　　與此同時，蔣秋華也在文哲所組織「罕傳本經典研讀」的讀書會活動。從二〇一〇年進行到二〇一五年，共舉辦三十場研讀活動。研讀典籍多以民國時期經學論著為主，如有羅倬漢（1898-1985）《史記十二諸侯年表考證》、錢基博（1887-1957）《論語分類簡編》、胡樸安《周易人生觀》、何定生（1911-1970）《治學的方法與材料及其他》、方孝岳（1897-1973）《春秋三傳學》、郭沫若（1892-1978）《卷耳集》、曹聚仁（1900-1972）編《卷耳討論集》、顧實（1878-1956）《中庸鄭注講疏》等書。[10]

　　在這樣的氛圍下，筆者亦於二〇一一年出版了個人第一本研究民國經學的專著，《現代學術視域中的民國經學——以課程、學風與機制為主要觀照點》，由萬卷樓圖書公司刊行，並且應《政大中文學報》編審委員會之邀，策劃「民國時期經學之研究——拓墾與深耕專題」，刊登於第二十一期中（2014 年 6 月）。

　　經過十餘年的推廣，「民國經學」日益受到海內外學界的關注和重視，後繼的研究持續投入，甚且進一步催動了「戰後臺灣經學」和「香港經學」的研究風氣。[11]時至今日，無論是專指大陸階段的民國

---

10 中央研究院中國文哲研究所經學文獻研究室提供資料。

11 就戰後臺灣經學而言，如中央研究院中國文哲研究所在林慶彰、蔣秋華的策劃下，於二〇一五年至二〇一七年推動「戰後臺灣的經學研究」計畫，三年內總共召開了六次學術會議，發表了百餘篇論文。福建師範大學經學研究所亦從二〇一六年開展「臺灣經學文獻整理與研究（1945-2015）」的研究計畫。就香港經學來說，文哲所

時期經學研究，或涵蓋臺灣階段的民國以來的經學研究，皆已浮現在
中國經學史、民國學術史的知識版圖中，而為學術界所正視。[12]然而，
民國經學仍可說是一塊尚未被充分墾拓的學術領域，雖然距離我們的
時代很近，也遺留大量的文獻史料，但系統的研究仍未完全展開；而
文獻的蒐集、整理與出版雖亦累積不少成果，遺漏及尚未被關注者亦
所在多有。現階段所開展的相關研究主要集中在幾個方面：一、經學
文獻的蒐集與整理（如《民國時期經學叢書》及經學家文集）；二、經
學家或經學研究者的成果研究（如章太炎〔1869-1936〕、錢穆〔1895-

舉辦的民國時期經學研討會就已有不少學者發表研究香港經學的論文，其中尤以香
港大學中文系許振興教授圍繞早期香港大學中文學院和學海書樓遺老型的經學家所
作的系列研究，最為引人矚目。許教授將其這十餘年來所撰寫與此主題相關的論文
彙集為《經學、教育與香港大學——二十世紀的足跡》（香港：中華書局，2020
年）一書，此當為研究香港經學的第一部專書。香港浸會大學中文系和新亞研究所
則於二〇一五年五月六日至七日，首次舉辦以香港經學為範疇的大型國際學術研討
會。（參吳儀鳳：〈「香港經學研究的回顧與前瞻」國際學術研討會會議紀要〉，《中國
文哲研究通訊》第27卷第3期〔2017年9月〕，頁3-19。）香港城市大學中文及歷史學
系張萬民教授亦於當年五月八日上午，在城市大學舉辦「港臺經學研究的回顧與展
望」座談會（參車行健、倫凱琪整理：〈「港臺經學研究的回顧與展望」座談會紀
錄〉，《中國文哲研究通訊》第27卷第3期，頁21-46。）蔣秋華教授亦在此基礎上，
於《中國文哲研究通訊》第27卷第3期策劃「香港經學研究專輯」。此外，香港樹人
大學歷史系區志堅教授則在《國文天地》第33卷第10期（2018年3月）策劃「香港
學海書樓專輯」、香港孔聖堂中學校長楊永漢於《國文天地》第34卷第11期（2019
年4月）策劃「香港孔聖堂專輯」、香港能仁專上學院中文系助理教授謝向榮於《國
文天地》第34卷第12期（2019年5月）策劃「香港國學宗師陳湛銓先生紀念特輯」。
這些專輯所收錄的文章不少皆與香港經學有關，一時之間，香港經學頗受學界的關
注，而其間又多與民國經學有著相互指涉的微妙關係，頗值得探究。然歸根結柢，
香港經學研究風氣之勃興亦與林慶彰先生的倡議鼓吹脫離不了關係。（參車行健、
吳儀鳳：〈香港經學考察記〉，《經學研究論叢》第17輯〔2009年12月〕，頁387-388；
盧鳴東：〈林慶彰教授與香港經學研究〉，《國文天地》第31卷第6期〔2015年11
月〕，頁72-75。盧教授文中稱林先生為「香港經學研究的倡導者」，頁72。）

12 如政治大學主編的《中華民國發展史・學術發展》（臺北市：國立政治大學、聯經
出版事業公司，2011年）上冊中，就登有林慶彰所撰的〈經學百年的發展〉一章。

1990〕）；三、經書研究（如《周易》、《詩經》研究）；四、相關經學
議題的研究（如今古文之爭、經史關係辨析）；五、與經學相關的機
構或機制之研究（如禹貢學會、學校中之經學課程與經學教育）；六、
經學研究學風之探究（如疑古辨偽學風、考古及田野調查方法之運用
等）；七、經學與社會文化之關係（如尊孔讀經運動、經學與新文化
運動的關係）。目前大多數涉及民國時期經學的相關研究，主要仍集
中於前三類，間有涉及第四類者，其他五、六、七類大多為非經學領
域者所為（主要為歷史和現代文學領域者），其所關注的焦點也不一
定為經學本身。即使如此，上述七類研究並未能完全窮盡民國經學的
豐富內蘊，仍有許多延伸開展的可能。因此惟有將民國經學這塊新興
的學術沃土加以充分地拓墾，一方面深化既有之研究，另一方面持續
開發新的議題和拓展研究的面向，其整體的學術成就與實質價值方更
能昭顯出來，而為世人所知曉與利用。[13]

第二節　民國經學的追憶與窺探

一　走進民國經學的學術世界

　　雖然從整體的趨勢來看，民國以來經學似乎是處於江河日下，日
漸凋零的慘澹局面，然而從學術發展的角度來看，僅以民國大陸時期
的三十八年間來看（以下所論民國經學亦以此期為主），與經學及經
書有關的研究及出版的狀況卻非常蓬勃發達。據林慶彰教授的調查、
蒐集及統計，這期間就出版了至少一千五百多種經學專門的著作[14]，

---

13 本段部分內容係根據拙著：〈「民國時期經學之研究：拓墾與深淵」導言〉改寫而
　　成，見頁11-12。
14 林慶彰：〈總序〉，《變動時代的經學與經學家──民國時期（1912-1949）經學研
　　究》，第1冊，頁2。

不但數量驚人，而且涉及的範圍及面向皆頗為廣濶，更難能可貴的
是，研究的方法及視野極為多元，不但有傳統的研究方法，亦有接受
和運用現代新的學風及其他學科的方法、觀點及理論來研究者。林慶
彰教授從當時的經學著作歸納出如下的八種研究經學的治學進路：

（一）堅守乾嘉漢學陣營，如：曹元弼《周易鄭注集釋》、《周
易集解補釋》、顧惕生《論語鄭注講疏》、程樹德《論語
集釋》。

（二）延續晚清辨偽傳統，如：章太炎《春秋左傳讀敘錄》、
《春秋左氏疑義答問》、郭沫若《周易的構成時代》。

（三）利用民俗學解經，如：胡適《周南新解》、俞平伯《讀
詩札記》、顧頡剛《周易卦爻辭中的故事》。

（四）利用社會學觀點解經，如：李安宅《儀禮與禮記之社會
學的研究》、林履信《洪範の體系的社會經綸思想》。

（五）利用馬克思主義解經，如：郭沫若《中國古代社會研
究》。

（六）利用佛洛依德性心理學解經，如：聞一多的《風詩類
鈔》。

（七）利用三民主義解經，如：顧寔《三民主義與大學》、蔣
總裁《大學中庸析論》。

（八）利用新出土文獻解經，如：林義光《詩義會通》、于省
吾《雙劍誃尚書新證》、《雙劍誃詩經新證》。[15]

就民國經學的整體來說，研究的進路和方法當然不會僅限於上述八

---

[15] 林慶彰撰：〈編者序〉，《民國時期經學叢書》（臺中市：文听閣圖書有限公司，2008
年），第1輯，頁3-4。

種，而各經亦會有個別偏重的取徑和適用的方法。[16]但無論如何，僅從出版的數量和研究方法的多樣性來看，民國時期經學的實際發展並不似想像中的蕭條沒落。

然而不論是蓬勃發達或蕭條沒落，對於現階段關心民國經學的大多數人來說，對實際情況的了解仍相當局限和片面。何以然？因為雖然有如此豐富的著作且多元的研究成果，但平心而論，人們了解認識的仍大多聚焦在少數較有名的學者、學派、學風、機構、學術社群、重要論著、學術成果與學術議題等，於此之外的其他學術實況與具體內容，仍有許多未為世人所知。以顧頡剛為例，大多數人對他學術的認識仍僅停留在《古史辨》時期，對他之後所開展的學術面向（如《禹貢》學會及《禹貢》半月刊所代表的歷史地理學學風及一九四九年後的學術表現）卻關注甚少，因而形成「定格化」的效應，似乎學術的畫面始終停留在《古史辨》那一幕！[17]這不但對顧頡剛學術的認識與評價帶來不利的影響，而且亦無法客觀全面地看待與把握這一時期的學術面貌。

吾人以為，之所以會有這種情況發生，其中的最大關鍵，應在於學界無法對這時期經學相關文獻論著資料進行全面有效的掌握與利用。雖然民國以來優秀學人輩出，在經學領域方面，也產生了大量深具價值的論著。然因屢遭動亂，社會騷動，無法提供學術發展和知識傳播有利的環境和條件，使得許多文獻資料難以廣泛的流傳與獲得妥善的保存，這也連帶導致很多學人的重要論著在出版與傳播方面遭受到極大的限制。上述一千多種民國時期經學著作，從臺灣的角度來觀察，真正有在市面翻印通行或有被各公私圖書館收藏而得以借閱使用

---

16 就整體而言，如從史學（尤其是古史）的角度研究經學；就各經來說，則如《詩經》研究受歌謠的啟發，均是顯例。此二者的衝擊與影響至今未衰。

17 此係聞之於童書業之女童教英教授。

的，據估計，也不超過二百五十種。中國大陸圖書館收藏的情況雖稍多些，然因借閱機制的複雜困難，能夠為學界有效利用的也很有限。[18] 正因為論著資料之不完整，必然使得後繼的學者無法對這段時期的學術面貌和發展內涵有較清晰完整的認識。既然無法全面地掌握民國經學的面貌和內涵，研究者又如何去有效地評估這時期經學的發展是蓬勃發達或蕭條沒落？因而今日欲對民國經學有全面且深入的研究，若不先從基本的文獻資料之調查、蒐羅與整理上入手，只憑靠少數二、三百種著作，或只關注在那少數有名的學者、論著上面，這樣無論如何是不能得其真實的面貌。且從學問領域的發展來看，傅斯年（1896-1950）早在一九二八年發表的〈歷史語言研究所工作之旨趣〉文中就強調說：「凡一種學問能擴張他所研究的材料便進步，不能的便退步。」[19]林慶彰教授也有所謂：「經學文獻學能促進經學的研究」這樣的主張。[20]由此可知，站在學科成長與進步的角度上來看待此問題，廣泛深入地蒐集與整理民國時期經學論著資料，不但有助於經學本身，甚至亦能惠及民國學術史的發展。

不過，能促進民國經學研究的文獻資料當不僅止於林先生所調查蒐羅的一千餘種正規的經學專門論著，或者應循著傅斯年的思路來說，民國經學所能擴張的研究材料應不侷限於一般的經學論著，而是包括學人的其他著作、日記、書信、手稿、年譜、傳記、回憶錄，以及公私機關留存的檔案文書，甚至報刊中的資料。這些數量龐大的文獻資料，連同他們正式發表刊行的經學著作，共同形成了民國經學家及經學研究者們所創構出的經學學術世界。

---

18 林慶彰撰：〈編者序〉，《民國時期經學叢書》，第1輯，頁4-5。

19 傅斯年：〈歷史語言研究所工作之旨趣〉，歐陽哲生編：《傅斯年全集》（長沙市：湖南教育出版社，2003年），第3卷，頁6。

20 此係聞之於林慶彰先生之言談。

　　這樣的經學學術世界理應就是民國經學的內容，但事實卻大不然。如若真正在學界通行的民國大陸時期的經學論著只有不到三百種，僅為當時所有經學論著的五分之一不到，則在此基礎上所形成的民國經學（狹義），還能說是全面的、完整的民國經學嗎？再加上如未能廣泛地運用詩文、日記、書信、手稿、檔案及報刊資料，所提供的細緻心理背景、人際網絡、學人論學情境和外在學術與社會環境等資訊，更使既有呈現在學術史中的民國經學顯得偏枯、孤立和抽象。因此，如何重新走回當時整全的經學學術世界，並以此來擴展、補充既有的民國經學研究，儘可能地使民國經學的研究貼近、切合實際的狀況，應是當務之急。

二　遺忘與追憶

　　在大多數民國經學基本文獻尚不充分為世人所知的情況下，對研究所造成的直接衝擊就是如何面對那些為數不少的所謂「被遺忘的經學家」和「罕傳的經學論著」。林慶彰先生自述在編輯各種民國經學文獻的過程中，發現「有不少當時有名的經學家，才過幾十年幾乎快被遺忘了。」他指出徐天璋（1852-1936）、宋育仁（1858-1931）、曹元忠（1865-1923）、曹元弼（1867-1954）、龔向農（1876-1941）、顧實、陳鼎忠（1879-1968）、戴禮（1882-1935）、曾運乾（1884-1945）、陳延傑（1888-1970）、陳柱、蔣伯潛（1892-1956）、王思洋（1897-1964）、馬宗霍（1897-1976）、羅倬漢、蔣善國、張西堂、張壽林、李源澄等人都是「被遺忘的經學家」。[21]在〈民國時期幾位被遺忘的經

21　林慶彰：〈民國時期幾位被遺忘的經學家〉，《政大中文學報》第21期，頁18、32。
　　林先生在此文中並未提及陳延傑，但他早在〈陳延傑及其詩序解〉（收入《王叔岷

學家〉文中，他專門向當代學界介紹了徐天璋、陳鼎忠、戴禮、張壽林和李源澄等五位學人的生平事蹟、經學著作和後人研究成果。[22]

　　經學家既然已被遺忘了，他們的經學論著也同樣面臨著不易流傳的窘境，最終可能形成了「罕傳的經學論著」。這些論著之罕傳的情況有二，（一）曾經刊行出版，但影響不廣，長期無人聞問，因而處於不再流通，或流通有限的局面。（二）未曾公開發表刊印，仍處於稿本或抄本的狀態，深藏於人間一隅。

　　有論者以為「被遺忘的經學家」可大致分為兩種型態，其一是不該被遺忘而卻被遺忘，其二是原本就該被遺忘，蓋因缺乏研究的價值。[23]經學家該不該被遺忘很大部分取決於他的經學論著或其學術主張的價值。若其論著或學術主張缺乏價值，則不但論著及學說本身不被學界重視，同時也會使學人失去影響力，最後消逝在學術的殿堂中，而被人們所淡忘。但這類關涉學人學術名聲及影響力高低有無的機制，應是建立在經學家們的經學論著或學術主張都能被學術社群知曉的前提上。設若此前提並未能建立起來的話，則就很難用物競天擇式的邏輯，來去反推那些被忘卻的經學學人及其罕傳的經學論著之缺乏學術價值。畢竟書籍的流傳與否，有幸與不幸[24]，學者精心論撰的著作能否刊行亦往往取決各種主客觀的因素，亦也很難純從學術價值高低與否的角度來予以評判。對於絕大部分並非身處當時學界主流地位的學人來說，他們在生前未曾享有高度的學術聲望，因而論著的刊

先生學術成就與薪傳研討會論文集》，臺北市：臺灣大學中國文學系，2001年）一文中，就已稱他「是個被遺忘的經學家和古典文學研究者」（頁426）。

22 林慶彰：〈民國時期幾位被遺忘的經學家〉，頁18-32。

23 見〈民國時期幾位被遺忘的經學家〉審查人意見，《政大中文學報》第21期，頁35。

24 余嘉錫：《古書通例》（上海市：上海古籍出版社，1985年），頁3。案：余氏所論雖本為古書而發，但他亦承認「不獨古籍為然」。（同上）

印與流傳對他們的學術名聲之建立關係極大。如若因戰亂、天災人禍，以及受限個人財力等種種非學術性的因素，使其著作無法印行或雖刊印但流通有限，這些情況都會導致其學術成果最終變成「罕傳論著」，連帶使其人其學被遺忘。然而，這豈是真正的學術實況？這些被遺忘的經學家果真是不值一顧？他們罕傳的著作果真毫無價值？

黃愛平在替陳鴻森教授的《清代學術史考證》一書作序時指出：

> 長期以來，中國古代的學術史、思想史研究，大多集中于少數精英學者和經典著作，而有意無意地忽略了更為龐大的知識群體和數量更多的流散於天地間若存若亡的文獻資料。清代亦復如此，學界一般多關注顧炎武、黃宗羲、王夫之、戴震、章學誠等少數名家大師，而那些共同建構有清一代學術生態並為清學發展作出重要貢獻的眾多學人，卻大多處在為人所遺忘的角落。[25]

漆永祥也嘗感慨道：

> 出版社與研究者在出版選題與科研項目方面，也熱衷於名家名著的重複整理，且多年來皆是如此，這種自然的個體行為，卻折射出古籍整理界整體的無計劃性與盲目性。即以清人別集的整理為例，如顧炎武、黃宗羲、錢謙益、戴震、錢大昕、龔自珍等人的詩文集，影印本與整理本，比比皆是，而大量的清人別集卻沉睡館閣，無人問津。[26]

---

25 黃愛平：〈序〉，收入陳鴻森：《清代學術史叢考》（臺北市；臺灣學生書局，2019年），上冊，頁 V。

26 漆永祥：〈當前古籍整理諸問題芻議——兼談對《文獻》雜誌的小小建議〉，《文獻》2019年第5期，頁50。

由此可見，學人的「被遺忘」和論著的「罕傳」與否並不能完全只從「適者生存」或所謂「市場機制」的角度來思考，這當中還存在不少值得反思的問題，如涉及某種學術機制的操作、政策的干預、學術風尚或潮流的引導、學者的從眾心理……，並非全然依循著客觀的學術標準來運作。

總而言之，以目前的時空環境來衡量，民國經學還遠未到可以蓋棺論定的階段，學術界對它的掌握與認識仍不夠充分深入。因而現階段的工作應以文獻蒐集、保存與整理為主，並對其學術內容進行基礎的研究。將那些逐漸被遺忘的經學學人及其不再流通的論著，通過考察其生平事蹟、探究其論著內容和學術成果，以及調查其與經學相關的教育、文化、社會推廣之成績，使其人其書其學重新呈現在當代的學術視野中。因此，這是一個對被遺忘的學人學術之「追憶」的工程，其重要性和急迫性猶如考古學中的所謂「搶救性發掘」。因為再不做的話，則將隨著時光的流逝，許多的文獻資料、學者社群的人際網絡、學術傳承的痕跡、與學問發展的情境脈絡和各種軟硬體設施，終將面臨消逝的危機，思之不免令人警懼。

三　隱微間隙處的窺探

清代學術史名家陳鴻森教授，長期致力於發掘被學界忽略的清代學者，藉由對他們生涯史的探研，從中發現某些學術史湮沒的斷面，並揭示清代學術史的「遮蔽」與明暗面的界限。[27]陳先生在藉由考探

---

27 陳鴻森：〈被遮蔽的學者——朱文藻其人其學述要〉，收入氏撰：《清代學述史叢考》，下冊，頁619-621；鄭丹倫：〈陳鴻森教授演講「被遮蔽的學者——朱文藻其人其學述要」紀要〉，《明清研究通訊》第60期（2017年4月15日）。（http://mingching.sinica.edu.tw/Communi_Detail/946674b2-7788-4c0e-8f58-0f06ba61b53c）檢索日期為2020年8月3日。

朱文藻（1735-1806）的生平事跡和學問的例子時，嘗自述其研究視角和問題意識：

> 用以揭示清代下層知識人普徧的生存困境、研究者長期忽略的著述代工現象，以及清代社會某種上下掠食而又互相依存的學術生態鏈。[28]

此類的研究，在方法學上的意義不僅是將關注的焦點，從處在學術金字塔頂端的少數主流、菁英和具影響力的學人、經典論著和他們所創造的學問，擴充至建構整體學術生態和知識版圖的眾多學人之論著和學問，而更在顛覆看待這些學人、論著和其學術的方式。亦即在沿用正面探論學人之論著和其學術成就的研究模式之外，又同時將目光投向學人和其學術所產生和存在的整體生態環境中。若以舞臺來比喻的話，既往的經學或經學史的研究，經學家和其學術始終是置身於學術史舞臺的中央，承受著所有的燈光和目光，鮮少人會注意到他們所身處的舞臺背景和旁邊的角色及道具，更遑論舞臺後的工作人員及舞臺下的觀眾。只關注燈光和目光所聚的主要演員和場景，這是以往主要的研究模式，此誠然有其合理性和不可替代性。但與此同時，將研究視角稍稍延伸至主要演員和場景之外，關注被舞臺燈光所遮蔽的其他隱微幽暗的地方，甚至觀察臺後與臺下其他間隙處的風光，當也能有不一樣的收獲。這些隱微間隙的地方也同樣是學術史的組成部分，雖使人不易察覺其存在，但其重要性並不遜色於那些浮現在學術史上的主流與菁英的存在，二者共同組成完整的學術史，並確保學術的延續發展。

---

28 陳鴻森：〈被遮蔽的學者——朱文藻其人其學述要〉，頁670。

當代學界的研究，關注此類隱微間際處的例子不少，如錢穆在早年所撰《中國近三百年學術史》一書中，就常從此角度來考察清人學術。其論閻若璩（潛邱，1636-1704）與毛奇齡（西河，1623-1716）二人辨《古文尚書》真偽一事，所反映之「兩家著書之不德」的情況，尤其令人印象深刻。錢穆細心比對二人著作，發現：

> 故西河《冤詞》八卷，本為與潛邱興難，而顧無一語明及潛邱也。今以《冤詞》中「或曰」諸條，校之潛邱《疏證》，明其的是一說。而復有《冤詞》「或曰」云云，今《疏證》中不見其說者，余疑此由西河據所見《疏證》而駁，及潛邱見《冤詞》，見其說有據，乃還減己說，今《疏證》八卷有缺文並缺其條目，而猶留其條數者，殆即是也。於是去瑕汰弱，更為不可勝，潛邱之智亦狡矣！故西河之駁閻說，沒其名字而稱「或曰」，固是輕薄，而潛邱亦沒其所攻駁，遂欲使我書無不是，毛說無足取，亦非從善服義之公心也。[29]

若只從正面的角度分別去研讀二家之書，恐不易察覺其中曲折隱晦的實相。

又如余英時嘗分析章學誠（1738-1801）提出「浙東學術」說的所謂「心理真實」（psychological truth）。他認為章學誠基於世人無法欣賞及承認他的學術成就而產生的孤寂感，以及來自戴震（1724-1777）學術的挑戰，因而構建出了「浙東」和「浙西」兩個學術系統。將戴震安排在顧炎武（1613-1682）的系統下，並上溯於宋代的朱熹（1130-1200），即以經學為主，而尚博雅的「浙西」一派。自己則屬於自陸、

---

29 錢穆：《中國近三百年學術史》（收入《錢賓四先生全集》第16冊〔臺北市：聯經出版事業公司，1998年〕，頁308-309。

王以來，源遠流長，以史學見長，且貴專家的「浙東」一派。藉此塑造他和戴震在清代中期學術史中扮演著「雙雄並峙」的角色。章氏所認知的「心理真實」自然不完全等同於「歷史真實」（historical truth），他在這裡將二者混淆，製造了錯誤的歷史訊息。[30]余英時在這個案例中，同樣也將章學誠論學中隱曲的心理背景精彩地揭露出來。

　　有別於習慣從正面的角度，「就學術論學術」的傳統治學方式，這類窺探學術隱微間隙處的研究方式，不但能對既有的研究提供必要的補充與修正；同時也能啟發研究者開拓新的探索方向。從民國經學的角度來說，顧頡剛及其弟子在經學上的表現與貢獻，或許就是一個頗值得嘗試的論題。

　　雖然顧頡剛並非有意識的開宗立派，但由於他在學術上的成就和影響，以及對人才的愛惜和對學生的培養，使其門生遍佈各個學術領域，在諸如古史學、歷史地理學、民俗學、民族學、文獻學、圖書館學、方志學和目錄學等領域皆各有一批追隨者。[31]因而「顧門學術」及「顧門弟子」在民國學術史中形成了令人矚目的學術地標，王學典主撰的《顧頡剛和他的弟子們》一書[32]，系統地研究顧頡剛和其弟子們的複雜糾結的關係，從而展現了顧門學術的豐富多彩的一面。而其從師生相處的人事脈絡入手的進路，藉由運用大量多樣的文獻史料，包含正式發表的著作和私人的日記、書信、人事檔案，甚至政治運動

30　余英時：《論戴震與章學誠——清代中期學術思想史研究》（臺北市：三民書局，2016年修訂2版），頁71-79。

31　王學典主撰：《顧頡剛和他的弟子們》（北京市：中華書局，2011年增訂本），頁54-70。

32　該書初版於二〇〇〇年，由濟南山東畫報出版社刊行，書中除顧頡剛外，還處理了何定生、譚其驤（1911-1992）、童書業和楊向奎（1910-2000）四位顧門弟子。二〇一一年改由北京中華書局出版增訂本，增加劉起釪（1917-2012）一章。不過王學典也坦承，完整的《顧頡剛和他的弟子們》一書，還必須包括王煦華、顧潮和顧洪（1947-2001）。（見增訂本，頁388）

中的發言紀錄和檢討材料，具動而生動地將顧門師徒間的緊張關係給呈顯出來，頗具啟發性。

就經學來說，顧頡剛及其弟子們雖不自認自己是經學家，也往往對經學抱持較為負面的態度。但他們當中有不少人仍然對經學有深厚的研究，甚至顧頡剛的《尚書》研究及接近今文學家的立場也不免被人視做經學家，甚或今文學家。[33]但顧門對經學的研究，自始至終並不是那麼和諧一致的，中間充滿著齟齬、衝突與矛盾，裂帛碎玉之聲，時可相聞。而其原因，並非僅是檯面上純粹的學術論辯，還摻雜有許多難以為外人道的人事恩怨與糾紛。這些與學術相關的師生相處的情境與脈絡就構成了顧門學術史中的「隱微間際」處，忽略了這些地方，就難以對其論學之真相和學術之全貌有整體而深入地理解。因而從這些隱微幽暗間際處來窺探顧門學術，當亦有其必要。

在這樣的視角下，或可看到原本就在經學與史學間徘徊和在疑古與信古間依違的顧門學術，復因摻入大量的人事恩怨和情感糾葛，使其學術的發展也常呈現傳承和背離雙軌並行的奇特現象。如此涉及的顧門師徒間公私領域之窺探工作，除了學術論著外（包含讀書筆記），亦勢必有賴對日記、書信、回憶錄、檔案等材料之解讀與利用，如此才能將他們師徒內心隱曲的深處和生平經歷之種種細節，以及與學術發展的諸多關聯，加以還原顯露出來。

第三節　本書的構成

本書由兩個主題組成，第一個主題探討的是羅倬漢、陳延傑與蘇

---

33 參拙著：〈田野中的經史學家——顧頡剛學術考察事業中的古跡古物調查活動〉，《現代學術視域中的民國經學——以課程、學風與機制為主要觀照點》）（臺北市：萬卷樓圖書公司，2011年），頁97-98；及本書第九章。

維嶽（1877-1947）等三位民國時期「被遺忘的經學家」，書中共有四個篇章探討他們的生平經歷、著作、學說和學術地位與名聲等問題。在眾多同時期被遺忘的經學家們，選取此三家來研究，並非基於某種特殊的理由或專業上的考慮。事實上，他們在學術主張、淵源傳承、學派屬性上沒有任何實質上的聯繫，甚至也不存在外在的地緣或一般人際交遊上的關係。惟一較大的共通性就在於三家皆曾獲得一九四〇年代中華民國教育部舉辦的著作獎勵之肯定。筆者因為某些特殊的機緣（詳見第二章），和部分獲獎著作見藏於國立政治大學圖書館（見第三、五章）的誘因，由此展開了對此三家經學的研究和經學論著的蒐羅與整理工作。章次的安排以羅倬漢居首，陳延傑次之，蘇維嶽殿後，亦非以生年先後來考慮，只是基於實際展開研究次第的因素。總括來看，三家除了皆曾得過教育部著作獎勵之外，其共同點尚有皆屬後世名聲不彰之被遺忘經學家，以及其經學論著大多瀕於罕傳的狀態，而三家對傳統學術文化所持的立場皆偏向守舊（詳見各章所述），在那個變動劇烈的年代，難免顯得格格不入。

　　第二個主題則主要是探討何定生、牟潤孫（1908-1988）與楊向奎（1908-1988）這三位顧門弟子的經學，亦有四個篇章來處理，章次的安排不以長幼為序，而以他們進入顧頡剛門庭的先後為次。這三人在與顧頡剛的師徒關係上，皆曾產生過不同程度的摩擦，而在學問上則各自保持著與顧頡剛本人或近或遠的傳承關係。他們日後的命運和學術發展也大不相同，何定生渡海來臺，任臺灣大學中文系教職。牟潤孫先來臺後轉赴香港，榮任香港中文大學歷史系講座教授。楊向奎則一直留在大陸，日後更擔任中國社會科學院歷史研究所中的要職。三人的學術經歷，縱使不能說極為顯赫，然也絕非默默無聞，有被遺忘之虞。三家之學單獨來看，自也有其一片天地。如若與顧頡剛及其創辦的《古史辨》合而觀之，不但其學術中的某些面向和觀點所

可能存在的原始問題意識和論述背景，可得以更加顯豁；且更可從整體的顧門學術來把握其學說。值得一提的是，楊向奎於一九四九年後留在大陸，牟潤孫去香港，何定生來臺灣，楊、牟後半生雖不盡屬民國，然學問有延續性，不易斷然切割，且其與顧門的關係早建立於大陸階段的民國時期，因此本書從整體性的角度出發，還是將其二人納入民國經學的範圍來探討。以下分敘主要篇章的內容大要。

第二章〈考《史》以證《左》──廣東學人羅倬漢與《史記十二諸侯年表考證》〉。本章探討廣東學者羅倬漢出版於一九四○年代的《史記十二諸侯年表考證》，此書雖曾於一九四一年獲得教育部學術審議委員會辦理的著作獎勵中之「古代經籍研究類」三等獎之肯定，但其書和其人一樣，均長期隱晦不彰，知之者甚少。羅氏此書是為了對治當時學界極為熱門的《左傳》真偽與作者的問題，而此問題又係解決今古文之爭的關鍵。不同於其他學者多就《左傳》本身來考證《左傳》之真偽，羅氏採取的進路是就《史記》的〈十二諸侯年表〉與《左傳》先後的關係，來論證《左傳》非晚出。羅氏在此書中共設有六組論證來證成其論點，每組論證復舉出少則十來條，多則七十餘條證據來支撐其論證，由此得出了「〈史表〉以《左氏春秋》為中心而旁參各書」的結論。本文除對羅倬漢的生平、撰作此書之緣起、背景、基本立場與進路，以及此書的內容和主要觀點加以論述外，亦嘗試對其論證方式及該書的成就與價值，做番深入的檢討與客觀的評估。

第三章〈南雍學人陳延傑及其經學論著之整理〉。兩江師範學堂出身的陳延傑，在經學、詩學和古典詩歌創作上皆深有造詣，其於經學撰有《周易程傳參正》、《詩序解》、《經學概論》等書；於詩學除《詩品注》外，又有多種唐宋詩集箋注出版；於古典詩歌創作上亦結集有《晞陽詩》。其中《周易程傳參正》和《晞陽詩》皆曾於一九四○年代獲得中華民國教育部著作獎勵之肯定。學界或稍知曉陳延傑在

古典詩學和文學批評史上的表現，卻對其經學研究不甚知悉，使其長期淪於「被遺忘的經學家」，而其經學著作也因流通不廣，成為「罕傳經學論著」。但其經學撰述實亦有其獨到之成就與特色，不應將其輕易地從當代的學術記憶中抹滅忘卻。本章從現代經學發展的角度，對陳延傑的生平經歷、著述撰作及學界的相關研究情況，做一基本之考察，並概述整理陳氏經學論著的經過。

　　第四章〈陳延傑《詩序解》及其《詩》學觀探析〉。陳延傑《詩序解》，其「以詩言《詩》，不假《序》說」的立說宗旨，頗與民國初年以來興起的「反《詩序》運動」的潮流相一致。本章分析了該書的《詩》學立場與詮解進路，對《詩》義的把握方式，以及整體的《詩》觀。最後指出陳延傑直尋《詩》之歸趣，不沾黏於名物訓詁之詮解方式，頗近於清代獨立治《詩》三大家姚際恆（1647-約 1715）、崔述（1740-1816）和方玉潤（1811-1883）之說《詩》風格。陳延傑說《詩》不取《詩序》的表現，雖似與其時南雍學術之主流異趣。然觀其治《詩》，卻不曾廢棄孔子興觀群怨之《詩》教立場；又嘗力倡讀經之重要，與北方新文化運動之反《序》疑經之激烈主張，仍有天壤之隔。以此觀之，陳延傑實仍近於南學而遠於北學也。

　　第五章〈湖湘學人蘇維嶽的《詩經》撰述與《詩》教理想〉。本章聚焦一生致力於《詩經》研究與教育推廣的湖南籍學者蘇維嶽，蘇氏著述甚豐，惟僻處湖南鄉隅，聲名不顯，學界罕聞。除其《詩學贅言》曾於一九三六年出版外，其他的《詩經》著作皆從未正式刊行過，因而使其《詩經》研究在當代的《詩經》學中幾乎未曾引起任何的反響，可說是一位被遺忘得相當徹底的學者。本章透過其曾刊行之《詩學贅言》鉛印本和政治大學特藏之《詩經叢著》數種的謄鈔本，以及蘇氏參加教育部學審會著作獎勵所撰寫的申請獎勵說明書和錢穆、汪東（1890-1963）所寫的審查意見表，再加上為數不多的相關

資料，嘗試將其《詩經》著作之學術內容和成就，加以勾勒出來。從中可以看出，蘇維嶽一生主要的研究幾乎全投入《詩經》當中，且他不只從事客觀的學術研究，更抱持著經世致用的理想，積極透過教育的方式，來推動《詩》教，以期能陶淑人心，使社會臻於祥和，從而達到理想的境地。

第六章〈何定生與《古史辨》的《詩經》研究〉。本章指出，何定生是顧頡剛早年在廣州中山大學時期的學生，後休學隨顧頡剛北上北平學習，但因種種細故，與顧頡剛發生摩擦，遂疏離於顧頡剛的學術圈。何定生早年曾有數篇關於《詩經》的論文刊載於顧頡剛主編的《古史辨》第三冊中，國民政府播遷來臺灣後，任教於臺灣大學中文系，仍致力於《詩經》的研究。在他的《詩經》研究中，可以看到與顧頡剛及《古史辨》之《詩經》研究有著密切深厚的關係。他除了曾對《古史辨》第三冊中的《詩經》研究成果進行全面的評騭外，對於《詩經》與樂歌關係的強調與把握更展現了其對古史辨派《詩經》研究的繼承與開展。當代關於顧頡剛及古史辨派《詩經》學的相關研究中，何定生的研究成果並沒有被充份的重視與利用，殊為可惜。

第七章〈何定生一九四六年致顧頡剛未刊書函述要〉。此函為顧潮在整理其父顧頡剛與人來往書信時發現，共約一千二百多字，何定生在函中對其行跡、生活、家庭與心志多所述及，可補充和修正很多學界過去不知道的細節，具有高度的史料價值。本章根據信函內容，探討六個重點。一、何定生與顧頡剛於抗戰後重新恢復聯繫的細節。二、何定生化名趙時考入燕京大學歷史系就讀，畢業後又續入燕大研究院攻讀，然卻因珍珠港事變，日軍封閉燕大校園，被迫中斷學業，只得南下濟南，靠教書維生。三、其研究專業由之前在廣州中山大學就讀時的中文領域改為歷史領域，並專治中國近代史。然而來臺後，卻在傅斯年的安排下，進入臺灣大學中文系任教的曲折。四、他自述

在燕京大學校園中學習的心境。五、他與傳教士的關係，以及信仰基督教的過程。六、請求顧頡剛為其安排一份可滿足學術及生活需求的工作。本章指出，在戰後百業蕭條的情況下，收到信後的顧頡剛或許也只能用「已讀不回」來權充他的回應方式。這其間反映出的，不只是何定生個人的悲哀，更是整個大時代的悲哀！

　　第八章〈顧門中的勵耘弟子——牟潤孫經史之學的面向及其所反映的師承關係〉。牟潤孫就讀於燕京大學國學研究所，指導老師為陳垣（1880-1971）和顧頡剛，復從柯劭忞（1848-1933）受經史之學。其學問主要表現在經學與史學兩方面，其經學傳承自柯紹忞，史學則主要師承於柯劭忞與陳垣。柯紹忞和陳垣對其學術具有最直接、最重要的摶塑力量。牟潤孫曾有所謂「南來之學」之說，其南來之學的概念，雖然主要指的是將陳垣的學術傳播至南方，但也包括其終生禮敬，於師承淵源未嘗一日或忘的柯忞劭，所謂「蓼園之學也南來」。惟獨其與顧頡剛的關係頗令人好奇，從現今留存的相關記述中，似可看到二人間時有不諧甚或離齟緊張的狀況，牟潤孫後來甚至疏離顧門而完全投入陳垣勵耘書屋門下。本章先從分析牟潤孫經、史兼具的學術面向及其學術淵源入手，再進一步深入探討牟氏與陳垣和顧頡剛之間微妙的師門關係與學術關聯。從一開始的學問的不契，再加上個性的不同與做事態度的差異，最終發展至二人師生關係的不諧，因而使牟潤孫陷入「身在顧門，心在勵耘書屋」的尷尬處境，甚至形同「破顧門」、「入陳室」的情況。

　　第九章〈論楊向奎的經今古文學觀〉。本章指出，楊向奎主要的學術表現在於對中國古史的研究，這是與他學術的源頭，即以顧頡剛為首的古史辨派有著密不可分的關係。雖然楊向奎的經學研究受到顧頡剛的強烈影響，但他在今古文問題上的態度和立場卻屢屢與顧頡剛唱反調，不但多次公開聲明自己不是古史辨派，更在晚年的自述中，

明確宣稱他從大三後就不相信古史辨派的學術，認為是今文學派的偏見。他一生在經學領域撰著的論著幾乎都圍繞著今古文學的問題打轉，他在各個階段中所進行的經學研究皆與今古文學脫離不了關係。由此可知，今古文學問題是楊向奎一生致力研究的課題，因此欲了解楊向奎的經學，不從今古文學問題入手，將是難以得其體要的。楊向奎對今古文經學相關議題的論辨，包括《左傳》、《周禮》真偽與今古文學之爭辯、今古文學和漢代經學與政治的關係，以及今古文學的綜合論述等，本章在學界既有的相關研究基礎上，儘可能地爬梳、整理楊向奎對這些議題的論證，並對其研究成果、學術特色以及和顧頡剛的關係做一番公允客觀的評估。

本書又分別針對所研究的六家相關之文獻資料和著作目錄，做了一番蒐集與整理，分別編製了〈羅倬漢與《史記十二諸侯年表考證》相關資料〉、〈陳延傑著作目錄〉、〈蘇維嶽《詩箸》申請獎勵說明書及錢穆、汪東審查意見表〉、〈何定生著作目錄增訂稿〉、〈牟潤孫經學論著目錄〉和〈楊向奎經學相關論著編年〉等六份材料，放入附錄，以供讀者參考。

卷上
追憶被遺忘的經學家

第二章
考《史》以證《左》
──廣東學人羅倬漢與《史記十二諸侯年表考證》

第一節　前言

　　羅倬漢（1898-1985），原名偉勤，字孟韋，別名孟瑋、執青。一八九八年十二月二十八日生於廣東省興寧縣大坪鎮，一九一九年考進北京大學哲學系，攻讀外國哲學。一九二五年畢業後曾任教於北京、興寧、廣州諸中學，一九二七年短暫擔任興寧縣縣長。一九三三年，東渡日本，就讀日本東京帝國大學研究院，攻讀歷史和哲學。抗日戰爭爆發後回國，先後擔任桂林師專、雲南澂江中山大學師範學院、成都金陵大學、廣東省立文理學院等校教授。一九四九年後，任教於廣東省立文理學院、華南師範學院，擔任二級教授、歷史系主任，直至一九六〇年退休。一九八五年八月十二日病逝於廣州，享年八十七歲。[1]羅氏的主要著作大多作於一九四九年之前[2]，已刊者有《史記十

1　以上羅氏生平資料主要根據林鈞南：〈緬懷羅孟瑋教授〉，廣東省興寧縣政協文史委員會編：《興寧文史》第5輯（1985年11月），頁158-160、何國華：〈正直愛國的學者羅倬漢教授〉，《興寧文史》第16輯（1992年9月），頁80-88、廣東省立中山圖書館與香港大學馮平山圖書館編：《羅香林論學書札‧附錄‧書札相關人物小傳》（廣州市：廣東人民出版社，2009年，頁616-617），及戴偉華：〈羅倬漢事蹟編年〉，《經學研究論叢》第18輯（2010年9月），頁1-9。案：林、何二氏之文均收入《經學研究論叢》第18輯，見頁11-18。

2　馮友蘭（1895-1990）的學生黃楠森（1921-2013）曾指出一個有趣的現象，他說：「我們有很多教授，建國前非常活躍，文章寫得很多，建國後就不寫了，噤若寒

二諸侯年表考證》、《詩樂論》和翻譯日人淀野耀淳的《認識論之根本問題》（署名羅軌青譯），未刊者則有《左氏私學論考》、《詩經初編之學》。晚年（1978）嘗收集其於一九三八年至一九四五年間發表在報章雜誌中的二十多首古體詩，名《青塘詩》，油印出版。[3]

羅倬漢其人和其書在當代人文學術領域中，名聲均不甚彰顯。其書有何價值？其學術又有何價值？為何要對其人其書及其學術進行研究？研究的意義又何在？由於這涉及一部學術論著及其關涉之學術論題被重新發現和關注的過程，而這過程本身又不可避免地構成了該書的流傳史、接受史及該學術論題的研究史的一部分，因而對此過程做番完整的說明應該也是有所必要的。事情要回溯到二○○七年，筆者當時因參加中央研究院中國文哲研究所經學組的「變動時代的經學和經學家（1911-1949）」研究計畫，開始展開對民國時期經學的研究。與此同時，筆者原先就一直保有對現當代學人學術相關事蹟掌故的興趣，兩相結合，從而激發了對民國時期學人和學術研究的熱忱。在閱

蟬。為什麼？一個是心存抵觸，不願意寫；還有一個就是為舊的東西所束縛，寫不出來。」（任繼愈等訪談、許進安採訪、王仁宇整理：《實說馮友蘭》〔北京市：北京大學出版社，2008年〕，頁71-72。）羅倬漢雖然並不是不寫，但顯然寫得不多，學術性的專著更是付之闕如，但他究竟是屬於哪一類型的？頗令人好奇。案：一九四五年間，國民政府教育部長朱家驊（1893-1963）與國民黨高層陳立夫（1900-2001）曾聯名向蔣介石（1887-1975）推薦九十八名「最優秀教授黨員」，羅倬漢即列名其中。（見〈最優秀教授黨員名冊〉，原件藏於中華民國史館，原文未見，沈衛威在《民國大學的文脈》〔臺北市：花木蘭文化出版社，2014年〕書中將全部名單公開，見頁207-210），顯示其與國民黨關係應是十分密切。這是否為其在一九四九年後文章寫得少的原因？而使其成為「噤語失聲的學者」？

3　羅倬漢的著述主要可分成專著、翻譯、單篇文章、詩集及書信函札等五大類，關於羅氏的著作情況，請參林慶彰編：〈羅倬漢著作目錄〉，《經學研究論叢》第18輯，頁43-48。又本段敘述係在拙著：《現代學術視域中的民國經學——以課程、學風與機制為主要觀照點》（臺北市：萬卷樓圖書公司，2011年），第五章，〈現代學術獎勵機制觀照下的羅倬漢之經學成就〉的基礎上，稍事增補而成。相關段落見頁141。

讀錢穆（1895-1990）《師友雜憶》的時候，注意到書中專列一小節（十二章十二節）回憶他和羅倬漢於抗戰時期在成都相處的往事，此應是筆者知道此人之始。但錢穆該書提及的人和事極多，他對羅氏的回憶很容易被書中提及的其他更有名、更有趣的人和事所淹沒，不容易讓讀者產生更強烈的印象。後來約莫在二〇〇八年的時候，筆者又在錢穆的《素書樓餘瀋》中看到錢穆所寫的〈羅倬漢十二諸侯年表考證序〉一文，由此對其人其書產生了好奇，於是便嘗試上網去查找相關資料。但蒐尋到的大多是另兩位皆曾做過國民黨將領的同名軍人。而關於著作，僅有《詩樂論》可在圖書館中找到，其他則杳無蹤跡。到了二〇〇九年暑假，因為幫美國亞利桑納州立大學田浩（Hoyt C. Tillman）教授編纂余英時先生的著作目錄，他介紹筆者去參加臺灣大學人文高等研究院舉辦的「兩岸朱子學與當代社會倫理研討會」，說是可於會中認識浙江大學的何俊教授和北京清華大學的彭國翔教授，他認為對筆者編目錄的工作會有幫助。但在會中僅和二人稍事寒暄，於目錄事未有任何收穫。不過因參加會議而獲得主辦單位的贈書，其中有一本是朱茂男、楊儒賓主編的《東亞朱子學者暨朱氏前賢墨跡》（臺北市：中華民國朱氏宗親文教基金會出版，2006年），該書適巧就收錄有羅倬漢以《詩樂論》一書去申請一九四二年度教育部學術審議委員會（簡稱「學審會」）所辦理的學術獎勵之審查意見表的原件複印，審查者正是著名的美學家朱光潛（1897-1986）。因為這有關羅倬漢著作的第一手文獻的公布，遂激起筆者積極研究羅倬漢著作及學術的興趣。

　　該年十一月下旬，聞一多（1899-1946）的長孫，任職中國社會科學院近代史研究所的聞黎明教授來政治大學進行研究，並參加臺北文化界舉辦的「紀念聞一多先生誕辰 110 週年座談會」。因為這個機緣，筆者有幸得以與之結識。當時聞黎明正在進行抗戰時的西南聯合

大學的研究，從他那裡得知當年教育部學審會辦理的學術獎勵有完整
的名單可以查考。因為這一提示，促使筆者去蒐查當年辦理學術獎勵
的相關資料，並試圖還原學術獎勵舉辦的整個過程。在獲獎名單中看
到羅倬漢不只《詩樂論》有得獎，《史記十二諸侯年表考證》也獲得
了一九四一年第一屆的「古代經籍研究類」的三等獎。連續兩年，兩
部著作均獲得國家學術獎勵的肯定，證明了羅倬漢確有其一定的學術
成就，而其論著的學術價值自亦是不容小覷。由此，愈發堅定筆者研
究整理羅書的意念。而正因為學術獎勵的審查意見表的公布，也使筆
者對《詩樂論》一書有研究的著力點，隔年五月便以〈現代學術獎勵
機制觀照下的羅倬漢之經學成就——以《詩樂論》為核心之探討〉為
題，發表於香港浸會大學中文系與中央研究院中國文哲研究所合辦之
「中日韓經學國際學術研討會」。[4]與此同時，筆者仍持續地尋覓羅氏
的著作，主要是《史記十二諸侯年表考證》一書。透過政治大學中文
系蔡明順助教的協助，順利地將此書從中國大陸網站中下載下來。適
逢中央研究院中國文哲研究所經學組準備舉辦「民國時期罕傳本經典
研讀」的活動，筆者將此書提供出去，遂於二〇一〇年八月二十七日
舉辦第一場的研讀會，由筆者和臺灣大學中文系張素卿教授負責導讀
此書。在導讀會中，張教授提及她曾於二〇〇四年暑假在中國社會科
學院歷史所的顧頡剛文庫中看到此書的曬藍本。筆者會後立即寫電子
郵件向顧頡剛（1893-1980）的女公子顧潮教授詢問此事。承蒙顧教授
的鼎力協助，她將此曬藍本拍成光碟片，並於十一月來文哲所開會時
親自帶來給筆者。由於《史記十二諸侯年表考證》的原刊本編印品質
不佳，又有闕頁，曬藍本的存在對此書的重新校勘整理，助益匪淺。

4　此文後來以〈現代學術獎勵機制觀照下的羅倬漢之經學成就〉為題刊載於《經學研
　　究論叢》第18輯（2010年9月），後又收入拙著：《現代學術視域中的民國經學——
　　以課程、學風與機制為主要觀照點》。

近年來，積極帶領大陸學界「走出疑古時代」的李學勤教授（1933-2019），也因此書的觀點與其主張相合，遂常在各種場合上公開讚揚此書[5]，可見此書的價值已逐漸獲得當今學界的重視。有感於此，筆者便於二〇一一年向國家科學委員會（科技部的前身）申請整理與研究此書的研究計畫，擬將此書重新打字排版，並仔細校對，希望能出版一個較理想的新編本。此計畫幸運獲得通過，於二〇一一年八月開始正式執行。除將此書重新打字編輯排版，並且反覆校對數次外，亦蒐集了關於此書的相關評論資料，附在此新編本之後，作為附錄。（見本書「附錄一」）本文之作，就是在文獻整理的基礎之上，進一步地對羅氏此書做一較全面的評析，以幫助讀者了解此書。

第二節　羅倬漢撰作此書之緣起、背景、基本立場與進路

關於羅倬漢撰作此書之原由，他在該書〈自序〉中有所表露：

> 民國二十五年春，予在東京，適津田左右吉氏《左傳思想史研究》出版，以儒學磅礡，會於炎劉；偽文剽竊，綜於《左傳》。鉅冊煌煌，取子史偶關《左傳》文句者，影附曲證，排比先後，翻果為因。加之思想奔流，格於斷代；儒門廣博，劃以範疇。構主觀之系統，乃馳騁於無方。遂使子虛儒者，多竊《史記》之文；盲左全書，偽成西漢之末。《春秋》十二公，皆為假名；中華三千年，本為樸野。縱筆浩蕩，汗漫無歸矣。
>
> 予於是始作《左氏私學論考》，會通經子，究私學之源，

---

5 李學勤的觀點見本文第五節「結論」所引述，又見本書「附錄一」。

窮儒術之變。知《左氏》為書，觀其典禮，決不待《五經》立
學而始著。

繼念思想進程，雖有其序，概念非實，共見難期。溯《左
氏》著錄，始於太史。〈十二諸侯年表〉明言《左氏春秋》，則
〈表〉之所據，必有攸在。予於是校讀〈史表〉，得〈表〉之
據《左》者數百條，視他書不啻倍蓰。而《春秋》編年，貽於
《左氏》，《左氏》書法，詔於馬遷[6]，跌蕩昭彰，更無掩飾。
此史公明見今本《左氏》，不可誣也。[7]

可知羅氏的撰作動機，乃是導因於日本漢學家津田左右吉（1873-
1961）《左傳思想史研究》一書之刺激[8]，因而他接連撰作了《左氏私
學論考》和《史記十二諸侯年表考證》二書以回應之。

雖然看似是個人主觀的因素，但其實這中間所涉及的還是客觀的
學術因素，也就是晚清以來以《左傳》真偽為核心的今古文論爭的學
術背景與問題脈絡。而這從羅氏請顧頡剛和錢穆二人為此書寫序一事
即可看出端倪。[9]顧頡剛的疑古學說受到晚清今文學，尤其是康有為

6　「詔於馬遷」之「詔」字，原缺，疑手民失排。此序亦刊於《志學》第7期（1942年7
　　月），頁15-16；《斯文》第2卷第17期、18期合刊（1942年8月），頁24，今據以校補。
7　羅倬漢：〈自序〉，《史記十二諸侯年表考證》（重慶市：商務印書館，1943年），頁1。
8　中文學界關於津田左右吉學術的評介，請見嚴紹璗：《日本中國學史稿》（北京市：
　　學苑出版社，2009年），頁297-304；李慶：《日本漢學史》第二部（上海市：上海人
　　民出版社，2010年），頁143-162；劉萍：《津田左右吉研究》（北京市：中華書局，
　　2004年）；郭永恩：《關於日本昭和初期老子思想的研究——主論津田左右吉和長谷
　　川如是閒的老子研究》（北京市：北京大學出版社，2013年）；曹景惠譯注津田左右
　　吉所著：《論語與孔子思想》（臺北市：聯經出版事業公司，2015年）中之〈中譯本
　　導讀〉及附錄四〈津田左右吉研究相關書目〉。又江上波夫編著、林慶彰翻譯的
　　《近代日本漢學家——東洋學的系譜》第一集（臺北市：萬卷樓圖書公司，2015
　　年），亦收有溝上瑛的〈津田左右吉〉中文譯文。（頁113-120）
9　錢穆的序見於該書書首，顧頡剛則因故未能完成書序，僅有來書一通，亦為羅氏置
　　於該書書首。

（1858-1927）和崔適（1852-1924）的影響，此是不爭的事實，在
《古史辨》第一冊的〈自序〉和《秦漢的方士與儒生》的序中，他皆
有所自白。[10]甚至顧頡剛早年的學生楊向奎（1910-2000），在其晚年
時也指稱其師顧頡剛為「今文學派的學者」。[11]由此可見顧頡剛信守今
文學的立場之深植人心。至於錢穆則於一九三〇年六月在《燕京學
報》第七期上發表了〈劉向歆父子年譜〉，這篇以破除康有為力主之
劉歆遍偽群經說為宗旨的大著刊出後，雖然在實際上並沒有達到錢穆
自己所宣稱的「余文出，各校經學課遂多在秋後停開」及「從民國十
九年以後，經學不能再照康有為那麼講，從此沒人開這些課」的客觀
效果與反響[12]，但的確也奠定了錢穆在今古文問題上「今文學說反對

---

10 顧頡剛：〈自序〉，《古史辨》（臺北市：藍燈文化事業公司，1987年），第1冊，頁
　26；〈序〉，《秦漢的方士與儒生》，收入《顧頡剛全集》（北京市：中華書局，2010
　年），第2冊，頁465-467。

11 楊向奎述、李尚英整理：《楊向奎學述》（杭州市：浙江人民出版社，2000年），頁
　15。顧頡剛的另一弟子劉起釪（1917-2012）對此問題有很持平且深入的評論：「我
　確信顧先生關於《春秋》、《公羊》、《穀梁》、《左傳》、《國語》的考辨意見，特別是
　對《春秋》和《左傳》二書許多具體情況的研究論斷，精闢絕倫，必將成為不刊之
　論。但其立論的中心要旨在承清季今文學派自劉逢祿、龔自珍以下，直至廖平、康
　有為、崔適諸人的學說，揚其餘緒。諸人始發其論，為學尚見空疏；顧先生為之條
　分縷析，充實論證，辨說周詳，體系完密，其立論遠在諸人之上。其說核心在闡發
　漢今文家所倡『左氏不傳《春秋》』之語，其所持論則主要在襲用劉逢祿之
　說，……以為《左傳》係劉歆改《左氏春秋》而成。這是清末以來今文家一家之
　說，顧先生不是今文家，有好些地方還很不同意今文家，但在這個問題上卻全承襲
　了今文家。」（劉起釪：〈後記〉，收入顧頡剛講授、劉起釪筆記：《春秋三傳及國語
　之綜合研究》〔成都市：巴蜀書社，1988年〕，頁116-117。）

12 前一段引文見錢穆：《師友雜憶》（收入《錢賓四先生全集》〔臺北市：聯經出版事
　業公司，1998年〕，第51冊，與《八十憶雙親》合刊），頁163。後一段引文則見錢
　穆口述，胡美琦、何澤恆、張蓓蓓整理：《經學大要》（收入《錢賓四先生全集》，
　第52冊，《講堂遺錄》），頁267。案：關於錢穆「終結」現代中國大學中的經學課程
　的討論，請參拙著：《現代學術視域中的民國經學——以課程、學風與機制為主要
　觀照點》，第一章，〈現代中國大學中的經學課程〉。

者」的學術地位與名聲。由此來看，羅倬漢找顧頡剛和錢穆寫序，靠著此二大家煊赫的學術名望，確實能為本書增添不少聲色；而此二人一持今文家說，一反今文家說，復能夠從正反兩個角度來看待他書中所討論的問題，從而為讀者提供兩個面向的觀察視角，真可謂用心良苦。[13]

事實上，今古文問題正如同楊向奎所說的，係「經學中的首要問題」[14]，而《左傳》的真偽及作者之論辯又可謂此首要問題之「首要問題」。自從晚清的劉逢祿（1776-1829）和康有為等人重啟兩千年前今古文之爭的戰火後，直至民國三十年代，這個問題始終盤繞在當時學術界的核心，吸引了主流學術界的目光，也促使了第一流學術人才的投入，甚至海外的漢學家也跳入其中，加入戰局。當時論辯的態勢

---

13 羅倬漢為此書的用心良苦，尚不只於請顧、錢二人寫序，他還曾為此書致書給他在北京大學哲學系念書時的老師胡適（1891-1962），請求其協助。北京大學圖書館所藏胡適未刊書信日記中有一通羅倬漢於一九四六年十月二十一日寫給胡適的信函，羅倬漢在信中懇求胡適「仗先生精密之筆，再作一序，以結百餘年來之疑案，是則學術界之福音，非徒生一人蒙幸而已」。除了請求為此書寫序，他還希望胡適能動用他的人脈，協助此書早日出版，其云：「今聞朱經農先生主商務館，與先生最稔，甚望鼎力介紹，請朱先生格外設法，使拙著得在商務館，早日問世。倘事克諧，生即將請聖陶兄，將拙稿轉至商務館。稿凡二十萬字，於此時，必須有書局肯特為辦理者，始能付排。」（北京大學圖書館編：《北京大學圖書館藏胡適未刊書信日記》〔北京市：清華大學出版社，2003年〕，頁136。原函全文參見本書「附錄一」。）惟該書編印時，將此函寫作時間誤訂為一九三六年十月二十一日。案：胡適對羅氏這兩個請求的態度為何，不得而知。但從事後結果來看，胡適顯然並沒有為羅書寫序。至於協助此書在商務印書館出版一事，則頗令人疑惑，蓋此書早於一九四三年六月已在重慶的商務印書館出版，又何來協助出版之事？推測可能當時物資缺乏，排印品質不佳，或印量有限。因而在抗戰勝利後，羅氏又請求胡適協助重新在商務印書館排印出版。但此請求似乎也未見實現。又案：此書原版每頁可容六百五十六字，共一百七十頁，全書最多僅十一萬餘字，非羅氏所謂二十萬字，此亦是令人困惑難解者。

14 楊向奎：《清儒學案新編》，卷2（濟南市：齊魯書社，1988年），頁662。

可由楊向奎的觀察得知大概。一九三六年楊向奎在《史學集刊》中發表〈論左傳之性質及其與國語之關係〉的長文[15]，在此文的下篇「論《左傳》與《國語》之關係」中，他檢討了民國以來對《左傳》與《國語》關係的相關討論，包括高本漢（Bernhard Karlgren, 1889-1978）、衛聚賢（1899-1989）、馮沅君（1900-1974）、孫海波（1911-1972）、卜德（Derk Bodde, 1909-2003）、童書業（1908-1968）及錢玄同（1887-1939）等人，其中便涉及《左傳》真偽及其作者的問題。他認為上述諸人除錢玄同仍堅守康有為所持《左傳》、《國語》為一書分化之說外，其餘諸人雖立證取材不同，但結論皆不約而同地指出兩書本非一書。[16]此外，洪業（1893-1980）亦於一九三七年作〈春秋經傳引得序〉，更詳細地考察二千年來古今中外有關《左傳》源流之辨論，尤特別留意於康有為《新學偽經考》出版後數十年間之駁辨攻守意見，將之區分為左、右、折衷三派。左派則如崔適之徒，歸獄歆、莽，祖述劉、康說，謂劉歆偽造或增竄《左傳》。右派則與之背道而馳，守古文舊說，如章炳麟（1869-1936）、劉師培（1884-1919）、孫德謙（1869-1935）等。折衷派則於二派之間，務置《左傳》撰者於戰國期間，上不逮孔子，下不及秦、漢。而國外學者亦以此左、右、折衷三派賅之。右派如日本之安井衡（1799-1876）、竹添光鴻（1842-1917），英國之理雅各（James Legge, 1815-1897）。左派則如

---

15 此文原刊《史學集刊》1936年第2期，後收入氏撰：《繹史齋學術文集》（上海市：上海人民出版社，1983年）。

16 楊向奎：〈論左傳之性質及其與國語之關係〉，《繹史齋學術文集》，頁203-213。楊向奎對此問題的評述，又見於他在抗戰時期所撰著的《西漢經學與政治》（重慶市：獨立出版社，1945年；收入林慶彰編：《民國時期經學叢書》第2輯第7冊，臺中市：文听閣圖書有限公司，2008年）一書之頁115-123。此書所論大致與〈論左傳之性質及其與國語之關係〉重複，但所評述之論著略多於前文，其中又增孫次舟（？-2000）發表於《責善》半月刊中的〈左傳國語原非一書證〉（第1卷第4、6、7期）。

德國之佛朗克（即福蘭閣，Otto Franke, 1863-1946）與日本之津田左右吉、飯島忠夫（1875-1954）。折衷派則有日本之狩野直喜（1868-1947）、新城新藏（1873-1938），瑞典高本漢，與法國馬伯樂（Henri Maspero, 1883-1945）等人。[17]

由此學術背景與問題脈絡可知，羅氏研究此問題並撰作此書，絕非心血來潮，亦非僅肇端於個人的讀書治學因素，而是對此盤據學界，困擾眾多學林好漢的「經學中的首要問題」的「首要問題」的因應與對治。

與當時其他學者相同的是，羅氏亦看到《左傳》真偽及作者問題係解決今古文之爭的核心關鍵，但不同於其他學者皆多是就《左傳》本身（或關聯著《國語》）來考證《左傳》之真偽，如羅氏〈自序〉云：「日本新城新藏氏著《東洋天文學史》，以曆算推證；瑞典高本漢氏著《左傳真偽考》，以文法分析。」[18]羅倬漢採取的進路則是就《史記》的〈十二諸侯年表〉（以下簡稱〈年表〉或〈史表〉）與《左傳》先後的關係，來論證《左傳》非晚出。他這個切入方式明顯是受津田左右吉的問題意識所導引激發而來的，或者也可以說，他寫這本書的目的之一就是對津田左右吉論點的回應。[19]

透過〈自序〉可知，他的做法是藉由考校〈十二諸侯年表〉與

---

17 洪業：〈春秋經傳引得序〉，收錄氏撰：《洪業論學集》（北京市：中華書局，1981年），頁260-268。相關討論亦見張高評：《左傳導讀》（臺北市：文史哲出版社，1982年），頁29-72。

18 羅倬漢：〈自序〉，《史記十二諸侯年表考證》，頁2。

19 雖然如此，但羅書直接牽涉津田左右吉之處卻不多，除〈自序〉外，僅第七章二處提及津田之說，其中有云：「考古者僅擇一二事以為比合，不能博觀諸例，校其多少。仍是由一己思想演繹之論文，非尊重客觀之科學也。如津田氏於文公『說話』，僅舉勤王求霸、在外巡歷、介之推逃隱數事以為論斷，其根據又僅在儒教思想之先後，甚為儱侗。其全書方法均準此。偶發一例於是，餘可類推之。」（頁145）此涉及羅氏對津田左右吉論證方式的批評，應極具代表性。

《左傳》的關係，得出〈年表〉依據《左傳》的數百條證據，由此可以證明司馬遷作史時曾參考過《左傳》，如此一來，所謂《左傳》晚出，或《左傳》成於西漢末劉歆之手等今文家之成說，自然不攻自破。由於他這本書處理的是《左傳》與《史記》的關係，而其根本就是《左傳》真偽這樣一個經學史的大問題，所以他也自覺「余今所考論，意不純在史學」。[20]但羅倬漢畢竟是念哲學出身的，又有留學日本的背景，所以他的精神意趣似仍不同於一般意義下的經學家，而其學術蘄嚮亦非傳統經學所能範限。他有屬於個人的關懷，其云：

> 然發《左》、《史》之關係，知《史記》之出於《左傳》，而古史之線索可以重尋，亦非無益於載記；抑由此而知《左傳》出於《史記》之前[21]，而《左傳》為《五經》博士未立時之私學，亦可以論定。夫史公曾見《左氏春秋》之案定，而後荀卿下儒家私學之案定；儒家私學之案定，而後學術總匯而為政教統一之案亦定。蓋儒家私學至於荀卿，漸蟠鬱而為《左傳》，即為私學之六藝進而為《五經》官學之過程。[22]

錢穆在替此書作的序中也提到羅氏的構想：

> 羅君告余，方有志於會儒道，通經子，為中國古文化闡其初，而先出其緒餘，成《史記十二諸侯年表考證》一書，明《左氏》書非晚出，取以關折近世沿襲今文經學者之讕辭曲說，而

---

20 羅倬漢：《史記十二諸侯年表考證》，頁162。
21 此句原作「抑由此而知《史記》出於《左傳》之前」，今據曬藍本校改。
22 羅倬漢：《史記十二諸侯年表考證》，頁162。

　　為古典籍之研討立之基。[23]

不過，他晚年的回憶，似乎遺忘或放棄了早年的想法，而又回歸到純粹史學的路子，他這樣評論這部書：

　　這是考證，目的是證明《左傳》出於戰國的可靠，為古史根據地樹下一點堅實基礎。其實古史考證是一件不容易得到一個結果的問題。[24]

但若再對照著他對《詩樂論》的評論，則他關於經學的整體想法就比較具體了：

　　（此書）仍是以考證為主的，是接著《年表考證》說下來的，不過目的更明確些。但此書在考證中卻談到經學思想問題，而此經學思想，是以「情理雙融」的「仁」來貫串。……為「仁」樹立生命，為經學樹立生命。[25]

由此可知，二書的趨嚮為由《左傳》而古史，由古史而經學，再由經學而上通思想。他的學術生涯雖然是出入於哲學與史學間，尤其運用考證的手法更是其書的特點。但其哲學的訓練和關懷仍不時可在文中感受得到。（錢穆說他：「治哲學，通玄解。」[26]）因而歸根結柢來說，羅倬漢的學術是由哲學入，史學出，最終又回到哲學的理想。

23　錢穆：〈序〉，見羅倬漢：《史記十二諸侯年表考證》，頁1。
24　羅倬漢：《手稿》，引自何國華：〈正直愛國的學者羅倬漢教授〉，頁83。
25　羅倬漢：《手稿》，引自何國華：〈正直愛國的學者羅倬漢教授〉，頁83。
26　錢穆：〈序〉，見羅倬漢：《史記十二諸侯年表考證》，頁2。

　　回到本書來看，不論是古史的研究，還是經學的研究，此書考論的重點皆仍在《左傳》之真偽[27]，但弔詭的是，他的考論不能只在《左傳》本身上進行，而是如同菟絲附女蘿般的，要依附在對《史記》考證的基礎上才得以完成，此所以其書名取作「史記十二諸侯年表考證」。然其重點又不純在《史記》本身，而是在《左傳》，蓋所謂「考證」者，即考《史記》以證《左傳》。由此可見，書名本身是無法充分傳達該書的宗旨及作者的意圖，且在圖書分類上也容易讓人誤以為這只是一本純粹的《史記》研究或史學的著作，因而就不免遺漏其《左傳》研究、《春秋》學，乃至經學史的性質。與類似著作做比較，這方面的特性就很容易呈顯出來。例如劉操南（1917-1998）也有一本題名類似的著作，即《史記春秋十二諸侯史事輯證》（成書於1963年），作者雖於〈自序〉中提及：

　　　　《左氏春秋》傳自東漢，始立學官；然其書則非東漢乃有也。考之〈十二諸侯年表〉，魯君子左丘明，懼弟子人人異端，各安其意，失其真；故因孔子《史記》，具論其語，成《左氏春秋》。是史公明言左氏之作《傳》矣。謂為未見可乎哉？此稿將欲顯其例證，則其說將不攻而自破矣。[28]

該書〈凡例〉中也提到：

　　　　遂知史公紀春秋史事，源非一端；而《左氏》實為主要依據。然

> 後知晚清今文學家言：劉歆偽撰《古文》之說，不可信矣。[29]

不過考論《左傳》真偽畢竟不是此書之重點，作者也沒有在此議題上花太多筆墨。兩相對照之下，羅書書名與內容的不一致性及定位的曖昧性更加明顯。但令人深思的是，不知這種不一致性與曖昧性是否也會對此書的流通與影響的擴散構成一定程度的阻障？

第三節　羅倬漢此書之內容及其論證

　　羅倬漢在《史記十二諸侯年表考證》中共設有六組論證來證成其論點，而每組論證復舉出少則十來條，多則七十餘條證據來支撐其論證，這六組論證內容及其證據數目如下：

第一組：年事全據《左傳》，不見他書者。共七十七則。

第二組：年事雖見於《春秋》等書，而其詳述處卻是根據《左傳》者。共七十三則。

第三組：年數有差而仍據《左傳》者。共三十五則。

第四組：〈史表〉特著其年仍有據《左傳》者。共十四則。

第五組：〈史表〉述事與《左傳》相違而有據《左傳》者。共四十五則。

第六組：〈史表〉亦略有不據《左傳》者。共七則。

這六組論證構成了本書的主體，除了第一章〈序文疏證〉及第八章〈《史》書故事之所據及《左》、《史》前後之意義〉外，這六組論證依序組成了本書的第二至七章，章名與論證名稱大致相同。

　　各組論證略舉二例，以見大概。

29　劉操南：《史記春秋十二諸侯史事輯證》，頁14。

第一組：年事全據《左傳》，不見他書者。如所舉第五則證據：

> 桓王三年，魯隱六年，即鄭莊公二十七年，〈表〉云：「始朝王，王不禮。」此事不見於《春秋》，獨《左傳》隱六年：「鄭伯如周，始朝桓王也，王不禮焉。」此其根據之跡甚顯。[30]

又如第二十七則證據：

> 襄王十五年，魯僖二十三年，〈秦表〉「迎重耳於楚，厚禮之，妻之女，重耳願歸」；〈楚表〉「重耳過，厚禮之」；〈衛表〉「重耳從齊過，無禮」；〈曹表〉「重耳過，無禮，僖負羈私善」；〈鄭表〉「重耳過，無禮，叔詹諫」。按晉公子重耳過諸國事，詳見於《國語》，而未記其的在何年。惟《左傳》總敘其事，正在僖公二十三年，與《史》全合。《左傳》之文總敘重耳之及於難實為僖公二十四年秦伯納重耳張本。其敘重耳由某國及某國，明是追敘，原不定為此年事，然以其類聚在二十三年，史公便據之以入於是年之〈表〉，此非〈史表〉據《左》之明證乎？又考史公作〈表〉原是「表見《春秋》、《國語》」。是年〈衛表〉「重耳從齊過，無禮」，是先往齊，後過衛，與《國語》合，而與《左傳》先至衛後適齊者不同，是《史》亦參考《國語》也。參考《國語》而用《左氏春秋》之年，正可以證其自發之義例。若謂《左傳》後於《史記》，根據是年〈史表〉作傳，則何以與《史》據《國語》之事乖違？是又不足辨者矣。[31]

30　羅倬漢：《史記十二諸侯年表考證》，頁25。

31　羅倬漢：《史記十二諸侯年表考證》，頁31。

羅倬漢考證這組七十七則的證據,「審其年數,不見於編年之《春秋》,亦不見於《公羊》、《穀梁》二傳,至其事實亦幾全不見於二《傳》,有一二見於《國語》者,又自非其編年之所據也。」[32]由此,羅氏論斷《左傳》正為司馬遷作《史記》〈十二諸侯年表〉根據之所在。因而不但可確知司馬遷全見編年之《左傳》,也可證明所謂《左傳》後於《史記》,或太史公所見僅為《國語》而非編年之《左傳》等說法之不然矣。[33]

第二組:年事雖見於《春秋》等書,而其詳述處卻是根據《左傳》者。如所舉第六則證據:

莊公八年,《春秋》書「齊無知弒其君諸兒」,〈年表〉於此年〈魯表〉云「子糾來奔,與管仲俱避毋知亂」,又同年〈齊表〉云「毋知弒君自立」。按二《傳》不詳此事,獨《左傳》莊[34]八年云「亂作,管夷吾、召忽奉公子糾來奔」,此〈年表〉之所據也。[35]

又如第十四則證據:

僖公十九年,《春秋》書「梁亡」,〈年表〉於此年〈秦表〉云:「滅梁,梁好城,不居,民罷,相驚,故亡。」按《公羊》謂梁亡是自亡,自亡是魚爛而亡,《穀梁》謂梁亡是自亡,「湎於酒,淫於色,心昏耳目塞,上無正長之治,大臣背

---

32 羅倬漢:《史記十二諸侯年表考證》,頁46。
33 以上敘述參見羅倬漢:《史記十二諸侯年表考證》,頁46。
34 原訛作「桓」,今逕據引文改正。
35 羅倬漢:《史記十二諸侯年表考證》,頁51。

叛，民為寇盜」。俱無當於《史》文。考《左傳》僖公十九年
亦謂梁亡為自取，隨申之曰：「初，梁伯好土功，亟城而弗
處，民罷而弗堪，則曰『某寇將至』，乃溝公宮，曰：『秦將襲
我。』民懼而潰，秦遂取梁。[36]」此非〈史表〉之所據而何？[37]

羅倬漢認為這組七十三則證據，年數雖同於《春秋》與《左傳》，然
其所記載之事實卻多不見於《春秋》，亦不詳於《公》、《穀》二傳。
如此一來，謂〈史表〉根據編年之《左傳》是極為順理的。而且即使
人名見於《春秋》者，〈史表〉亦多據《左傳》辭彙，不據《春秋》，
如《春秋》書「季孫行父」，《左傳》作「季文子」，〈年表〉亦作「季
文子」；《春秋》書「楚公子側」，《左傳》作「楚子反」，〈年表〉亦作
「楚子反」；《春秋》書「楚公子嬰齊」，《左傳》作「楚子重」，〈年
表〉亦作「楚子重」。凡此皆可證明〈史表〉根據編年《左傳》編纂
而成。[38]

　　第三組：年數有差而仍據《左傳》者。這組論證又分兩部分，即
〈史表〉與《春秋》違忤一年者，和〈史表〉與《左傳》違忤一年者。
前者共十五則證據，後者則有二十則證據。前者如所舉第二則證據：

　　桓公十六年，《春秋》書「衛侯朔出奔齊」，按〈年表·衛表〉
　　惠公朔三年書「朔奔齊，立黔牟」，乃在魯桓十五年，顯與
　　《春秋》差一年。考〈衛世家〉：「宣公卒，太子朔立，是為惠
　　公。左右公子不平朔之立也，惠公四年，……作亂，攻惠
　　公……惠公犇齊。」是衛朔奔齊，實在四年，與《春秋》合。

36　此句「遂」字，原訛作「逐」，今逕據引文改正。
37　羅倬漢：《史記十二諸侯年表考證》，頁55。
38　以上敘述參見羅倬漢：《史記十二諸侯年表考證》，頁72。

〈年表〉排校易誤，錯前一年，非不據《春秋》也。[39]

羅氏云此乃：「〈表〉與《春秋》年數錯違，然或僅前一年，或僅後一年，其為表格參雜，一時眼亂錯寫無疑矣。」[40]後者則如所舉第九則證據：

> 《左傳》僖公二十五年：「狐偃言於晉侯曰：『求諸侯莫如勤王。』」〈年表〉於僖公二十四年〈晉表〉已書：「咎犯曰：『求伯莫如內王。』」比《左傳》先一年矣。按〈晉世家〉：「文公二年春，⋯⋯趙衰曰：『求霸莫如入王尊周。』」晉文二年適當魯僖二十五年，與《左傳》合，知〈年表〉偶誤矣。至〈年表〉為咎犯之言，而〈世家〉卻謂為趙衰之言，知史公作史，頭緒太緊，殊難仔細檢正也。[41]

羅氏云此乃：「〈史表〉據《左傳》，或錯前一年，或錯後一年，應視同違於《春秋》紀年（相差一年）之例。因表格繁多，一時眩亂，錯入於鄰次之年，固勢所不免也。」[42]

　　第四組：〈史表〉特著其年仍有據《左傳》者，羅氏意謂「《左氏》偶爾追敘，未定其年，而〈史表〉乃有年可據者」。[43]如所舉第一條證據：

39　羅倬漢：《史記十二諸侯年表考證》，頁75。

40　羅倬漢：《史記十二諸侯年表考證》，頁78。

41　羅倬漢：《史記十二諸侯年表考證》，頁81-82。

42　羅倬漢：《史記十二諸侯年表考證》，頁85。

43　此當在羅倬漢：《史記十二諸侯年表考證》，頁88，然羅書此頁闕，此據曬藍本補。

《左傳》起首云：「……宋武公生仲子，……仲子歸于我，生桓公。」此自追述故事，未詳何年。〈年表·宋表〉武公十八年（魯惠二十一年）書「生魯桓公母」，乃刻指其年矣。考〈宋世家〉「戴公三十四年，戴公卒，子武公司空立，武公生女，為魯惠公夫人，生魯桓公，十八年，武公卒」，是〈世家〉亦未定為何年。然則〈年表〉聊記之於武公卒年，以了此生女一事耳，恐史公亦徒據《左傳》，未必定知其何年也。[44]

又如所舉第十二條證據：

《左傳》哀公七年，追敘：「初，曹人或夢眾君子立於社宮，而謀亡曹，曹叔振鐸請待公孫彊，許之。旦而求之曹，無之，戒其子曰：『我死，爾聞公孫彊為政，必去之。』及曹伯陽即位，好田弋。曹鄙人公孫彊好弋，獲白鴈，獻之，且言田弋之說，說之。因訪政事，大說之，有寵，使為司城以聽政。夢者之子乃行。」是曹人之夢，不知其年，曹伯陽之用公孫彊，亦未知其年也。〈年表·曹表〉曹伯陽三年（魯定公十一年）書「國人有夢眾君子立社宮，謀亡曹，振鐸請待公孫彊，許之」，六年（魯定十四年）書「公孫彊好射，獻鴈，君使為司城，夢者之子亡去」，則二段事均有其年矣。[45]

羅氏認為這組十四則證據，《左傳》皆作追敘之辭，未明其年，而〈史表〉乃一一刻劃其年。如上所舉第一則〈表〉與〈世家〉差違，

---

44 此當在羅倬漢：《史記十二諸侯年表考證》，頁88，然羅書此頁闕，此據曬藍本補。
45 羅倬漢：《史記十二諸侯年表考證》，頁91。

可以徵知史公猶無定據外，又如第十二則《左傳》言曹人夢事在曹伯陽即位之前，而〈年表〉乃列在曹伯陽三年，觀〈年表〉語氣自是據《左傳》，不能謂其更據他書。[46]這些情況皆可證明〈史表〉的確是根據《左傳》而作。

第五組：〈史表〉述事與《左傳》相違而有據《左傳》者。其中有〈史表〉與《春秋》書事相違者，羅氏所舉有十三則證據，其中如第七則證據：

> 《春秋》宣公十四年書「秋九月，楚子圍宋」；十五年書「夏五月，宋人及楚人平」，則楚在宋共歷九月。〈年表〉於魯宣十五年〈楚表〉書「圍宋五月」，與《春秋》違異矣。梁曜北據《呂氏春秋》〈慎勢〉、〈行論〉兩篇述此事，亦謂莊王圍宋九月，〈表〉與宋、楚二〈世家〉作五月者，蓋因《春秋》有五月之文而誤耳。其論甚是。[47]

在羅氏看來，「《春秋》紀事雖甚略，然事繫之年，條理甚悉。《史》之年事固大端同於《春秋》，然亦有違異者」。《春秋》為《史記》所宗，猶不免有所歧異，則不是「史公之輕忽」，就是其多見「天下遺聞古事」，而別有所據。[48]又有與《左氏》錯忤者，羅氏所舉有三十二則證據，其中如第十八則證據：

> 《左傳》襄公二十四年「齊侯既伐晉而懼，將欲見楚子，楚子使蒍啟彊如齊聘，且請期」。〈年表〉於此年〈齊表〉云：「畏

---

46 以上敘述參見羅倬漢：《史記十二諸侯年表考證》，頁92。

47 羅倬漢：《史記十二諸侯年表考證》，頁96。

48 以上敘述參見羅倬漢：《史記十二諸侯年表考證》，頁94。

晉通楚，晏子謀。」《左氏》固言齊懼晉通楚，然不述晏子謀
事，豈史公以晏子當國，揣測言之？抑別有所據而與《左》不
同耶？[49]

這三十二則證據，皆是〈史表〉與《左傳》有所歧異者。羅氏詳考諸
則，其年限皆與《左傳》相同，如此則謂《史記》憑《左傳》編年，
因為《左傳》繁雜，史公偶有失檢，以致事忤。[50]但也有另一種可
能，即《史記》於《左傳》外，別有典據。羅氏因此認為，這三十二
則證據「俱不能出此二者之範圍。即由此以推論《史記》一書，溯其
淵源所取，亦咸不外是。世有以《左傳》為後於《史記》，盍於
《史》之異於《左》者加之意也」。[51]

第六組：〈史表〉亦略有不據《左傳》者。羅氏藉由討論「曹沫
劫齊桓」、「蔡人殺陳佗」、「蔡侯奔楚」、「吳卑梁人爭桑」、「食馬救秦
穆」、「重耳奔狄至齊」、「秦晉輸粟」等七則故事來說明這個情況。[52]
這幾則《史記》不據《左傳》的故事之意義，羅倬漢是這樣說的：

> 《史記》網羅舊聞之義。由〈表〉參之〈紀〉、〈傳〉，知各條
> 俱饒有故事之性質。其不取《左傳》者，或《左傳》所無而漫
> 及其他者，則遷《史》好奇，未為無故。然當知在〈史表〉繁
> 雜之事中，其據《左》之處如上二、三、四章所舉，不下二百
> 餘例，而此節所舉不據《左》之例，雖未能悉盡，亦已奄有其
> 十之八九。然僅及十數左右，然則〈史表〉根據《左傳》而作

---

49 羅倬漢：《史記十二諸侯年表考證》，頁106。
50 羅倬漢：《史記十二諸侯年表考證》，頁114。
51 羅倬漢：《史記十二諸侯年表考證》，頁120。
52 羅倬漢：《史記十二諸侯年表考證》，頁126-149。

之案，不已較然明白乎！[53]

綜觀羅氏的六組論證，從〈史表〉年事全據《左傳》，不見他書，完全密合的情況；到年事略有參差，但仍大體根據《左傳》者；再到年事有違，但仍據《左傳》者；再到完全不據《左傳》者。漸次論述，條理分明，邏輯嚴謹，把各種可能的情況都設想到了。而所舉例證，〈史表〉根據《左傳》者數量遠高於不據《左傳》者，則其結論「〈史表〉以《左氏春秋》為中心而旁參各書」[54]，自然是有極高的可信度。這樣的論證方式，誠如錢穆所說的：「讀其書，密栗謹飭，洵不失尚考證者之榘矱焉。」[55]同樣地，也確承受得起顧頡剛所謂「考證精密，如無縫之天衣」的讚美。[56]

第四節　羅倬漢《史記十二諸侯年表考證》之檢討

儘管此書論證精密，其所欲證明之《左傳》早於《史記》中心論點亦看似堅不可破。然而百密總有偶疏者，羅倬漢書中所舉例證亦不免有錯誤或不當者，如第四章第五則證據：

閔公二年，《春秋》書「狄入衛」，按〈年表・衛表〉懿公八年書「翟伐我」，乃在魯閔元年[57]，與《春秋》差一年。考〈衛

53　羅倬漢：《史記十二諸侯年表考證》，頁149。

54　羅倬漢：《史記十二諸侯年表考證》，頁149。

55　錢穆：〈序〉，見羅倬漢：《史記十二諸侯年表考證》，頁2。

56　顧頡剛：〈來書〉，見羅倬漢：《史記十二諸侯年表考證》，頁1。

57　北京中華書局《史記》點校本（以下簡稱點校本）此事繫在魯湣公二年，即衛懿公九年。

世家〉云：「懿公九年，翟伐衛。」與《春秋》年數合，〈年表〉作八年者，誤矣。[58]

然〈史表〉實不誤，羅氏錯將〈衛表〉懿公九年書「翟伐我」，看作懿公八年之事。

羅氏對《史記》的誤判可能主要是來自於版本的誤用。如其所舉第六章〈史表〉與《左傳》錯忤第二十一則證據：

> 《左傳》昭公四年「冬，吳伐楚，入棘、櫟、麻，以報朱方之役」。〈年表〉於此年〈楚表〉書「伐吳朱方，……冬報我，取五城[59]」。《左氏》以為入棘、櫟、麻，而《史》以為取五城，殊不同也。惟〈吳世家〉作取三邑，與《左》同，〈表〉或為歧誤矣。[60]

羅氏以為〈楚表〉將吳伐楚，取棘、櫟、麻三城事，誤記為取五城。梁玉繩《史記志疑》中考辨此條，其所根據之本子亦作「取五城」，梁氏亦據此糾正〈史表〉之誤。[61]然據賀次君在《史記志疑》的〈點校說明〉中卻指出梁玉繩所依據的本子是明萬曆四年（1576）吳興凌稚隆《史記評林》，即所謂的湖本。他說道：

> 這個本子……刊刻時校讎不精，錯誤較多，其中許多錯誤並無

58 羅倬漢：《史記十二諸侯年表考證》，頁75-76。

59 點校本作「取三城」。

60 羅倬漢：《史記十二諸侯年表考證》，頁108。

61 梁玉繩撰、賀次君點校：《史記志疑》（北京市：中華書局，1981年），第1冊，頁364-365。

版本的因襲關係。梁氏少有用其他版本與湖本比較，凡是湖本
自誤的，大都歸咎於《史記》本身，一一疑而辨之。[62]

即以此例來說，賀次君取金陵本（即北京中華書局《史記》點校本
的底本）和梁書對校，金陵本正作「取三城」[63]，如此則《史記》不
誤矣。

今持北京中華書局《史記》點校本校對此則例證，發現〈楚表〉
亦作「取三城」，則羅氏此則之批評就完全為無的放矢，而其證據力不
免也大打折扣了。[64]類似的例子又見於其所舉第四章第十二則證據：

> 昭公十五年，《春秋》書「冬，公如晉」，〈年表・魯表〉昭公
> 十六年書「公如晉，晉留之葬，公恥之」，誤書後一年。[65]按
> 〈魯世家〉「昭公十五年，朝晉，晉留之葬晉昭公，魯恥之」，
> 紀事相同，而作十五年，與《春秋》合，知〈年表〉為一時之
> 誤矣。[66]

---

62 賀次君：〈點校說明〉，《史記志疑》，第1冊，頁3。

63 梁玉繩撰、賀次君點校：《史記志疑》，第1冊，頁364。

64 承南京師範大學蘇芃教授告示：〈楚表〉「取五城」句，水澤利忠（1918-2013）《史記會注考證校補》（臺北市：廣文書局，1972年）卷十四，頁四十六云：「三，景、井、蜀、紹、耿、慶、彭、毛、凌、殿　五。」核景祐本、紹興本、黃善夫本（即慶本）、凌本、殿本確實是作「五」。「三」乃張文虎刊刻金陵書局本時逕改，中華書局點校本因據金陵本點校。（2014年7月29日電子郵件）如此一來，羅氏所看到的版本就是「取五城」，因而他指責此為〈史表〉之歧誤自是站得住腳的。不過既然〈吳世家〉也作「取三邑」，自然表示史公也掌握了正確的史實。只是不知〈史表〉之歧誤，究竟是史公粗心錯寫，或後人傳鈔刊刻所謅改，今固已難明，但從常理來判斷，應是後者的可能性較高為是。若是如此的話，以此質疑《史記》的史料價值，似也不盡公允。

65 點校本此事繫於魯昭公十五年。

66 羅倬漢：《史記十二諸侯年表考證》，頁77。

然賀次君取金陵本和梁書對校，金陵本亦將〈魯表〉此事繫於昭公十五年[67]，非如羅氏批評的「史公檢校《春秋》，誠多有未周也」。[68]

梁玉繩《史記志疑》是羅倬漢撰著《史記十二諸侯年表考證》一書時，極為倚重的參考著作，他在這則例證上犯了跟梁氏一樣的錯誤，其致誤之由除了有可能是他直接參考梁氏的著作所造成的，但更不能排除是為其所根據的版本所誤導。

從這些不當例證所衍生者，則是貫徹羅書更為深刻的學術立場，即是所謂《左傳》和《史記》的優劣和取捨問題。蓋羅氏既認為《左傳》早於《史記》，其書中大部分的論證皆是欲證明史公作〈史表〉確曾參考或根據《左傳》，然二者又常常存在不一致之處，面對這樣的狀況，羅氏通常採取歸咎於《史記》的做法，他總結《史記》駁雜不純的原因有二，即「採摭之過博」和「詮次之偶疏」，且在他看來，「後者之病又因前者之紛拏而益甚」。[69]此外他又把《史記》之謬誤歸結為三例：

> 大抵史公原誤，一也；後人妄改，二也；寫刻有譌，三也。此三者糾結，則更難分曉。所舉三例，第一例即或是《史記》原來之誤；第二例或是《史》與後人相重之誤；第三例或是後人改補寫刻之誤。[70]

後二者都是屬於後世傳抄刊誤所衍生的錯誤，是版本的問題，而非作者的問題。但羅倬漢對後二者討論殊少，或許正如他自己所體知的：

---

67 梁玉繩撰、賀次君點校：《史記志疑》，第1冊，頁369。
68 羅倬漢：《史記十二諸侯年表考證》，頁77。
69 羅倬漢：《史記十二諸侯年表考證》，頁121。
70 羅倬漢：《史記十二諸侯年表考證》，頁121。

其中涉後人改補一事，則叢雜繽紛，更難理董。考史者貴於原本求真，一涉後人竄亂之跡，即無由據正。[71]

因此他主要關心的還是太史公作〈史表〉致誤之由，他在第四章中對此問題有如下的觀察：

班孟堅謂史公「采摭經傳，分散數家之事，甚多疏略，或有抵梧，亦其涉獵者廣博」(《漢書》本傳)。當天下遺聞古事散出之餘，太史公始為掇拾編次，其不能歸一，亦勢所必爾也。〈年表〉旁行，雖效《周譜》，然猶屬於創意為多。如十二諸侯，紛論錯雜，兼顧為難。所據各書，又為繁重之竹簡，對校非易。其年數由周王對比魯公，有《春秋》為據，自是簡便，然《春秋》太略，〈年表〉必須補載事實，於是參考他書，取繁雜難稽之籍，散而之交互錯忤之表，稍不經意，不免乖違矣。故作表之難，過於作傳，何況事實相關，紀年各異，其數竟至十三者哉！[72]

羅氏所談的主要都是技術性的問題，作史者面對繁雜的史料，本就不易為之。但若再加上作史者的粗疏輕率，當然更容易發生舛誤，羅氏就是從這個角度來批評司馬遷的，如其云：

此可見史公雖明言依據《左氏》，而不能字字悉合，蓋竹簡翻檢之勞，勢不能時時勘對，此殆崔東壁所謂「記憶失真之故

---

71 羅倬漢：《史記十二諸侯年表考證》，頁124。

72 羅倬漢：《史記十二諸侯年表考證》，頁74。

也」（《考信錄》〈提要〉卷上）。[73]

這樣的批評充斥全書，如「史公遂亦不加深考，遽將伐狄事亦錯入此
年」（頁 29）、「然《史》襲取他文，肆為簡括，常致歧誤」（頁 30）、
「此則《史》之偶疏矣」（頁 40）、「〈史表〉記事多誤據而誤合之，
亦不足怪」（頁 45）、「〈史表〉於諸事關聯，所載甚略……窮其果而
未溯其因，豈非作〈表〉時，偶因翻檢《左氏》，遂信手摀搳乎」（頁
50-51）、「史公隨寫任意，實未細心」（頁 53）、「作〈世家〉時，則繙
檢未周，致有參錯耳」（頁 58）、「〈表〉文粗略」（頁 68）、「然《春
秋》言王入於成周，而〈史表〉竟誤記為納於王城，又為不精細矣」
（頁 69）、「或因史公推勘未精」（頁 70）、「〈史表〉固多校之不精者
矣」（頁 71）、「《史》之粗略也」（頁 72）、「故夫僅有一年之違異，其
必一時偶不致意而錯入上下之年數」（頁 74）、「乃一時偶誤爾」、
「〈年表〉排校易誤」（頁 75）、「乃知史公檢校《春秋》，誠多有未周
也」（頁 77）、「其為表格參雜，一時眼亂錯寫無疑矣」、「吾人已知
〈表〉據《春秋》時，不免錯寫」（頁 78）、「知史公作史，頭緒太
繁，殊難仔細檢正也」（頁 82）、「則〈史表〉如此粗略乖違處，隨在
有之，自當依《傳》校正」（頁 84）、「因表格繁多，一時眩亂，錯入
於鄰次之年，固勢所不免也」（頁 85）、「此殆為史一時所忽視者矣」
（頁 86）、「諒為一時之錯誤也」（頁 102）、「或因簡約而致誤也」（頁
103）、「或由此而遂致誤讀授玉」（頁 104）、「或竟無所據而為誤錯
也」（頁 107）、「若謂馬遷作《史》根據《左氏》，於《左氏》隔年敘
事，頭緒紛挐者，未及細勘」、「〈表〉或為歧誤矣」（頁 108）、「因
《左氏》繁雜，史公偶有不檢，以致事忤」（頁 114）、「此〈史表〉

---

73 羅倬漢：《史記十二諸侯年表考證》，頁67。

據《左》誤書之可考者也」、「當時實不及細檢，遂致此錯誤矣」（頁
117）、「緟䤵紕謬，皆由按《左氏》編年，同時旁參各書，乃不及細
檢之矣」（頁 118）、「此文自是誤讀《左傳》，誤憶《公羊》、《穀梁》
而致歧互也」（頁119）。

對史公的指責，可謂比比皆是，令人觸目驚心。若其所言屬實，
則司馬遷「良史」之稱，與夫《史記》「實錄」之美譽[74]，豈非虛言妄
語？《史記》之所記載者，又如何可憑據？如此一來，《史記》一書，
又有何價值可言？羅氏對《史記》的指控，令人困惑。[75]其在《左》、
《史》對勘的情況下，明顯持信《經》背《史》的立場[76]，欲證成《左

---

74 《漢書》〈司馬遷傳〉云：「然自劉向、揚雄博極群書，皆稱遷有良史之才，服其善
序事理，辨而不華，質而不俚，其文直，其事核，不虛美，不隱惡，故謂之實
錄。」（班固撰、顏師古集注：《漢書集注》〔臺北市：鼎文書局，1991年7版〕，卷
62，頁2738。）

75 《史記》於先秦史事記載較多缺誤，此是不爭之事實。然究竟其缺誤是因為作史態
度粗率，或所根據史料駁雜，來源不一，二者不可一概而論。藤田勝久《史記戰國
史料研究》（曹峰、廣瀬薫雄譯，上海市：上海古籍出版社，2008年）雖指出《史
記》中戰國史事的不少錯誤，但他對司馬遷寫史態度的謹慎還是高度認可的。在比
對相關史料來源後，他傾向於認為《史記》對戰國史事的誤記，是利用不同的史料
所導致的結果。（頁451-454）

76 羅倬漢認為《史記》既因「採摭之過博」和「詮次之偶疏」而「駁雜不純」；復又
因「史公原誤」、「後人妄改」及「寫刻有譌」等三個因素，更難以分曉。因而在他
看來，「言〈史表〉之誤，益以見後出多歧，非同《左氏》之純簡」（《史記十二諸
侯年表考證》，頁124）。所以「後人參合各書以證明其誤，或據《史記》本書之矛
盾以摘發其誤，均多可據」（《史記十二諸侯年表考證》，頁121）。此外，他又從司
馬遷作《史》取材根據的角度，認為：「史公作〈年表〉，尊重《春秋》，又特舉
《左氏春秋》，故後之校《左》、《史》者，如《詩疏》及《左傳疏》偶發其違異，
自據《經》以正《史》。《史記索隱》勘其違異最多，有時則謂為《史》別有所據。
《史記志疑》校其違異最多且精，則寧捨《史》而信《經》。」（頁114）他這個態
度是與梁玉繩一致的，梁氏嘗批評司馬貞《史記索隱》在面對《史記》與《春秋》
和《左傳》記載不一致的情況，所採取的「與《經》、《傳》不協，未可強言」的處
理方式，以及所謂「背《經》信《史》」的態度，而直言「信《史》不如信
《經》」。（見《史記志疑》，第1冊，頁362、374。）

傳》成於《史記》之前，且〈史表〉根據《左傳》而作的論點，因而將二者歧異之處俱歸咎於史公作〈史表〉之粗疏舛誤，然將一切皆諉過於《史記》及史公的做法，是否客觀公允？此亦不能不令人起疑。

其實，討論《左傳》與《史記》的關係，還有另一種可能也不能被排除，即《史記》取材是否還有其他史料的來源？羅氏對此也是頗有自覺的，在其書中反覆致意於此，如第二章第二十一則例證：

> 惠王二十五年，魯僖八年，宋桓公三十年，〈表〉云：「公疾，太子茲父讓兄目夷賢，公不聽。」按《春秋》書宋公御說卒在僖公九年，而僖公八年宋公疾事不見於二《傳》，獨《左傳》於此年云：「宋公疾，太子茲父固請曰：『目夷長且仁，君其立之！』公命子魚。子魚辭曰……」此非按年根據《左氏》而何？雖宋公不聽與目夷自辭不免乖戾，然《史》襲取他文，肆為簡括，常致歧誤，又不足怪也。[77]

羅氏把這則例證放在第一組「年事全據《左傳》，不見他書者」中，但他也發現《史記》(〈宋世家〉與〈年表〉同)對此事的記載不完全與《左傳》相同，前者是宋桓公不聽，後者是目夷(即子魚)自辭，如此一來，就不能說《史記》一定是根據《左傳》而作，或許《史記》亦有獨立於《左傳》及《公》、《穀》(《二傳》不載此事)之外的其他史料來源也未可知。

羅倬漢在第五組「〈史表〉述事與《左傳》相違而有據《左傳》者」與第六組「〈史表〉亦略有不據《左傳》者」的例證中，其實已舉了不少這方面的例證，他也不排除史公多見「天下遺聞古事」，而

---

77 羅倬漢：《史記十二諸侯年表考證》，頁29-30。

別有所據的可能。[78]但他仍從證據的數量來證明〈史表〉確是根據《左傳》而作。（見上節第六組證據）然而羅氏一則說：

> 若謂馬遷作《史》根據《左氏》，於《左氏》隔年敘事，頭緒紛挐者，未及細勘，遽以意為之貫串，非不可能，然參〈年表〉與〈世家〉頗為一致，即謂之為更見《春秋》以外之紀年書，或不從《春秋》書甯喜弒君之語，亦未可知也。[79]

一則又說：

> 如此乖錯，使人頗疑史公別見燕之世系矣。……此例頗可證明史公生於天下古事遺文大出之際，於列國故記，或仍別有所見，亦不必據其「考信於六藝」一語，遂謂《史》必守《春秋》尺度，不敢稍軼其範圍矣。[80]

若史公確有參見「列國故記」或「《春秋》以外之紀年書」的可能，則如何堅執〈史表〉必然根據《左傳》而作的論點？且誠如梁玉繩《史記志疑》所云：

> 史公之于《尚書》，兼用今古文，復旁搜各本，薈萃成一家言，《索隱》所謂「博采經記而為此《史》，不必皆依《尚書》」，是也。[81]

---

78 羅倬漢：《史記十二諸侯年表考證》，頁94、106。

79 羅倬漢：《史記十二諸侯年表考證》，頁108。

80 羅倬漢：《史記十二諸侯年表考證》，頁120。

81 梁玉繩撰、賀次君點校：《史記志疑》，第1冊，頁11。

如果司馬遷之於《尚書》尚如此，其之於《左傳》更不必皆依之矣。因此，合理來說，史公作《史記》雖確有參考《左傳》，且《左傳》亦可能確如羅氏所說，為其作〈史表〉的主要根據。但《左傳》不是其惟一的史料來源，在《左傳》之外，亦還廣泛參考了其他的載籍。[82]因而欲論證《左》、《史》關係，不必像羅氏一樣，凡二者有歧異處，就一律歸獄於《史記》，認為是史公作史粗率所導致的種種舛誤。

　　最後就羅書撰作此書極為關心的，欲總結以《左傳》真偽為核心的今古文爭論之所謂「百餘年來之疑案」（語出羅氏致胡適函，參註13），羅書是否已對今文家說構成有效的反駁？試看顧頡剛在閱讀此

---

82 誠如趙生群云：「在司馬遷父子生活的年代，確實有很多古代史料流傳於世。衛宏《漢舊儀》稱：『司馬遷父談為太史，遷年十三，使乘傳行天下，求古諸侯之史記。』《史記》〈天官書〉說：『余觀史記，考行事。』〈自序〉則稱：『紬史記石室金匱之書。』都說明作者見到並運用了這些資料。」又云：「《史記》載春秋戰國時事，多有與《世本》、《春秋》、《左傳》、《戰國策》不同或為它書所無者，有的也當取材於諸侯史記。」（見氏撰：《史記文獻學叢稿》〔南京市：江蘇古籍出版社，2000年〕，頁135、142。）近年來地下文獻的出土發現，更可以印證在現有已知載籍之外，仍存有不少記載春秋史事的文獻資料，如長沙馬王堆《春秋事語》、阜陽雙古堆漢簡《年表》及清華簡《繫年》等都是未見記載的載籍。馬王堆《春秋事語》多數學者雖認為與《左傳》關係密切，但亦有不見於任何傳世古籍的記載，如第二章「燕大夫」章。（李學勤：〈《春秋事語》與《左傳》的傳流〉，《簡帛佚籍與學術史》〔南昌市：江西教育出版社，2001年〕，頁267-268。）阜陽漢簡《年表》更有不少與現有文獻大相徑庭的內容。（胡平生：〈阜陽漢簡《年表》整理札記〉；《胡平生簡牘文物論集》〔臺北市：蘭臺出版社，2000年〕，頁302、311；又參藤田勝久：《史記戰國史料研究》，頁135。）至於清華簡《繫年》據李學勤所述，其所記史事上起西周之初，下到戰國前期，與《春秋》經傳和《史記》等對比，有許多新的內涵。（見氏撰：〈清華簡《繫年》及有關古史問題〉，《初識清華簡》〔上海市：中西書局，2013年〕，頁89。）沈建華亦言，清華簡《繫年》與《左傳》存在不少差異，「推測應屬於戰國民間流傳的另一類系的抄本」。（見氏撰：〈試說清華《繫年》楚簡與《春秋左傳》成書〉，陳致主編：《簡帛‧經典‧古史》〔上海市：上海古籍出版社，2013年〕，頁165。）雖不能確知司馬遷作史時是否參考過這些資料，但這些資料的發現，還是多少提示在《左傳》之外，仍可能存在內容複雜多元的春秋史料世界，而這正是司馬遷寫史時可能取資的對象和史料的來源。

書後之反應：

> 弟前受康、崔陶冶，總以為《左傳》成書在西漢末，今讀大
> 作，知司馬遷時，《左傳》本子即已如此，渙若發蒙。然左氏
> 非魯人，其書不釋經，此前提弟仍堅持。然則何以有類似釋經
> 之文廁入〈年表〉之中，而確與今本《左傳》相合？此一問題
> 至堪玩味，亦大足悶人。[83]

顧頡剛的來書寫於一九四一年八月二十七日，然再參看其一九四二年
在重慶中央大學歷史系講授「春秋戰國史」課時之講授內容，仍在劉
逢祿的基礎上，闡發今文家「左氏不傳《春秋》」之說[84]，且更精細地
分析《左傳》對原本《左氏》書之七種改造方式。[85]似乎毫無退讓之
意。反倒是顧頡剛「左氏非魯人」、「其書不釋經」這兩個堅持讓羅倬
漢深感自身研究仍有未足之處，故其於一九四六年十月二十一日致書
胡適時，自云「尚待本子之研究」[86]，即對《左傳》文本仍需做深入
的探究。

此外與羅倬漢研究課題相似者，還有徐仁甫（徐行，1901-
1988）對《左傳》的研究，他在〈記顧頡剛先生論《左傳》及對《左

---

83 顧頡剛：〈來書〉，見羅倬漢：《史記十二諸侯年表考證》，頁1。

84 劉起釪：〈後記〉，收入顧頡剛講授、劉起釪筆記：《春秋三傳及國語之綜合研究》，
頁117。

85 此七種方式為：一、本無年月日，而勉強為之安插者。二、本為一時事，而分插入
數年中者。三、將《國語》中零碎記載加以修改并作一篇者。四、受西漢時代影響
而加入者。五、受東漢時代影響而加入者。六、在杜預作《注》後加入者。七、
《左傳》本有而後人刪之者。（顧頡剛講授、劉起釪筆記：《春秋三傳及國語之綜合
研究》，頁60。）

86 羅倬漢：〈羅倬漢致胡適〉，收入北京大學圖書館編：《北京大學圖書館藏胡適未刊
書信日記》，頁136。

傳疏證》的期許〉文中謂：

> 我的朋友蒙文通先生知道我要翻《左傳》的舊案，特意告訴
> 我：「《左傳》問題關鍵，在《史記》一關攻不破；子能破《史
> 記》關，則決勝矣。」因借時賢有關《史記》的論述而遍讀
> 之。其中有羅倬漢《史記十二諸侯年表考證》，在《考證》的
> 前面，有顧先生給他的信。……我得讀此書，然後知蒙先生的
> 話，是看了顧先生的信而說的。於是我用《左傳》採書而又改
> 書的規律，來攻破《史記》這一關，結論是《左傳》另一大部
> 分史料，乃修改《史記》而成。[87]

二人研究對象一致，也同樣運用考證的方法，但所得結論卻南轅北
轍。如此看來，欲從《左傳》的成書及真偽來總結此「百餘年來之疑
案」，似乎不是那麼容易取得共識的。

第五節 結語

由以上討論可知，羅倬漢此書在晚清民國以來《左傳》之論述史
中之位置，當屬於洪業所謂之右派，而其在今古文爭論中之論學態度
與風格應當也是較接近「信守」一派的，而非「疑拒」的一派。

至於其價值，則可從時人評價和後人評價中略知端倪，前者除如
錢穆、顧頡剛所云者外（見第三節所引），又如《高等教育季刊》第
3卷第2期（1943年6月）刊有朱師逖所撰〈兩屆學術獎勵的比較觀
與綜合觀〉及楚安所撰〈教育部舉辦民國三十一年度著作發明及美術

---

87 徐文收入王煦華編：《顧頡剛先生學行錄》（北京市：中華書局，2006年），引文見
頁406。

獎勵之經過〉二文，其中有涉及羅倬漢著作者，文章中的觀點當反映了當時學審會對得獎作品的評審意見。朱師逖文涉及羅著者為（楚文未涉及此書）：

> 以科學方法整理國故是五四運動時代高唱入雲的口號，但在二十年以後的今天纔著有成效，纔有果實收獲，獎勵古代經籍研究一類，不衹是包括經書的研究而已，所有關於諸子百家以及古代專書的研究都列在其內。……至《史記十二諸侯年表考證》與《方志今議》二書，一據《春秋左氏傳》立言，糾正一般人認《左》書為晚出之誤；一據我國方志的體旨，提供現代修志之原則；於學術於實用，兩有貢獻。[88]

後者則可以李學勤的意見為代表。在《東周與秦代文明》的〈導論〉中，他從司馬遷《史記》關於春秋史的敘述幾乎均出自《左傳》一書的角度，來證實《左傳》的史料價值，其印證的資料之一就是《史記十二諸侯年表考證》一書。[89]又如其在《春秋左氏傳舊注疏證續》〈序〉中評論《左傳》係劉歆偽作說時，亦嘗如此說道：

> 一九四三年羅倬漢出版《史記十二諸侯年表考證》，說明《史記》實據《左傳》，「司馬遷時，《左傳》本子即已如此」，這個問題的論爭應該說已告結束了。[90]

---

88 朱師逖：〈兩屆學術獎勵的比較觀與綜合觀〉，《高等教育季刊》第3卷第2期（1943年6月），頁109。

89 李學勤：《東周與秦代文明》（臺北市：駱駝出版社，1983年），頁13、頁16註6。

90 李學勤：〈序〉，見吳靜安：《春秋左氏傳舊注疏證續》（長春市：東北師範大學出版社，2005年），頁2。

他甚至還在演講中公開表彰此書：

　　對於《左傳》從歷史真實性方面懷疑，說《左傳》不足據的是
　　日本學者津田左右吉，他一九三六年寫了一部書叫《左傳之思
　　想史研究》。……有兩位學者對康有為、崔適以至津田左右吉
　　的著作進行研究，作出了批評。……第一位是錢穆先生，錢賓
　　四先生在一九二九年完成了一部書，就是《劉向歆父子年
　　譜》。……實際上，在《劉向歆父子年譜》出版之後，康有
　　為、崔適所談的那些問題基本上都已經解決了……第二個重要
　　貢獻比這個要晚，正好是針對津田左右吉的。一九三六年津田
　　左右吉的《左傳之思想史研究》出版是在日本東京，……羅倬
　　漢先生在看津田的書之後，就認為這書是完全沒有依據的。所
　　以他就立志寫了一本書，名字叫《史記十二諸侯年表考
　　證》。……錢穆先生序裡面有一段話……他說了這本書怎麼怎
　　麼地好，主要的特點就是通過《史記》內容的分析證明了一個
　　問題，就是司馬遷當時看到的《左傳》和我們今天看到的《左
　　傳》的本子基本上相同，包括其中解經的部份，在《史記》
　　〈十二諸侯年表〉與各個〈世家〉裡都有，可見司馬遷看到的
　　《左傳》就是我們今天看到的《左傳》，並不是有什麼其他的
　　情況，劉歆割裂《國語》或者是偽造這些東西的說法統統煙消
　　雲散。書中有明確的證據，證據不是一條兩條，而是有幾百條
　　之多，是整本的書。而且他也分析了，哪些《史記》全據《左
　　傳》，哪些《史記》採的是其他的說法，很客觀，都一條一條
　　擺出來了。這是前輩學者給我們遺留下來的很重要的成果。[91]

91　李學勤：《李學勤講演錄》（長春市：長春出版社，2012年），頁62-64。

這些讚揚羅書的評論意見，確實都提醒著學界應重新正視此書的價值與貢獻，使其能在現當代學術史發揮其應有的影響，以及尋求其合理的學術地位。然而弔詭的是，錢穆當年在為羅書所寫的〈序〉中曾說了這樣一段話：

> 今使持羅君之書以示當世，當世之學者必有為之怫然怒而慚然沮者矣，亦必有為之色然驚而俯然服者矣，亦必有為之欣然和而儼然譽者矣。然使起古人而示之，姑毋遠引，使撝有清嘉道咸同之學者而正色告之曰：「太史公〈十二諸侯年表〉原本《左氏》，我考之明而證之詳矣。」則彼有啞然而笑，否則懵然而睡而已爾。何者？彼固以為此盡人知之，無所事乎考而證也。抑不徒此而已也，誠使數十年後，風尚已失，人心復定，一時之浮辯譬說將如霧起於前而煙消於後，蓋未有能凝然常住者，則當是時而讀羅君之書，亦且笑羅君之不憚煩，否則如觀泥中之鬥跡，觀其跡而憫其用力之勤則已爾。[92]

李學勤由此樂觀地認為：「錢先生的預言已經真的實現了。」[93]但是否也因如此而多少解消了羅書的價值與影響？這個問題頗令人玩味。

不過或許只證明太史公〈十二諸侯年表〉原本《左氏》的確會給人盡皆知之，無事乎考證的感覺，因為這只證明了《左傳》成書於《史記》之前。但若欲以此證明《左傳》解經，甚至《左傳》沒有經後人的改造，如顧頡剛所堅守的論點，只憑此論證，似尚未能釋持今文家說者，如顧頡剛等人之疑。因此李學勤認為錢穆的預言已實現

---

92 錢穆〈序〉，見羅倬漢：《史記十二諸侯年表考證》，頁2。
93 李學勤：《李學勤講演錄》，頁64。

了，若僅單純地從《左》、《史》關係來看待的話，則或許可以成立；但若從今古文之爭的學術格局來看的話，似仍不免給人有過度樂觀的感覺。[94]

94　《圖書季刊》新第4卷3、4期合刊之「圖書介紹」欄目，評介此書的作者（署名毓），對羅書所取得的實質成效有如下的評論：「本書所考論不在今古文問題，亦不在史實之真偽，僅發《左傳》與《史記》之關係，證明《左傳》成書在史遷之□〔前〕，為《史記》〈十二諸侯年表〉所依據。」（頁87）然羅氏在致胡適的函中，明言欲「仗先生精密之筆，再作一序，以結百餘年來之疑案」（見註13及本書「附錄一」），則其撰著此書之目的，絕非僅止於證明《左傳》成書在《史記》之前。除非此書評之作者未能確切掌握羅偉漢著書用意，要不然就是他並不認為此書對《左傳》所關涉之今古文問題已做出圓滿有效的解決。

第三章
南雍學人陳延傑及其經學論著之整理[*]

第一節　緣起

　　兩江師範學堂出身的南京宿儒陳延傑（1888-1970），在經學、詩學和古典詩歌創作上皆深有造詣，其於經學撰有《周易程傳參正》、《詩序解》、《經學概論》等書；於詩學除《詩品注》外，又有《孟東野詩注》、《張籍詩注》、《賈島詩注》、《陸放翁詩鈔注》和《文文山詩注》等多種唐宋詩集箋注出版；於古典詩歌創作上亦結集有《晞陽詩》。其中《周易程傳參正》和《晞陽詩》皆曾於一九四〇年代獲得中華民國教育部著作獎勵之肯定[1]，稱得上是一位學問優長，著作豐

[*]　本文為國家科學委員會專題研究計畫「民國時期罕傳經學論著之整理與研究：以羅倬漢、陳延傑與蘇維嶽三家之著作為中心（II）」（計畫編號：NSC 101-2410-H-004-109-）之部分研究成果。執行計畫及撰寫論文期間，獲得陳延傑之孫陳坤與江蘇省高級法院史筆法官的許多幫助，陳坤先生不但提供不少重要的文獻資料，且亦細心審閱文稿，提出寶貴的建議。復得到南京大學和南京師範大學多位師友的支持與協助，前者有許結、徐興無、方文暉、劉重喜、張宗友等教授；後者則有孫原靖、趙生群和蘇芃等教授。此外，文哲所的林慶彰和蔣秋華兩位老師在研究方向和資料蒐羅方面亦皆提供了許多實質的支援，謹誌於此，用申謝悃。又，本人曾先後委請多位研究助理將陳延傑的幾部著作打字輸入電腦，分工狀況如下：《周易程傳參正》，由范雅琇與莊士杰打字輸入；《詩序解》，部分由倫凱琪與徐偉軒打字輸入，餘由本人完成；《經學概論》，由盧啟聰打字輸入並負責點校；《晞陽詩》，由李冀打字輸入、徐偉軒初步校對，亦一併申致謝忱於此。

[1]　此著作獎勵相關實施概況及人文領域獲獎名單，請參看拙著：〈現代學術獎勵機制

富的飽學碩儒，理應在當代中文學界有其一定之地位。

　　然而，學界或稍知曉陳延傑在古典詩學和文學批評史上的表現，卻對其經學研究不甚知悉，使其長期淪於林慶彰先生所謂的「被遺忘的經學家」[2]，而其經學著作也因流通不廣，成為所謂的「罕傳經學論著」[3]，令人悲歎。但其經學撰述實亦有其獨到之成就與特色，不

觀照下的羅漢之經學成就〉，《現代學術視域中的民國經學：以課程、學風與機制為主要觀照點》（臺北市：萬卷樓圖書公司，2011年），頁148-169。

2　參林慶彰：〈民國時期幾位被遺忘的經學家〉，《政大中文學報》第21期（2014年6月），頁15-36。林先生文中論及者共有徐天璋（1852-1936）、陳鼎忠（即陳天倪，1879-1968）、戴禮（1882-1935）、張壽林（1907-?）與李源澄（1909-1958）等五位經學家，雖未敘及陳延傑，但林先生早在〈陳延傑及其詩序解〉（收入《王叔岷先生學術成就與薪傳研討會論文集》，臺北市：臺灣大學中國文學系，2001年）一文中，就已稱他「是個被遺忘的經學家和古典文學研究者」（頁426）。但陳氏的《詩品注》於古典文學批評界並不陌生，被遺忘的情況不若其經學論著徹底。然即便如此，陳延傑其人還是長期為人遺忘。上世紀八十年代，在上海復旦大學攻讀博士學位的曹旭，為調查《詩品》版本和文本問題，特意尋訪陳延傑，其自訴經驗頗令人吃驚：「開始訪書訪學時，我毫無目標，手裏祇有一本陳延傑的《詩品注》。陳延傑是何許人？不知道。唯〈跋〉後有『江寧陳延傑』五字。江寧是地名，在今天的南京。南京，便成了我訪書的第一站。到了南京，問了許多人，都不知道《詩品》，更不知道陳延傑。後來請教南京大學教授程千帆先生，經程先生指點，尋訪南京文史館，終於在已經去世的館員名冊上查到了陳延傑的名字，然後根據地址找他的兒子陳鴻詢……。」（曹旭：《詩品研究》〔上海市：上海古籍出版社，1998年〕，頁389。）

3　林慶彰和蔣秋華二教授於二〇〇七年一月起，開始在中央研究院中國文哲研究所推動「民國以來經學之研究」的大型研究計畫（2007-2012）。筆者有幸參與此計畫，且在其中深受啟發與激勵，亦於二〇一〇年底向國家科學委員會申報「民國時期罕傳經學論著之整理與研究：以羅倬漢、陳延傑與蘇維嶽三家之著作為中心」的專題研究計畫，在計畫中提出整理民國時期「罕傳經學論著」的構想。與此同時，蔣秋華教授亦於文哲所中組織「罕傳本經典研讀」的讀書會。典籍的流傳與否有幸與不幸，不純關乎其自身之學術價值。民國肇建以來，雖然產生了大量的經學論著。然因時局不靖，社會騷動，無法提供學術發展和知識傳播有利的環境和條件，使得許多學人的重要論著在出版與傳播方面遭受到極大的限制，有寫成後始終未曾梓行者，亦有雖刊印卻流通不廣者。在這種艱難的情況下，欲知曉其內容已實屬不易，更遑論評估其學術價值。可知，在大量罕傳經學論著被充分研讀與評價之前，學界

應將其輕易地從當代的學術記憶中抹滅忘卻。吾人本於林慶彰先生所提倡「發潛德之幽光」的學術關懷，從現代經學發展的角度，來對陳延傑的生平經歷、著述撰作及學界的相關研究情況，做一基本之考察。一方面蒐集整理其著述，以作為進一步深入研究之基礎；另一方面也藉此提醒學界垂意關注，使其學術之面貌和內涵能更多地為世人知悉，從而重新進入當代學術史的視域中。

第二節　陳延傑的生平經歷及詩文交遊

關於陳延傑生平事蹟的相關記敘並不多，最完整準確的當屬與陳延傑家族有累世交誼的史筆先生[4]，於一九八六年在《文教資料》發表的〈陳延傑生平述略〉一文。文中對陳延傑的生平經歷提供了較完整的記敘，僅撮錄重點如下：

陳延傑，字仲英、仲子，筆名晞陽，江蘇南京人，生於清光緒十四年（1888）八月二十二日。陳氏出身書香，幼承母教，黽勉向學。六歲入私塾，精熟《四書》、《五經》。十五歲從望江童觀學古文，旁

對民國以來經學的認識與把握，可說仍是存在著許多的斷裂與空白。今日偶然發現其時之舊刊手稿，欣歡之情，無異於看待新出土之古佚文獻，此罕傳經籍之可悲與可貴也。

4　二○一三年元月下旬，林慶彰先生為編輯《民國時期經學叢書》，在林師母和文听閣圖書有限公司林登昱董事長的陪同下，赴南京圖書館蒐集資料。筆者與吳儀鳳教授當時為蒐集陳延傑書稿資料，也一同隨行。在南京大學中文系許結教授的安排下，得見陳延傑孫子──已退休的建築師坤先生，和任職江蘇省高級法院的史筆先生。從三人口中得知，許、陳、史三家原來是世交。據許結教授所述，他少年時與陳延傑是鄰居，常常在巷子看到他。而為陳延傑作傳的史筆先生，其叔祖史尚寬（1898-1970）更與許結父親許永璋（1915-2005）教授是莫逆之交。史尚寬在國民政府擔任要職，一九四九年隨國民政府遷臺，歷任總統府國策顧問、考選部部長、司法院第二屆大法官。許結在《詩囚》（南京市：鳳凰出版社，2009年）一書中，對史尚寬和許永璋的交誼關係，做了詳細的敘述，可參看。（頁49-52）

攻經義策論。十七歲舉秀才。次年，考入兩江師範學堂文科，從清道
人李瑞清（梅庵，1867-1920）受小學及經學，專以治經為事。光緒
三十四年（1908）畢業。先後執教於寧屬師範學堂、湖南高等師範、
江蘇省立第四師範學堂、武昌大學[5]、滁州第九中學、中央大學[6]、金
陵大學等校。

　　一九四九年後，積極致力於南京的文物管理及文獻的整理研究工
作，歷任江蘇省文史研究館館員、南京市文物管理委員會委員、南京
市政協一至五屆委員。其於一九五一年擔任南京市文管會圖書組組
長，負責整理舊總統府遺留的圖書。晚年曾編輯南京文獻書目，共二
百六十餘部，並撰成《南京文獻書目提要》（初稿）。六十年代初，在
進行《南京地方志經濟資料匯編》的工作中，不顧高齡，時常前往提
出中肯意見。又曾在政協的會議上，針對中國古典文學遺產和南京古
城牆的保護問題，多所建言。與陳方恪（1891-1966）等委員共同提
出，要求保留中華門、石城、臺城、清涼門等古蹟，受到許多有識之
士的敬佩。然而文化大革命的爆發，卻為他本人及家人帶來了巨大的
不幸，不僅大量藏書被抄，而且也被下放至江蘇省寶應縣。他最終於
一九七〇年八月二十四日，逝世於寶應縣氾水鎮朱橋村，享年八十二
歲。[7]

5　據一九三一年出版的《國立中央大學一覽・教職員錄》（收入張研、孫燕京主編：
　　《民國史料叢刊》第1084冊，鄭州市：大象出版社，2009年），所載，陳延傑在任
　　教中央大學前，曾擔任「國立武昌高等師範國文系教授」（頁15）。案：武昌高等師
　　範原名武昌高等師範學校，一九二四年二月國民政府教育部更名為武昌高等師範大
　　學，同年九月又改名為國立武昌大學。

6　據一九三〇年出版的《國立中央大學一覽》中之〈文學院概況〉（收入《民國史料
　　叢刊》第1082冊），陳延傑在中央大學前身第四中山大學（1927-1928）階段時的中
　　國文學系中，擔任助教，及至國立中央大學正式成立（1928年5月）之後，方升為
　　講師。（頁1-2）

7　史筆：〈陳延傑生平述略〉，《文教資料》1986年第6期（總號168期），頁91-94。

　　林慶彰先生於二○○一年發表的〈陳延傑及其詩序解〉，於「陳
延傑的生平事略」一節中，亦參考史筆此文撰成，並沒有多出史文的
記敘。[8]此外，吳新雷等編纂的《清暉山館友聲集：陳中凡友朋書
札》、南京市白下區地方志編纂委員會編纂的《白下區志》、南京市地
方志編纂委員會所編之《南京社會科學志》和《南京人物志》等書
中，亦有對陳氏生平的簡略介紹。然除《白下區志》和《南京人物
志》外，餘二者皆寥寥不足百字，且皆未超出史文範圍。[9]本文擬透
過三個面向的資料蒐集與文獻的利用，來對史筆所述之內容，提供更
多的補充，以期獲得較為全面與細緻的認識。

　　其一，為對其後人的訪談，可資了解陳延傑的家庭概況。根據陳
延傑之孫陳坤先生的敘述，陳延傑共有三子一女，長子陳鴻瑞，畢業
於中央大學地質系，擔任地質工程師，享年九十六歲。次子陳鴻祺，
高中畢業時，正值日寇侵華，遂投筆從戎，報考海軍軍官學校，後隨
國民政府來臺。在臺灣海軍服役時，曾被選送海軍指揮參謀大學深
造，畢業後升海軍少將，任海軍艦隊參謀長及海軍造船廠廠長等職，
享年一○二歲。三子陳鴻詢及長女陳芳，分別畢業於上海立信會計專
科學校和復旦大學經濟系，一生皆從事金融和會計工作，目前他們姐
弟倆年事都近百歲，身體仍然硬朗。陳延傑有孫兒、孫女各七人，現
均至古稀之年，分別定居在長沙、濟南、南京、廣州、深圳、臺北和
高雄。孫輩及曾孫輩學業多為理工類，鮮有人從文、從政、從商。陳

8　林慶彰：〈陳延傑及其詩序解〉，《王叔岷先生學術成就與薪傳研討會論文集》，頁
　　411-414。
9　吳新雷等編纂：《清暉山館友聲集：陳中凡友朋書札》（南京市：江蘇古籍出版社，
　　2000年），頁743；南京市白下區地方志編纂委員會編：《白下區志》（南京市：江蘇
　　科學技術出版社，1988年），頁598-599；南京市地方志編纂委員會編：《南京社會科
　　學志》（北京市：方志出版社，1998年），頁1021；南京市地方志編纂委員會編：
　　《南京人物志》（上海市：學林出版社，2001年），頁216-217。

坤為陳鴻詢之子，而其二伯父陳鴻祺在臺灣亦育有二子二女，陳坤曾
來臺灣探視過。[10]

其二，為其詩集《晞陽詩》記錄了不少他的詩文交遊關係，從中
可以勾稽其生活、行事之面貌。其中多述其師友關係，如述其本師李
瑞清者計有〈臨川李文潔公挽詩〉、〈過胡三自怡齋觀李文潔公書
畫〉、〈庚申冬月廿九日會葬李文潔公牛首山〉、〈牛首山謁李文潔公
墓〉、〈携家牛首山春望還謁李文潔公祠〉等五首。[11]述其詩學淵源所
自的陳三立（1853-1937）之詩，有〈同翔冬小石謁散原老人別墅還
啜茗溪上〉、〈寄散原老人廬山〉、〈陳散原先生八十生日〉、〈散原先生
挽詩〉等四詩。又有敘其從遊於柳詒徵（翼謀，1880-1956）者，共
十三首，數量最多，其中尤可略見陳氏與柳氏主持之國學圖書館交涉
利用之情況，如〈謁翼謀先生圖書館出示劬堂詩錄因獲拜誦歸輒題
之〉、〈十二月廿二日雪初晴謁翼謀先生盋山圖書館邀觀善本書錄其所
見〉、〈謁翼謀先生盋山圖書館遂同登掃葉樓〉、〈正月初八日與陳秋帆
錢茂萱謁翼謀先生盋山圖書館還登清涼山〉、〈夏日訪翼謀先生盋山圖
書館不遇還尋烏龍潭清涼山諸勝〉、〈謁翼謀先生盋山圖書館出示近和
人排律之作蓋寄憤也感賦長句〉。

同輩友朋中，酬酢最頻繁者，當屬胡翔冬（1884-1940）和胡小
石（1888-1962），二人合詠者（包含其他人）有〈同翔冬小石謁散原
老人別墅還啜茗溪上〉、〈月夜齋中孤坐寄二胡〉、〈遊古林寺同翔冬小
石旭君作〉、〈月夜步溪上憶二胡〉諸詩。亦有獨詠其中一人者，如
〈中秋夕復成橋翫月憶翔冬牛首〉、〈講經坡宴集送小石之武昌〉等
詩。此外，其詩作中涉及之當代學林人物，亦復不少，較知名者有：

---

10 此段文字係綜合陳坤先生在微信上對筆者的敘述內容和幾次的口頭訪談而成。

11 《晞陽詩》，家藏手鈔本，下文所引皆同此，不復出注。

王伯沆（1871-1944）、章士釗（1881-1973）、黃侃（1886-1935）、汪辟疆（1887-1966）、尹石公（炎武，1888-1971）、陳中凡（1888-1982）、汪旭初（1890-1963）、陳寅恪（1890-1969）、黃懺華（1890-1977）、蔡嵩雲（1891-1944）、湯用彤（1893-1964）、彭醇士（1896-1976）、馬宗霍（1897-1976）、柴曉蓮（1898-1974）、羅倬漢（1898-1985）、陳立夫（1900-2001）、盛紫莊（1901-1968）、梁實秋（1903-1987）、李清悚（1903-1990）、盧冀野（1905-1951）、李辰冬（1907-1983）等人。

師友交遊外，《晞陽詩》中亦反映了不少他的生平經歷，如〈甲子十月十三日自滁州避亂，乘土車行三十五里，是夕宿水口，翌日早發，行七十里，抵浦口，晚過江還家，作一首〉、〈乙丑九月十八夜發板浦避兵，廿四日抵鹽城，越二日乘舟還金陵，中遭風覆舟，幾沉溺，蓋然賦此〉、〈丁丑十月都中淪陷，遂携家逃往六合，未幾六合又失，倉皇播遷，始以戊寅正月廿五日抵興化，遇柳翼謀先生于塗，悲歡不已，相偕入茶肆茗談〉、〈丙戌三月自成都携家還都，車赴重慶，黃福聯福陞昆仲、王理明、熊漢章、蕭定梁諸生及兒子鴻訽送至牛市口〉等，這些詩皆記錄了他所經歷的戰亂流離生涯，前二詩寫作年代為一九二四、一九二五年，講述的是軍閥混戰下避難的遭遇；後二詩則是述說對日抗戰爆發，南京淪陷，舉家西遷；以及抗戰勝利，携家還都的過程。又〈夜雨〉一首，陳延傑於「圖書萬卷厄胡兵，草堂毀去無題寄」句下自注云：「余築宅通德里，都中淪陷，宅為倭寇所破，家藏萬卷盡厄于兵火。」家破書毀，誠令人傷心悲憤矣！詩人在對個人小時代的歌吟中，折射了其所生存的大時代；而大時代的刀光劍影，杌隉艱屯，也縮影於詩人所吟歎的小時代中。

《晞陽詩》所收詩作止於一九四八年〈丁亥除夕作〉，陳氏時年六十歲。從中可大體略觀其六十歲前的生活、經歷與交遊之狀況，史

筆稱其詩作係其「生活和思想的記錄」[12]，洵然也。

其三，為當時的各種文字記載有涉及陳延傑生平經歷者。其中最直接相關的，就是時人與他的詩歌酬酢，如其摯友胡翔冬所作之《自怡齋詩》中，即收有多首和陳延傑的酬唱詩作，〈過香林寺同胡小石陳仲英作〉、〈同杜岷原錢茂萱陳仲英兒子家羲家民游攝山并寄小石〉、〈泛舟玄武湖同胡小石陳仲英作〉等皆為述及陳延傑之紀遊詩作[13]，可和《晞陽詩》中與胡翔冬相關篇什合而觀之，當可對二人交誼有更親切之了解。[14]又如胡小石亦有〈清涼寺同胡三陳仲子作〉、〈咏陳仲子〉及〈己未初夏游北湖同胡三陳仲子流連昔游愴然有作〉等詩，刊載於一九二三年出版的《國學叢刊》一卷一期中之胡氏〈夏廬詩鈔〉，見證了陳延傑與胡小石、胡翔冬三人的早年情誼。[15]

---

12 史筆：〈陳延傑生平述略〉，頁93。

13 胡翔冬：《自怡齋詩》，頁2下、頁8下-9上、頁9上，己卯仲夏金陵大學文學院刊。與陳延傑有關詩作尚有〈同小石仲英泛舟青溪沂流至西方寺側納涼〉（頁12）、〈講經坡觀羣兒放風箏同仲英作〉（頁15下-16上）與〈七月晦日牛首山房坐雨戲成小詩寄仲英〉（頁16下）。

14 然據程千帆（1913-2000）的回憶，二人的交誼後來似未能持續下去，其中的關鍵竟然是因：「兩個人論詩的意見不合，就不好了。」程氏感歎道：「老輩做人真是認真，論詩不合也會影響交情。所以，翔冬先生詩裏寫過：『交窮詩是鬼，肥勝酒為兵。』」（程千帆述、程章燦記：〈閑堂師語〉，《桑榆憶往》〔收入《程千帆全集》第15卷，石家莊市：河北教育出版社，2000年〕，頁139。）

15 《國學叢刊》第1卷第1期，頁131-132，1923年。案：此三詩亦收錄於吳徵鑄（白匋，1906-1992）所輯《願夏廬詩詞補鈔》，見《胡小石論文集編續》（上海市：上海古籍出版社，1991年），頁319-320。另在吳徵鑄所輯《願夏廬詩鈔》中，亦錄有〈十月二十七日翔冬招同仲子茂宣遊毛公渡荻花甚美〉、〈十桂堂晚望同仲蘇仲英作〉、〈與二仲遊龍華寺，並寄翔冬滁州〉、〈同胡三陳仲子秉天民遊劉氏廢園作並調胡三〉與〈白華邀同仲子碻杲諸公聽董蓮枝詞，喜衍如新自成都至〉等數首與陳延傑有關的詩作，見《胡小石論文集》（上海市：上海古籍出版社，1982年），頁227、230、236、255。然《國學叢刊》第1卷第1期所載之〈辛酉仲春陶然亭登眺有懷江寧舊游並寄漚翁仲子〉卻未見輯於《願夏廬詩鈔》和《願夏廬詩詞補鈔》。（頁130）

此外，陳延傑與時人交遊的「詩文足跡」也在當代學人的載記中留下了記錄，如比陳延傑大兩歲，且皆曾在武昌高等師範任教過的黃侃，即曾在他的日記中寫到他應陳延傑宴飲之邀的過程：

> 午偕旭初赴陳仲子（仲子昨親來肅賓，甚敬）之招，飲於老萬全，坐有翊謀、伯弢、湯用彤。翊謀示以在焦山抄得康有為題別峰庵藏德宗龍袍詩。用彤言蒙文通思晤予，彼將延予素食，為之介紹，且邀歐陽竟無居士。[16]

黃侃記此日記的時間為「己巳十月廿四日癸酉」，即陽曆一九二九年十一月二十四日週日。案：《晞陽詩》中共有二首詩的詩題提及黃侃，透過與黃侃日記的對勘，可對詩歌寫作背景有更清楚的理解，如〈己巳秋七月六日，同王伯沆、黃季剛、汪旭初及潘、黃二君車赴鎮江，晚泛舟至焦山，月落天黑，艸木深鬱，兩三僧舍或鐙火隱顯，而江濤悲壯，無可投止。會翼謀先生亦在山，偶逢于松寥閣，因得以飽啖山蔬。坐閣上，天風振衣，信可清暑，更留宿定慧寺，翌晨遂偕遊焉〉，關於此詩中所述之焦山之遊，黃侃在日記中有較詳細記載，其於同年七月五日丙戌（陽曆八月九日週五）記道：

> 晴熱。晨起往閱試卷，邀伯沆、仲子、旭初來寓午飯。[17]

六日丁亥復記：

> 晴，彌熱。晨復往閱卷，三人者仍來午飯，飯後忽發興遊焦

---

16 黃延祖重輯：《黃侃日記》（北京市：中華書局，2007年），中冊，頁599。

17 黃延祖重輯：《黃侃日記》，中冊，頁563。

山，遂以四時行，六時到京口。覓得紅船渡江時，風雲忽惡，
逆風作之字形，三折乃至焦山，已暝。至文殊閣門前，適遇柳
詒徵，邀予等至松寥閣憩，晤陳佩忍。飯後宿定慧寺之伊樓。
夜雨。[18]

七日戊子又記道：

晨大雨，旋止。粥後遂登山至別峯庵，索觀康有為自述戊戌變
政卷子，僧不肯出，乃求紙書一絕而去。匆匆周歷全山，還飯
松寥閣，至文殊閣午眠。四時許匆匆歸，此遊不暢。八時抵下
關，飯於萬國春，初食芒果、杯子冰忌廉，甚美，乘汽車返。[19]

黃侃日記將出遊動機和經過交代甚詳細，而陳詩的詩題及詩句則對景
物和其心境有所鋪陳。讓黃侃深感「不暢」的此次出遊，卻因泛舟江
上的情境而讓陳延傑興發出「紛吾飢所驅，飄梗悲禾黍」的感慨，且
除此詩外，又接連作了〈宿焦山定慧寺〉、〈翼謀先生飲集同人于松寥
閣看雨〉、〈焦山歸來閣謁端忠敏公銅像〉等三首詩。[20]

　　黃侃之外，當時同在南京中央大學中文系任教的吳梅（1884-
1939）也在日記中留下了與陳延傑有關的事蹟，除一般的酬酢宴飲
外[21]，亦有關於陳延傑為中央大學解聘及托吳梅致書蔡元培（1868-

---

18 黃延祖重輯：《黃侃日記》，中冊，頁563。

19 黃延祖重輯：《黃侃日記》，中冊，頁563-564。

20 黃侃於是年八月十八日（陽曆九月二十日週五）日記中記道：「陳延傑示以遊焦山
　　三詩，當作書贊之。」（黃延祖重輯：《黃侃日記》，中冊，頁576。）

21 如一九三三年十月二十九日（陽曆十二月十六日）及一九三四年四月三十日（陽曆
　　六月十一日）所記皆是與宴飲、喜慶有關的活動，且陳延傑皆非活動主要的人物，
　　前者宴飲的主客是汪旭初，後者則同為參加殷孟倫（1908-1988）的婚禮，他與陳延

1940）謀事的記載。據《南京大學文學院百年史稿》所載，陳延傑於
一九二七年在中央大學前身第四中山大學中文系開始擔任助教職務，
一九二八年升為講師，直至一九三六年七月，因中文系裁員，不再延
聘。[22]期間曾授有「唐詩」、「宋詩」、「毛詩」等課程。[23]吳梅在一九
三六年陰曆五月二十二日（陽曆七月十日）的日記中對解聘一事有較
詳細的記載：

> 往訪旭初，為言校中事，社會學系則停止，國文系則裁人，林
> 公鐸既自行辭職，伍叔儻、陳仲子又不再延聘。蓋教育部令以
> 文學院生僅八十名弱，而所開課程竟八十餘種，幾一人一課
> 矣，非裁減不可。旭初于是將叔儻辭去，以叔儻為部中參事
> 也。仲子以教法不佳，連類推及，而疊作兩函，痛詈旭初，未
> 免胸襟窄小，且要求貼俸二月，又不當作漫罵語也。[24]

其於八月四日（陽曆九月十九日）的日記中復記道：

> 歸寓則李厥安在坐，談諧頗適。而彭生（鐸）、楊生（志溥）
> 至，言次深以校中辭去陳仲子為非，且言仲子雖無大好，然尚
> 勤懇，家累頗重，可念也。余亦未便多言，坐良久去。[25]

傑皆去贈送賀禮。前者見王衛民編校：《吳梅全集》（石家莊市：河北教育出版社，
　2002年），日記卷上，頁375；後者見頁427。

22　南京大學文學院編：《南京大學文學院百年史稿》（南京市：南京大學出版社，2014
　年），頁58、60-61、63、71。

23　南京大學文學院編：《南京大學文學院百年史稿》，頁65-66。

24　王衛民編校：《吳梅全集》，日記卷下，頁746。

25　王衛民編校：《吳梅全集》，日記卷下，頁781。

關於陳延傑的去職，史筆認為是因其個性「正直、謙虛，為世俗卑媚者不容」，遂「被排擠出中央大學」[26]，但若綜合校系史及吳梅日記來看，似乎除了個性、人際關係之外，也還存在著客觀政策面與制度面的問題。

其實，陳延傑在中大教職的不穩定，早就反映在數月前的吳梅日記中，同年二月二十三、二十四（陽曆三月十六、十七日）兩日的日記中，吳梅分別記下了「陳仲子來，托余致書蔡子民，為覓一枝托，允之」，及「為陳仲子作書蔡子民，托其謀事，未必有效也」。[27]從事後的結果來看，確實無效。〈秋夕貧居書懷〉一詩或是他當時心境的寫照：

> 桐月纖暉飛透戶，淒然秋入鬢毛衰。老蟲鳴砌方憂亂，孤榻搖鐙自寫悲。游宴東山尋謝趣，簞瓢陋巷忍顏飢。恢恢四海獨貧我，天地豈無覆載私？

據程千帆的回憶，上世紀二、三十年代，中央大學、金陵大學教授的待遇很優渥；中大教授每個月三百塊大洋，金大教授也有一百八到二百元。[28]失去中央大學這筆穩定的收入，勢必會影響到陳延傑的生計。但他並未因此消沉，反而更加發憤研究學問，閉戶著書，完成了

---

26 史筆：〈陳延傑生平述略〉，頁92。陳坤先生從家屬的角度看待這問題，也有類似的看法。

27 王衛民編校：《吳梅全集》，日記卷下，頁690。案：今翻檢蔡元培日記、書信、渾不見吳梅致書跡影。在充斥著學界政界大人物及社會名流的蔡元培日記和書信中，即使吳梅的名字廁身其間，都尚覺不起眼，更何況是像陳延傑這樣一位不怎麼合時宜的學界邊緣人物？悲夫！

28 程千帆述、程章燦記：〈閑堂師語〉，《桑榆憶往》，收入《程千帆全集》，第15卷，頁137。案：在中大地位不高的陳延傑或許領不到教授三百塊大洋的俸祿，但即使打些折扣，收入依然可觀。

多部唐宋詩人詩集箋注。[29]而他在抗戰時期避難大後方，亦有機會擔任內遷至四川成都的金陵大學中文系教師[30]，並且還積極地參與教育部舉辦的學術與文學著作獎勵活動，這些都可從其詩作和論著中得到印證，顯見他並未與整個學界和文壇脫節。（見下節）

第三節　陳延傑的學問和著述

陳延傑既是學者，又是詩人。在詩人的詩歌創作方面，他早年從陳散原學詩，於古典詩寫作上深有造詣，《晞陽詩》是他的代表作，收錄二九三題共三二四首詩。[31]史筆對其詩歌創作有如下的評語：

> 先生詩法江西，而有所變化，于瘦硬中蘊含柔媚，或抒情，或敘事，藝術地再現了先生的抱負與心志。[32]

從《晞陽詩》獲得一九四四年度國民政府教育部學術審議委員會著作獎勵「文學類」三等獎一事來看，其詩藝確實得到文壇學界相當程度的肯定。雖然如此，《晞陽詩》卻從未正式出版，只以抄本的形式留存於其家。此詩集雖曾於一九四四年結集參審過，然陳氏家傳抄本卻收錄多首戰後還都時期之作，詩集最後一首詩為作於民國三十七年的〈丁亥除夕作〉[33]，可知家傳抄本《晞陽詩》結集時間當為一九四八

---

29 史筆：〈陳延傑生平述略〉，頁92。

30 南京大學文學院編：《南京大學文學院百年史稿》，頁14、78、84。

31 《晞陽詩》中共有七組詩是以同題多首的組詩形式創作的，純就詩題來看的話，可說有二百九十三篇詩；但就詩的實際數量來計算的話，則共有三百二十四首詩。

32 史筆：〈陳延傑生平述略〉，頁93。

33 丁亥年陽曆雖為一九四七年，但該年農曆除夕卻為一九四八年二月九日。

年後。[34]

　　而在學者的學術研究方面，他經營的領域主要集中在經學和古典詩學方面。就後者而言，他曾對唐宋著名詩人的詩集做過箋注，包括《孟東野詩注》、《張籍詩注》、《賈島詩注》、《陸放翁詩鈔注》及《文文山詩注》。亦曾對古典詩學的一些重要問題做過專門研究，而有〈蘇李詩考證〉、〈漢代婦人詩辨偽〉和〈魏晉詩研究〉等單篇論文之發表。但讓他在當代中文學界還不致完全被遺忘的學術成果，卻是他對《詩品》的研究，而《詩品注》一書也是他所有的著作中知名度最高的。關於陳延傑在當代《詩品》研究上的地位，程國賦曾做出如此的評判：

> 據筆者所知，最早的專著是陳延傑的《詩品注》，一九二五年撰成，一九二七年由上海開明書局出版。……最早的一篇論文是陳延傑的〈讀《詩品》〉，刊於《東方雜誌》二十三卷二十三期（1926年）。在本世紀的《詩品》研究史上，陳延傑具有篳路藍縷之功，占有突出的地位。[35]

陳延傑這本注本雖是民國以來最早的《詩品》注釋本，但也因為處於草創階段[36]，其中內容不免有疏誤，引發當時學界的訾議。[37]然而誠

---

34 案：《晞陽詩》雖為陳延傑詩作結集，然並非他詩作的完整收錄。他在一九四九年前，曾在多種報刊上發表他的詩作，現今可尋覓者，就至少有二十首未見於《晞陽詩》集中，詳參「附錄二」〈陳延傑著作目錄〉。

35 程國賦：〈鍾嶸詩品研究七十年〉，《許昌師專學報》第19卷第6期（2000年11月），頁26。

36 高明（仲華，1909-1992）曾謂：「曩識陳君仲子，獲讀其《詩品注》，雖多其初關榛莽，而恨其未能精至。」（見氏撰：〈詩品論疏序〉，《高明文輯》〔臺北市：黎明文化事業公司，1978年〕，下冊，頁209。）

37 曹旭：《詩品研究》，頁237-238。陳注疏誤及為時人訾議的相關敘述，俱見該書頁

如《詩品》研究專家曹旭教授對此書的評價：

> 作為民國以來第一本《詩品注》，總有首開風氣的作用。並且，
> 也還有它的特色。尤其不可忽視的是，陳注是所有《詩品》注
> 釋本中發行量最大、市場占有率最高，也是最通行的注本。[38]

總括來說，「最早」和「最通行」這兩點應該就是陳延傑《詩品注》
的主要特色。

　　再就經學而言，他下的工夫並不比詩學來得少，他在這方面的撰
述，可見者計有《經學概論》、《周易程傳參正》、《詩序解》、《詩經集
解》等四種，又有《詩經類編》、《春秋類編》等二種未刊著作，為史
筆文中所提及者。其中僅《經學概論》、《詩序解》二書曾於一九三〇
年代刊行，其餘諸書皆未曾刊行。《周易程傳參正》當撰於一九四三
年[39]，書成後曾獲得一九四六、一九四七年度國民政府教育部學術審
議委員會舉辦之著作獎勵「古代經籍研究類」三等獎的榮譽。然此書
一直未曾正式出版，僅存有當年參加著作獎勵之送審手抄本，藏於國

235-242。相關評論另見周振甫（1911-2000）：〈前言〉，《詩品譯注》（南京市：江蘇
　教育出版社，2006年），頁1-2。
38　曹旭：《詩品研究》，頁237-238。然而發行量究竟有多大呢？僅以北京人民文學出版
　社在一九六二年出版的修訂版而言，據王發國、陳曉超的估計：「人民文學出版社
　於當年八月又在上海第二次印行了此書，印數多至一萬冊。若加上北京的三千冊，
　於是，新版《詩品注》便成為『所有《詩品》注釋本中發行量最大、市場占有率最
　高，也是最通行的注本』（曹旭《詩品研究》語）。這還不包括文化大革命結束後的
　各次再印刷的數量以及一九九八年二月印行的五千冊之數。」（參氏撰：〈鍾嶸《詩
　品》應當重新作注（上）——兼論陳延傑《詩品注》〉，《許昌師專學報》第20卷第1
　期〔2001年1月〕，頁35。）若再加上海外的翻印，則數量當更可觀。
39　該書自序云：「癸未春，與金陵大學諸生講《周易程傳》，覺其中有獨到者，亦有與
　諸家《易》說乖牾者，輒為之參正，聊復詮次，以成是編，以就正于當世之知
　《易》者。」癸未為一九四三年。

立政治大學圖書館特藏室中，學界罕見其書。《詩經集解》手稿為陳延傑子孫家藏，僅存《周南》〈關雎〉至《秦風》〈駟驖〉。書稿原未標書名，陳氏後人蓋見其採傳統集解體註釋《詩經》篇章，遂名為《詩經集解》，惟此稿不知與《詩經類編》有何關係？

《經學概論》全書共二十四章，以經學文獻源流和發展，即先秦《五經》、秦漢新增之《四經》、唐人「九經正義」、宋人「四經正義」，到清人「石經之學」為主軸；並以經學流變的說明，包括「孔門諸子經學之傳授」、「今古學之爭及其流派」、「宋代經學之變革及其流派」、「清代經學變遷及其派別」等，以及專論《詩序》、讖緯、《尚書》篇目等經學史上的重大問題為輔。其論說能廣徵博引，而觀點多與清儒相近，尤以援引、申論皮錫瑞（1850-1908）《經學歷史》、《經學通論》的觀點為大宗。如謂《五經》保存了「孔子編纂之旨」、認同緯書亦可為解經之一助、指認魏晉為經學中衰時代（以上本皮錫瑞說）、同意「樂本無經」論（本邵懿辰〔1810-1861〕說）、「近儒之經學考訂，正是朱子家法」（本陳澧〔1810-1882〕說）等等，均反映出陳氏頗受清代經學，以及晚清今文學派既有觀點的影響。[40]

就《周易程傳參正》而言，陳延傑嘗自述撰作動機，云：

> 伊川《易傳》闡明儒理，頗能切于持身用世。唯與諸家《易》說有乖牾者，亦有獨到者，擬為之參稽徵驗，故述是編。[41]

而其要旨則是：

40 本段敘述為盧啟聰所撰。

41 見陳延傑為申請一九四六、一九四七年度著作獎勵，於一九四五年所撰之〈專門著作申請獎勵說明書〉，原件藏於南京中國第二歷史檔案館，檔案編號：5-1360（2）。

是編內容意在從《程傳》中發揮爻象本旨，而得其會通，俾讀
《易》者得以窮理盡性以至于命焉。[42]

錢穆（1895-1990）當時擔任該獎勵案的審查人，他對此書給與相當
正面之評判，稱讚其：

不守門戶，不矜創獲，實事求是，不知則闕，洵為治經有榘矱
者，初學得此，可以尋門而入矣。[43]

《詩序解》一書之撰作，其自述作於丙寅年（1926），至庚午年
（1930）始成，而實際出版則已至一九三二年矣。該書旨趣據其自撰
〈敘〉云：

余以詩言《詩》，不假《序》說。每治一篇，則朝夕隱几反
誦，如讀唐宋人詩然者，必直尋其歸趣而後已，雖暑雨祈寒，
未或稍輟，亦實有感於心也。每有欣會，輒筆之於紙，又集諸
家之說，為《詩序解》三卷，冀可得風雅餘味，而悠然見詩人
之志焉。[44]

以詩治《詩》，其取徑迥異乎經生斠《詩》，乃欲回復《三百篇》詩歌

---

42 同上。

43 錢穆為陳延傑該申請案所撰之〈審查意見表〉，寫作完成日期為一九四七年一月二
十六日。此案另一位審查人為湯用彤，寫作完成日期為一九四六年一月二十六日。
湯氏沒有給出具體意見，僅於〈審查意見表〉中的總評欄中大筆一揮：「本書未見
具有獨創性」九字。二者原件皆藏於南京中國第二歷史檔案館，檔案編號：5-1360
（2）。

44 陳延傑：〈敘〉，《詩序解》（上海市：開明書店，1932年），頁2。

本貌，以見詩人之志為依歸。林慶彰先生認為陳延傑在辨正詩篇詩旨時，「既無今古文、漢宋學的意識，解《詩》時也儘量求客觀」[45]，這樣的觀察與錢穆評其《易》學研究「不守門戶」的判斷頗有不謀而合之處，或許這正是陳延傑治經的最大特色。

　　身為經學家的陳延傑，其經術在其詩作中也時有反映，如其治《易》心得，見其〈讀《周易》〉所述：

　　　　隱几抱《周易》，假年卒以讀。身與天地準（自注：用黃句），克己不遠復。可以無大過，孔訓協私淑，道窮老刼運，潛泣九宇覆。豈若從辟世，歸藝桑與竹，知命退藏密，安問成都卜。

又有〈金陵大學講《易》畢閒望鍾山〉一首，其謂：

　　　　人綱蕩解紐，六籍無一識，橫流不見《易》，乾坤或幾息。吾其有憂患，口講指畫臆，前言與往行，多識以畜德。終日惕乾乾，觀玩開皇極，釋此出寒林，負暄情悽惻。……

　　詩中亦有反映其治《春秋》的情狀，如〈霜旦過江至華西壩金陵大學講《春秋穀梁傳》〉，其云：

　　　　悠悠道喪世，六籍久埋滅，諸老彌縫之，舊學不舍鎩。吾獨抱遺經，終始口講說，大義丘竊取，尊王攘夷狄，況當倭患張，天理寧詎絕？仁以為己任，士窮乃見節，憂虞酌古今，活國憤

---

45 林慶彰：〈陳延傑及其詩序解〉，《王叔岷先生學術成就與薪傳研討會論文集》，頁427。

所切，撫卷溫午夢，園梅香的皪。[46]

　　經學、文學之外，他晚年轉而參與南京文獻和地方志的整理編纂工作，於一九五五年撰有《南京文獻書目提要（初稿）》一書，迄今亦未刊行，仍以手稿的形式保存於其家屬手上。此書之撰述緣起，據其自述：

> 編輯南京文獻書目，都凡二百六十餘部。凡關於南京掌故之書，盡力搜羅，茲誠不自揆，先擇其切要者，每編撰為提要，敘說其內容及其旨趣。其間記載之詳略，版本之之善否，亦加以評定，其體例一仿諸《四庫提要》，頃撰成一十七篇，油印成帙。……[47]

　　關於陳延傑的整體著述，史筆和林慶彰的文章皆曾附有其著作簡目。本文在二人的基礎上，再略加補充，編輯〈陳延傑著作目錄〉，供讀者參考，參見本書「附錄二」。

第四節　陳延傑經學論著的整理及其學術史意義

　　若將學界對陳延傑及其相關論著的關注從學術史的角度來回顧，則大致可以看到呈現三個階段的演進。第一個階段，主要是針對陳延

---

46 以上三詩俱見於《晞陽詩》。

47 陳延傑致孫望函，此函附於《南京文獻書目提要（初稿）》手抄油印本之書前，寫作此函時間為一九五五年三月二十一日。此油印本承陳坤先生複印一冊見贈，特此致謝。案：原函受信人作「自強先生」，當指孫望（原名自強，字止盫，1912-1990）。孫氏歷任金陵大學、南京師範學院、南京師範大學教授暨中文系主任。

傑《詩品注》一書的評論檢討。首先，該書初出版時，便引來古直
（1885-1959）、許文雨、葉長青和王叔岷（1914-2008）等學者的即
時評論商榷。[48]及至該書在二十世紀六十年代重出新版之後，又引發
陳直（1901-1980）、陳建根和彭鐸（1913-1985）等學者的積極回
應。[49]到了八十年代之後，隨著《詩品》研究的深化，中國大陸學者
如曹旭、蔡文、穆克宏等人仍持續提出對陳注本摘謬獻疑的意見[50]，
王發國、陳曉超甚至提出人民文學出版社的「《詩品注》應當重作」
的呼聲。[51]儘管學界對陳延傑的《詩品注》有種種的評議，但不可諱
言的是，此書至今仍是研究《詩品》必不可缺的重要參考著作，而數
十年來學界對此書的熱議，以及書商不斷的重出或翻印，再再都顯示
陳注本經久不衰的學術價值。

　　第二個階段，則是史筆先生在一九八六年第六期的《文教資料》
雙月刊中發表了〈陳延傑生平述略〉一文，並且還製作了〈陳延傑著
作簡表〉，以及選錄了十三首陳延傑的詩作，以〈晞陽詩鈔〉的名
義，一併刊登於同期刊物中。《文教資料》由當時的南京師範大學古
文獻整理研究所主辦，史筆自述寫作過程承南京師範大學孫望教授和
南京大學許結教授二人的指點，且其個人亦具有檔案學專業的素養，

48　相關討論，參見曹旭：《詩品研究》，頁235-242；王發國、陳曉超：〈鍾嶸《詩品》
　　應當重新作注（上）──兼論陳延傑《詩品注》〉，頁32-33。

49　王發國、陳曉超：〈鍾嶸《詩品》應當重新作注（上）──兼論陳延傑《詩品
　　注》〉，頁34-35。

50　曹旭論評除見前揭書外，又有〈《詩品》研究的新成果──評新出版的三種鍾嶸
　　《詩品注》〉，《文學遺產》1988年第2期；蔡文有〈陳延傑《詩品注》校疑〉（《松遼
　　學刊》〔社會科學版〕1990年第1期、1991年第1期）、穆文見〈春風化雨潤物無聲登
　　高望遠天地一新──《許昌師專學報》創刊20周年紀念筆談〉，《許昌師專學報》第
　　21卷第3期（2002年5月），頁8-10。）

51　王發國、陳曉超：〈鍾嶸《詩品》應當重新作注（上、下）──論陳延傑《詩品
　　注》〉，《許昌師專學報》第20卷第1、6期（2001年1、11月）。

能廣泛蒐羅與陳延傑有關的文獻檔案資料。在天時、地利、人和皆較完備的條件下，使其能在相當程度上，較全面地記敘了陳延傑的生平、經歷和著作概況，為後續研究奠定了良好的基礎。

　　第三個階段，當始於一九九〇年代林慶彰先生對《詩序解》的「重新發現」，由此開展了臺灣學界對陳延傑經學論著研究與整理的契機。據林先生自述，他於：

> 一九九三年八月組團參加在河北石家莊舉行的第一屆《詩經》學國際研討會，會後到北京琉璃廠購書，侯美珍學弟在古籍書店購得陳延傑《詩序解》線裝一冊。回國後，為表彰陳氏對研究《詩序》的貢獻，請美珍學弟影印多冊，分贈師友。[52]

直至八年後的二〇〇一年六月下旬，林先生才在臺灣大學中文系舉辦的「王叔岷先生學術成就與薪傳研討會上」，正式發表〈陳延傑及其詩序解〉一文。相隔一年，東吳大學中文系博士生陳文采在林先生的指導下所撰寫的博士論文《清末民初詩經學史論》，亦於第二章第二節中設立一小節，對《詩序解》進行深入地討論。[53] 隨著該書在臺灣學界的流布漸廣，《詩序解》一書已逐漸進入臺灣《詩經》學者的眼簾中，相關學術論述也時見該書被徵引。[54]

　　二〇〇七年起，林先生在中央研究院中國文哲研究所推動「民國

---

52 林慶彰：〈陳延傑及其詩序解〉，《王叔岷先生學術成就與薪傳研討會論文集》，頁411。

53 陳文采：《清末民初詩經學史論》（臺北市：東吳大學中文系博士論文，2002年），頁144-152。該論文經修訂後又於二〇〇七年由臺北花木蘭文化出版社出版，相關討論見頁118-124。

54 如洪國樑的〈詩經秦風黃鳥「三良」死因衡論〉、楊晉龍的〈朱熹詩序辨說述義〉皆曾徵引其說。洪文所引見氏撰：《詩經訓詁與史學》（臺北市：國家出版社，2015年），頁119；楊文刊於《中國文哲研究集刊》第12期（1998年3月），頁303注26。

以來經學之研究」計畫，他也同時和文听閣圖書公司合作，編輯出版
《民國時期經學叢書》，《詩序解》被收入第二輯，這意味著《詩序
解》的流通更廣，為世人所閱讀的機會也更多。與此同時，陳延傑的
另一部經學著作《經學概論》也被收入《民國時期經學叢書》第二輯
中。[55]二〇〇九年，筆者開始關注一九四〇年代國府教育部學術審議
委員會所舉辦的著作獎勵，在獲獎名單中注意到了陳延傑，並且在國
立政治大學圖書館的特藏室中發現到他獲得一九四六、一九四七年度
古代經籍研究類三等獎的《周易程傳參正》送審書稿。此書稿為陳延
傑手撰的抄本，學術審議委員會並未發還給參獎者，陳延傑當時也無
緣出版此書，僅於一九四四年在《金陵大學中國文學研究會會刊》第
一卷第一期中，刊登該書〈自序〉、〈蒙卦〉、〈需卦〉、〈師卦〉的少數
內容。隨著國府遷臺，此書稿連同其他政府文書檔案，一併被運來臺
灣，最後輾轉進入政治大學圖書館中，從此便長期處於「養在深宮人
未識」的狀態。筆者於是將此抄本複製下來，請學生打字輸入，同時
影印數冊，分送給學界同道，以期「傳於學界人多識」。黃忠天教授
據此抄本先後發表了數篇文章，林慶彰先生亦將此影印本收入二〇一
三年出版的《民國時期經學叢書》第五輯中。二〇一三年元月筆者與
林慶彰先生參訪南京，從陳坤處獲得《晞陽詩》抄本的複印本。二〇
一八年元月再訪南京，陳坤復贈以《詩經集解》和《南京文獻書目提
要》二書抄本之影印本，陳氏著作蒐羅日益完備。[56]

---

55 林慶彰主編：《民國時期經學叢書》第2輯，臺中市：文听閣圖書有限公司，2008
年。

56 筆者應陳坤之邀，於二〇一八年元月下旬再訪南京，同行者有吳儀鳳教授、賴欣陽
教授和盧啟聰先生三人。此行除獲陳坤先生贈送書稿資料外，亦在其嚮導下，至原
中央大學所在的東南大學四牌樓校區參觀，在西北角梅庵屋前，看到了陳延傑與當
時詩人常歌詠的著名「六朝松」。此外，亦拜訪了南京大學文學院，徐興無院長和
劉重喜書記贈送《南京大學文學院百年史稿》、《南京大學中文系校友錄》和〈豁蒙

　　隨著對陳延傑生平學術及資料文獻掌握的全面而深入，陳延傑經學論著重新整理的條件也益趨成熟。於是便邀集了黃忠天、盧啟聰等同道，共同來將《周易程傳參正》、《詩序解》和《經學概論》這三部陳氏現存完整的經學論著重新整理點校出版，《周易程傳參正》由黃忠天整理，《詩序解》由本人負責，《經學概論》則委由盧啟聰整理。此構想獲得了陳延傑家屬的同意，並且又在南京大學文學院徐興無院長和方文暉教授的協助下，將此三書納入「南京大學校史工程」項目下出版。而在整理期間亦獲得蔣秋華教授的大力支持，於《中國文哲研究通訊》上規畫「南雍學人陳延傑研究專輯」，刊載相關研究成果。

　　這三部經學著作雖仍不能涵蓋陳延傑整體經學之成就，但也足以呈現其治學特色與學術趣向。學者的「被遺忘」與否，當然最主要的原因還是取決於其學問造詣的高下與否。但若反映其學術內容的論著沒有機會面世，或學界罕見，則其造詣的高下與否又如何受世人的公評公議？因而惟有將其著作重新刊布流傳，並使學界有機會對其作品進行深入地探究，世人才能具體地了解其著作，也才能客觀地評價其學術。即使其人、其學、其書皆非一流，但從學術史的角度來看，任何時期學術的發展皆呈金字塔的結構，在頂端的就代表當時學術拔尖的一流學者和其成就，後世所看到的也往往都集中在這個部分。但學術金字塔的頂端並不能代表當時整體學術的面貌和內涵，事實上，頂端的下面還有廣大的中低層的底部構造。正是這些處於中低層的底部構造，方支撐起了整座龐大的學術金字塔。學術史的研究應該是將某一時代的學術發展和表現，客觀如實地放在其整體學術構造的脈絡和環境中來看待。如此，才能將各種不同的學術成就、特色、貢獻和價值，加以準確地定位和呈現出來。若只關注在學術金字塔頂端的傑出

樓聯句〉複製品。又有幸與許結、史箏、孫望之女孫原靖教授等人晤面請教，對陳延傑論著的整理工作，助益匪淺。

學人的優越表現，而置其他於不顧，這或許是符合某學術專科的學術
評價眼光，但卻絕非學術史研究應有的正確態度。唯有將研究對象置
入其所存在的學術背景與環境中，才能較好地理解其學術之形成與其
內蘊，而其成就與價值也才能較精準地定位與評估。一流學者如此，
二、三流學者亦然。

第四章
陳延傑《詩序解》及其《詩》學觀探析

第一節　前言

　　陳延傑（1888-1970）《詩序解》始作於一九二六年，一九三〇年成書，一九三二年由上海開明書店正式出版。[1]此書顧名思義，似係針對傳統《詩經》學中極具權威地位，向來被視為可以「該括章指」、「總測篇意」的《毛詩序》（本文簡稱《詩序》、《毛序》或《序》，此專指《詩序》整體。若稱〈序〉，則指各別詩篇之〈小序〉）[2]，所做的說解或解析。然而陳延傑卻以為：

> 太史公曰：「《詩》三百篇，大抵聖賢發憤之所為作也。」故《詩》可以興，可以怨。竊獨怪夫《詩》緣情若此，而世人往往不能涵泳其言外之趣者，何哉？蓋厄於《詩序》耳。[3]

絲毫沒有尊重《詩序》的味道，不只如此，他更聲稱：

1　陳氏自云此書「作於丙寅年，迄今歲庚午始成」。丙寅為一九二六年，庚午為一九三〇年，則是書當成於一九三〇年，遲至一九三二年方正式出版。見陳延傑：〈敘〉，《詩序解》（上海市：開明書店，1932年初版），頁1b。
2　程大昌（1123-1195）語，見氏撰：《考古編》卷3，收入《叢書集成新編》（臺北市：新文豐出版公司，1985年），第11冊，頁17。
3　陳延傑：〈敘〉，《詩序解》，頁1a。

余以詩言《詩》，不假《序》說。每治一篇，則朝夕隱几反
誦，如讀唐宋人詩然者，必直尋其歸趣而後已。[4]

可見他寫作此書的目的是要直尋《詩經》的歸趣，而非僅止於對《毛
序》的說解闡析，如朱熹（1130-1200）《詩序辨說》之類的著作，雖
然朱熹的目的是欲「以《大、小序》自為一編，而辨其是非」。[5]

其所尋之《三百篇》歸趣，從該書實際內容來看，大體就是一詩
的詩旨大義，如其解《衛風》〈碩人〉云：

此篇凡四章，首言其貴，次言其美，三章敘愛君之情，末詠河
之水與物，蓋思歸齊，故所望如此。大抵是詩寫婦人被棄，不
安于衛，故其詞淒怨，有味外味。[6]

陳延傑在尋味詩篇歸趣時，雖「以詩言《詩》」、「朝夕隱几反誦」，但
仍需廣稽博取，在前人研究的基礎上，探討出合理可信的說法，如其
對《魏風》〈園有桃〉做如此闡解：

《集傳》云：「詩人憂其國小而無政，故作是詩。」蓋不從
〈續序〉刺儉之說焉。《讀風偶識》云：「〈園桃〉乃憂時，非
刺時。」「〈園桃〉所憂，在國無政。」《詩古微》亦云：「是興
非賦，非刺儉之詩。」崔、魏二說近是。此詩寫憂國之感頗沉
著，殊不在〈黍離〉、〈兔爰〉下。方玉潤所謂「悲愁之辭易

4　陳延傑：〈敘〉，《詩序解》，頁1b。
5　陳振孫撰，徐小蠻、顧美華點校：《直齋書錄解題》（上海市：上海古籍出版社，
　　2015年），上冊，頁39。陳氏之說本於朱熹《詩序辨說》〈序〉。
6　陳延傑：《詩序解》，卷上，頁20b-21a。

工」者也。[7]

　　不過，陳氏說《詩》雖「不假《序》說」，但《詩序》畢竟是《詩經》學史中，流傳下來最早且亦最具權威的解說，對《詩經》詩旨大義的把握，若完全不假借《詩序》之說，是極不切實際的。所以《詩序解》在論列三百一十一首詩篇時，其所撰述的體例亦是按照《毛詩》的編排方式，依十五《國風》、《小、大雅》與《三頌》的次第，將各詩的篇名與〈小序〉的文字逐一錄出，在各詩的〈小序〉後面，加案語闡發其所直尋之詩旨歸趣，而在案語中，時可見其對《詩序》及諸家之說加以評析權衡；其個人之心得見解亦時表露於其中，此陳氏自謂「每有欣會，輒筆之於紙，又集諸家之說」也。[8]試舉一例以觀之：

　　　　〈江有汜〉，美媵也。勤而無怨，嫡能悔過也。文王之時，江沱之間，有嫡不以其媵備數，媵遇勞而無怨，嫡亦自悔也。案：〈序〉說殊非，朱子駁之曰：「詩中未見勤勞無怨之意。」頗當。蓋此篇正所以寫怨也。崔述說：「或果媵妾之所自作，或士不遇時者託之媵妾，以喻其意，均不可知。」此二說皆可通。《詩經原始》以為「詩人託言棄婦，以寫其一生遭際淪落不偶之心」，得詩旨矣。[9]

其論述模式大致如下：先列〈小序〉之說，案語首先否定〈序〉說，次引朱子辨駁〈小序〉之說，再引崔述（1740-1816）之說，以為

7　陳延傑：《詩序解》，卷上，頁37b。
8　陳延傑：〈敘〉，《詩序解》，頁1b。
9　陳延傑：《詩序解》，卷上，頁9a-b。

朱、崔二說皆可通。復引方玉潤（1811-1883）《詩經原始》說，以為
確得詩旨。

　　由於陳延傑並不完全信從《詩序》，其立說又不假《詩序》，雖然
《詩序解》一書逐一引錄《詩經》各篇《詩序》之說，但陳延傑並未
對各詩〈小序〉加以疏解，無論是持正面的遵從或負面的疑廢態度；
所以該書以《詩序解》命名，頗有名實不符之嫌。而從其實際表現來
看，陳延傑此書反而是在進行解消《詩序》權威的作為（見第二節），
這適與民國初年所興起的「反《詩序》運動」的潮流相一致。林慶彰
先生曾對此運動的源起、背景和內涵做過深入的觀察，他指出：

> 晚清的今古文學之爭，康有為以古文經為劉歆偽造，章太炎以
> 六經為史料，都足以降低經書的權威性。在清末民初內外交相
> 迫的形勢中，學者逐漸拋開今古文之爭的格局，擴大範圍來看
> 傳統學術問題。當時的傳統學者，如劉師培等人；新文化運動
> 者，如胡適等人，都提出整理國故的想法。胡適強調要還國故
> 本來面目，並親自整理國故。如就《詩經》的整理來說，就是
> 要把《詩經》從聖經的束縛中解放出來。進行的方法，先是切
> 斷孔子與《詩經》的關係，斷定孔子並未刪詩。其次是論定
> 《詩序》非子夏所作，與孔門無關。並指出《詩序》解釋觀點
> 的不合理。這種批判《詩序》運動，實為整理國故的一環。[10]

由此看來，陳延傑在當時撰作《詩序解》，似乎頗能反映和體現時代
的風氣。

　　其時所呈現的反《詩序》運動成果，據林先生對相關著作蒐集與

---

10 林慶彰：〈民國初年的反詩序運動〉，《中國經學研究的新視野》（臺北市：萬卷樓圖
　書公司，2012年），頁221。

整理的心得可知，從一九二三年起，陸續有批判《詩序》文章出現，一直延續到抗戰期間，批判的文章和專著約有二十餘種。[11]但這些著作大多是以專題論文的形式出現的，陳延傑的《詩序解》卻是用較傳統的表述方式，以《詩序》為基礎，來將《詩經》三百一十一首的詩旨歸趣加以論析闡解，從而為《詩經》學界留下一部足以代表民初時期反《詩序》一派的完整《詩》義說解著作。以此來看陳氏該書，此或為其極具特色之學術表現。

第二節　《詩序解》的《詩》學立場與詮解進路

陳延傑言《詩》，既不假《序》說，復認為世人「厄於《詩序》」，故往往不能涵泳《詩》篇言外之趣。且其於《詩序》之文辭表述、傳授來歷和解《詩》效果亦多所致疑，如其於《詩序解》〈敘〉文中云：

> 《毛序》辭平衍，又多支蔓，絕不類三代之文，其不出子夏、毛公而為衛宏所附益者，唐人已嘗言之矣。洎宋蘇轍起，始黜《序》，鄭樵著《詩辨妄》，朱子著《集傳》，詆之尤甚。其後

---

11 林慶彰：〈民國初年的反詩序運動〉，《中國經學研究的新視野》，頁204。案：林先生係以鄭振鐸（1898-1958）於一九二三年一月發表於《小說月報》第14卷第1期的〈讀毛詩序〉（後收入《古史辨》第3冊）作為起始的時間，因此他在〈陳延傑及其詩序解〉（收入《王叔岷先生學術成就與薪傳研討會論文集》，臺北市：臺灣大學中國文學系，2001年）文中，就以一九二三年作為批判《詩序》文章出現的起始點。（頁416）然林文中又有謂始於一九二二年者，惟未見具體佐證，今姑以一九二三年為起始年份。相關討論又見陳文采：《清末民初詩經學史論》（臺北市：花木蘭文化出版社，2007年），頁104-118、130-131。又夏傳才（1924-2017）《二十世紀詩經學》（北京市：學苑出版社，2005年）第三章第二節亦討論反《詩序》運動，頗有襲用林先生之說者，參見頁95-98。

若呂祖謙、嚴粲、王質等，咸相與附和，大都擺落舊說，爭出新意。繼而清儒崔述、方玉潤、魏源輩，又掊擊《序》不遺力。凡此諸家說《詩》，類多能以意逆志，頗見詩人趣味。雖百代之下，難以情測，然以視夫《毛序》之委曲遷就，穿鑿傅會，使《詩》之本意隱蔽不彰者，倜乎遠矣。[12]

觀此可知其蔑棄《詩序》甚矣！然而對照陳延傑於一九三四年刊於《金陵女子文理學院校刊》的〈讀詩經的幾個方法〉演講稿，卻又發現其對《詩序》的態度似乎不甚如此決絕強烈，其云：

《詩經》為無題之詩，正如《古詩十九首》及阮籍《詠懷詩》等，蓋古人作詩多先有詩而後有題，又恆以篇首二字名篇，如〈關雎〉、〈葛覃〉等是。故欲知一篇之意義如何，必先讀其詩，不可以篇名測之也。然《詩》義又可于《詩序》中得之，因《詩序》可為《詩》之題。《詩經》之《序》決非一人所作，而《毛詩》《詩序》與《傳》亦頗多矛盾之處，迨宋人歐陽修輩出，《毛序》遂整個被推翻矣。如〈卷耳〉一篇《詩序》云「后妃之志也」，《傳》解「后妃為使臣勞役而作」、〈凱風〉一首為頌揚母德之辭，陶淵明為母作傳曾引徵之，《詩序》以為七子之母不安於室，則荒謬極矣。《毛序》之中亦有與《詩》意相合者，讀者若能先明《毛序》而後取各家之說而參證之，自能得《詩》之要旨矣。[13]

---

12 陳延傑：〈敘〉，《詩序解》，頁1a。

13 陳延傑講、秀徵記：〈讀詩經的幾個方法〉，《金陵女子文理學院校刊》第10期（1934年），頁9。案：本文為陳氏應金陵女子大學國學系同學所組織之國學研究會邀請之演講，由秀徵記錄。

從此演講稿中可以看到，陳延傑對《詩序》並非持完全蔑棄的態度，而是承認其說解中亦有與詩意相合者，因此他建議的做法是「先明《毛序》而後取各家之說而參證之」。將《詩序》作為理解《詩》意的基礎，這個態度從今天的角度來看，算是相當平實的。

但陳延傑實際的做法又是如何呢？根據陳文采的統計，《詩序解》對各篇詩旨的闡釋，《風》詩駁《序》者一三三篇，採《序》說者二十七篇；二《雅》駁《序》者九十六篇，採《序》說者十五篇；三《頌》駁《序》者二十二篇，採《序》說者十八篇。[14]雖然陳文采沒將具體駁《序》與採《序》的篇目列出來，但經覆核檢證，上述數據大致不差。由此可知，在全部三百一十一首詩中，採《序》說者總共只有六十篇，連五分之一都不到，僅占百分十九的比例。陳文采以此認為陳延傑「對《序》說的絕大部分內容都提出了批駁」。[15]這個判斷應是可以成立的。

但無論是採用《序》說或反駁《序》說，在他來看，《詩序》只是理解《詩》意的一個起點。他即使肯定《詩序》的說法，也還是會再加以補充、申述，甚至修訂，並不會只滿足停留在《詩序》既有的闡說上。對他來說，對《詩序》的反思與辨析只是達到理解《詩》旨的一個必經程序和基礎罷了，解析《詩序》和理解《詩》旨可說是二而一，一而二的過程。

大體而言，陳延傑解析《序》說和理解《詩》旨的方法依據，主要就是靠著詩文內證得出的文本判斷，以及根據詩文外證所做的論證。後者細分，又有先秦兩漢典籍（包括《尚書》、《左傳》、《史記》）、漢人《三家詩》說和前賢《詩》說三類。如此判斷方式類似於朱熹在《詩序辨說》中所提出的兩種判斷理據，即「詩文明白，直指

---

14 陳文采：《清末民初詩經學史論》，頁119。
15 陳文采：《清末民初詩經學史論》，頁119。

其事」與「證驗的切，見於書史」。[16]在這三類詩文外證的運用中，發揮最大作用的厥為前賢《詩》說的參證，這正是他在《詩序解》的〈敘〉文明確提及所謂「集諸家之說」的撰作方式。[17]所集諸家包括〈敘〉中提及的宋儒蘇轍（1039-1112）、鄭樵（1104-1162）、王質（1127-1188）、朱子、呂祖謙（1137-1181）、嚴粲（1197-？）等人，陳延傑讚美他們能「擺落舊說，爭出新意」；以及清儒崔述、魏源（1794-1857）、方玉潤等人，亦稱許他們「掊擊《序》不遺力」。他對上述諸家說《詩》的整體表現，給予「類多能以意逆志，頗見詩人趣味」的極高評價，遠勝乎《毛序》的「委曲遷就，穿鑿傅會，使《詩》之本意隱蔽不彰」。陳延傑顯然有意將他們視為同道，繼承著他們的說《詩》路向。

在《詩序解》中，若將採《序》和駁《序》二種情況一起考慮，則可發現在上述諸家中，引用蘇轍說者有九處，鄭樵說者一處，朱熹說者二百零一處，王質說者一百二十五處，呂祖謙說者二十處，嚴粲說者三十九處，崔述說者五十一處，魏源說者六十九處，方玉潤說者十三處。其中朱熹和王質之說占最大宗，幾乎可說構成了陳延傑說《詩》的最主要參照系統。[18]此外，在其實際徵引的前賢《詩》說中，尚有《詩序解》〈敘〉中未直接稱道的歐陽修（1007-1072，九處）、王安石（1021-1086，一處）、曹粹中（一處）、章潢（1527-1608，二處）、毛奇齡（1623-1716，二處）、王士禎（1634-1711，一

---

16 朱熹集撰、趙長征點校：《詩集傳》（北京市：中華書局，2017年），頁21。

17 陳延傑：〈敘〉，《詩序解》，頁1b。

18 陳延傑對王質評價甚高，對其《詩》說極度讚賞，在〈小明〉一詩之〈序〉解中，誇許他說《詩》：「每毅然獨出心裁，不與人雷同，妙得縣解，其堅銳之氣，究越人一等矣。」（卷中，頁71b。）又，陳書受魏源《詩古微》的影響亦極大，除觀點論說的明襲暗用外，在《詩》學材料，尤其是所謂漢人《三家詩》遺說的徵引使用上，更有不少直接取於《詩古微》。

處）、姚際恆（1647-約 1715，二十處）、臧琳（1650-1713，一處）、
陳啟源（十八處）、惠周惕（一處）、戴震（1724-1777，一處）、王引
之（1766-1834，一處）、胡承珙（1776-1832，七處）、馬瑞辰（1777-
1853，一處）等人。陳延傑表現在《詩序解》中的研《詩》取徑，與
其〈讀詩經的幾個方法〉的演講中所提出之「讀者若能先明《毛序》
而後取各家之說而參證之，自能得《詩》之要旨矣」的主張，可謂若
合符節。

　　林慶彰先生對陳延傑運用這三類詩文外證（包含《詩序》）以探
求《詩》旨的作法，提出三個面向的觀察：

> 其一，〔陳氏認為〕《詩序》雖為衛宏所作，所論詩旨如果合理
> 的，仍加以採用。其二，不受今古文的影響，《毛詩》屬古
> 文，《魯詩》、《韓詩》屬今文，魏源《詩古微》也是今文，祇
> 要詩旨合理的，陳氏都加以採用。其三，在宋人中既引疑古派
> 的朱熹、王質，也引傳統派的嚴粲、呂祖謙。清代學者則偏重
> 引疑古派的姚際恆、崔述、方玉潤等人。由這些現象，可以得
> 知陳延傑在考訂各詩篇詩旨時，並沒有漢宋學、今古文學派的
> 意識，祇要認為正確的，即加以引用。[19]

由此可知，陳延傑在研治《詩經》時，並未拘執於某一特定的門戶成
見，這種立場與其治《易》學的態度可說是一以貫之的。錢穆
（1895-1990）對陳氏的另一本經學專著《周易程傳參正》也有「不
守門戶，不矜創獲，實事求是，不知則闕」的評論。[20]

---

19 林慶彰：〈陳延傑及其詩序解〉，《王叔岷先生學術成就與薪傳研討會論文集》，頁
　　422-423。
20 錢穆為陳延傑此書申請教育部學術審議委員會辦理之著作獎勵所撰〈審查意見表〉

　　除了詩文外證的參照論證外，陳氏探求《詩》旨的方式主要還是
從詩文本身入手，強調對詩意的正確理解和詩趣的涵泳體會。如其討
論〈定之方中〉詩旨，謂「此篇經有明文，〈序〉說當得實」（卷上，
頁 19a）；又謂「〈葛屨〉一篇，殆刺褊之作，詩中已明言之」（卷
上，頁 37a）；於〈玄鳥〉亦云「詩稱『武丁孫子』，則作於武丁之後
者，其為祭高宗者近是，故〈序〉得以為據也」（卷下，頁 107a）。
以為此三詩之《序》說可信，其所採取的判斷方式，即從作品詩文的
內證中得到直接的證明。同樣地，他也是從詩歌文意的理解出發，來
判斷《序》說之不合理，如其謂〈菁菁者莪〉「詩中未見有育材之
義，〈序〉失之」（卷中，頁 60b）、〈庭燎〉「詩無箴意，〈序〉說非
是」（卷中，頁 62b）、〈蜉蝣〉「〈序〉謂刺奢，恐未當」（卷上，頁
50b）、〈卷耳〉「〈序〉以此詩為后妃思念君子，恐不然」（卷上，頁
2a）。批評〈車舝〉「是篇詞旨和平，無風刺之意，〈序〉說太迂曲矣」
（卷中，頁 75a）、〈鵲巢〉「〈序〉以為夫人之德，意頗牽強」（卷
上，頁 6a）、〈木瓜〉「通篇無一語及齊桓者，〈序〉說殊牽合」（卷
上，頁 22b）、〈駉〉「詩中無務農重穀之意，〈序〉說殊鑿」（卷下，
頁 104b）、〈鴛鴦〉「〈序〉說殊附會」（卷中，頁 74b）。又直斥〈公
劉〉「〈序〉說殊晦」（卷中，頁 86b）、〈甫田〉「〈序〉語太泛」（卷
中，頁 73a）、〈都人士〉「〈序〉說殊謬」（卷中，頁 77b）、〈四牡〉
「〈序〉說殊疏鄙」（卷中，頁 55b）、〈韓奕〉「〈序〉說淺陋」（卷
中，頁 90b）、〈甫田〉「〈小序〉所說膚淺，非此詩之旨」（卷上，頁
35a）。復以為〈卷阿〉「〈序〉說不切」（卷中，頁 87b）、〈下泉〉
「〈大序〉疾共公侵刻，殊不得詩旨」（卷上，頁 51b）、〈東山〉
「〈序〉說似未得其旨」（卷上，頁 53a）、〈君子陽陽〉「〈序〉說殊窒

之評語，寫作日期為一九四七年一月二十六日。原件藏於南京中國第二歷史檔案
　館，檔案編號：5-1360（2）。

礙」（卷上，頁 24a）、〈魚麗〉「〈後序〉內外始終之說，殊失理」（卷中，頁 58a）、〈蘀兮〉「此篇謂刺忽，尤無情理」（卷上，頁 30a）、〈牆有茨〉「〈序〉說又斥宣姜，蓋亦揣度之詞耳」（卷上，頁 17b）。

不止如此，陳延傑還會從意念或情意表達的完整、豐富及深刻與否的角度，來評判《序》說。如其謂〈六月〉「〈序〉僅言北伐，猶未盡詩意」（卷中，頁 61a）、〈我行其野〉「〈小序〉泛言之，似未能達意」（卷中，頁 64b）、〈白駒〉「〈序〉說未必達詩人之意」（卷中，頁 63b）。又認為〈關雎〉「古今聚訟，大抵多以為求賢妃，配君子，諷刺王室，然終覺詩意有未能達者」（卷上，頁 1a）。更以為〈桃夭〉「若如〈序〉說，則其意愈狹，且不知何預后妃事焉」（卷上，頁 3a）？此外，陳延傑有時也會從詩歌創作主體與詩歌表達方式的方向進行判斷，前者如判斷〈正月〉「〈序〉以為刺幽王，恐非詩人語氣」（卷中，頁 66a）。後者則如謂〈螽斯〉之〈序〉「不妒忌則子孫眾多」，為「殊不達此詩之體」（卷上，頁 2b-3a）。不論是對《詩序》的駁斥或對詩旨文意的理解，對陳延傑來說，基礎還是建立在對詩歌的涵泳體會上，在論〈頍弁〉詩意時，他有如此的心得：

> 此詩寫王者燕兄弟親戚，其情頗相通，而優柔紆餘，甚有悲涼之概，非涵泳浸漬，何能得其意哉？（卷中，頁75a）

陳延傑結合詩文內部文意的理解和詩文外部典籍的參證之詮解進路，使其得以藉由對漢人《詩序》舊說反思辨證為基礎，「先明《毛序》而後取各家之說而參證之」；且進一步透過「以詩言《詩》」的方式，涵泳詩歌的言外之趣，擺脫《毛序》的權威錮桎，「不假《序》說」，直尋《三百篇》的歸趣。這種箋注方式，與他早年的《詩品注》可說是一致的，在一九二五年寫就的《詩品注》〈跋〉中他即聲稱：

　　昔裴松之注《三國志》，劉孝標注《世說新語》，並旁稽博考，
發揮妙解，且以補本書之所不及，非但釋文已也。余今所注，
竊慕斯義，所以擁篲清道者，亦企望將來君子之塵躅云爾。[21]

《詩序解》不純然為完整的《詩經》注釋，難以比擬裴、劉二書之
注。但陳延傑所標舉的「旁稽博考，發揮妙解」的原則，依然可見其
貫徹運用於《詩序解》中。

　　旁稽博考者，廣泛參證先儒說《詩》成果也；發揮妙解者，涵泳
言外之趣，以詩言《詩》，直尋歸趣也。[22]

第三節　陳延傑《詩序解》對詩意的涵泳體會及其整體《詩》觀

　　陳延傑既持《詩》緣情說，深怪世人往往不能涵泳其言外之趣，
主張以詩言《詩》，用讀唐宋人詩歌的方式，直尋《詩三百》之歸
趣，冀可探求其中之「風雅餘味」，「而悠然見詩人之志」。在他看
來，《詩》所緣之「情」和《三百篇》詩人所言之「志」是相同的，
「情即志也」。[23]而「《三百篇》、《楚辭》，以及漢、魏以來各時代詩
人，莫不有所感，而一發之于詩也」。[24]如何感？又如何發？他嘗揭櫫

21　陳延傑：〈跋〉，《詩品注》（北京市：人民出版社重排印行，1998年），頁158。案：
　　此〈跋〉原為該書一九二七年初版之書前自序，一九六一年重排版將此序移至書
　　末，改稱〈跋〉。
22　陳文采歸納陳延傑說《詩》原則有三：「一是駁《毛詩序》的牽強附會；二是主張
　　三百篇皆緣情之作，當『以意逆志』，涵泳言外之趣；三是取歷代反《序》論點，
　　斟酌情理、史事，以推求最接近作詩者情意為依歸。」（陳文采：《清末民初詩經學
　　史論》，頁123。）論述方式雖稍有不同，但結論大體一致。
23　陳延傑：《詩品注》〈總論〉「故搖蕩性情，形諸舞詠」句注，見頁6。
24　陳延傑：《詩品注》〈總論〉「故搖蕩性情，形諸舞詠」句注，見頁6。

作詩三條件：

> 情、事、景是也。事者，據事直書，無所假借，凡題中所有事
> 皆敘之。景者，即境界也。凡草木鳥獸，山水蟲魚，能迴巧獻
> 技者，皆可資助之。所謂放之則彌六合；卷之則退藏于密者，
> 庶幾近之。情者，詩人之懷抱也。人秉七情，應物斯感；感物
> 吟志，莫非自然，故志即情也。《詩三百篇》，大抵聖賢發憤之
> 所為作也，三者缺一不可，缺則不復能成格，遑論詩乎？[25]

他也從這三個面向來涵泳《詩三百》之歸趣。論詩中所敘之事者，有
《唐風》〈無衣〉一詩，謂此詩「蓋詩人據事直書，而〔晉武公〕其
惡亦自昭著于萬世者焉」（卷上，42a）。又如說〈大田〉，「此詩專寫
農家播種西成，極閒淡有味」（卷中，73b）。對〈載芟〉所敘之事尤
有深刻把握：

> 此詩歷言耕作之勤，收穫之豐，以及祭祀等。其間物態事情，
> 燦然可睹，慨然想治世和樂之氣象。（卷下，頁101b）

陳延傑又常從詩畫合一的觀點，來對詩人的敘事技巧予以讚揚，
如說〈定之方中〉「是詩寫卜築勸農情景，宛然入畫」（卷上，頁
19a）、〈良耜〉「此篇寫農人冬作，情景若畫」（卷下，頁 101b-102a），
又論〈六月〉，「此詩敘吉甫盛暑出師，有栖栖不遑之勢，末言凱旋飲
至，意閒而冷，真筆端之良工也」（卷中，頁61a）。
對詩境的闡述者，如謂〈何草不黃〉與〈苕之華〉「詩境並窮厄，

皆近乎風者」（卷中，頁 80a）。說〈東門之墠〉「造境超遠，甚有懷
想之志，令人讀之，忘其淫靡矣」（卷上，頁 30b）、〈蒹葭〉「寫蒹葭
霜露，其境悠以遠，故反覆歎美，若不勝其驚喜之情焉，其風味固亦
夐絕矣」（卷上，頁 44a）。其對〈月出〉詩境之抉發尤甚富美感：

> 蓋當皓月之際，感其所見，思而不可得，憂愁靜默，託興無
> 端，此風詩之旨焉，而意境幽峭矣。（卷上，頁48b）

對詩中情感的體會，更是陳延傑說《詩》的一大特色，如謂《邶
風》〈柏舟〉「寫婦人煩冤壹鬱之情頗沈著」（卷上，頁 11a），從〈渭
陽〉詩中讀出其中「情意勤拳不已，自可動人，慨然想見攜手渭南之
狀，蓋離思蒼然矣」（卷上，頁 45b）。但他所體會出的情感，不只是
詩人在詩中所表現出來的，更有身為讀者的陳氏在閱讀時所引發出來
者，如其讀〈凱風〉，「寫其母劬勞困苦之狀，悽然若泣，讀此詩者，
誰不為之酸楚哉」（卷上，頁 13a-b）？讀〈載馳〉，「此篇寫其傷宗國
之滅，苦語真情，頗微婉動聽，千載下讀之，亦不覺悲愴生于心矣」
（卷上，頁 20a）。讀〈白華〉，「蓋此詩詞旨悽惋，情喻淵深，讀之
輒令人悲咽不自已」（卷中，頁 78b）。

陳氏從詩歌創作的角度，認為事、景、情，三者缺一不可，這也
體現在他對《詩三百》詩意的掌握上，如謂〈東門之楊〉：

> 蓋是詩寫男女相約，昏以為期，而女留他邑，星曉不至，詩人
> 造此境界，足以抒情矣。（卷上，頁47b）

男女相約，昏以為期，女留他邑，星曉不至，乃詩中所述之事；東門
枝葉茂盛的楊樹與黃昏、星曉，皆詩中所述之景；而藉由事在景中所塑

造出的整體詩境，詩中情感即由其中烘托出。又如其謂〈采薇〉詩意：

> 此篇寫征戍之苦，及歸途景物，悽愴動人，非身歷其境者，不
> 能道其彷彿，殆戍役歸者所自作也。（卷中，頁57a）

戍者征戍及歸鄉，所敘之事也。詩人歸途所歷之景物，所造之境也。
詩人所寫征戍之苦和歸途景物之悽愴動人，其情則由所敘之事和所造
之境中生出也。

　　有趣的是，陳延傑在涵泳體會詩旨之餘，也常會對詩歌作品生發
「反照自身」的生命存在通感，從而展現出「反身性詮釋效用」[26]，
甚至做出「情境式的詮釋」。[27]這種反身性的情境式詮釋，有針對陳延
傑所身處之大時代者，如其論《王風》十篇：

> 王即東都王城，乃平王以亂徙居者，故其風多亂離之作，詞怨
> 以怒，怊悵不已，亦可想見當世之困且散矣。蓋王室播遷，人
> 民飄蕩，或故宮禾黍，蒿目傷懷；或征夫移軍，金閨永歎；或

---

26 此概念係顏崑陽先生所提出者，參氏撰：〈生命存在的通感與政教意識型態的寄託：
中國古代文學「情志批評」的「反身性詮釋效用」〉，《思與言》第53卷第4期（2015
年12月）「情志批評與中國文學研究專號」，頁9-48。此文又收入氏撰：《反思批判與
轉向——中國古典文學研究之路》（臺北市：允晨文化實業公司，2016年），頁273-
306。

27 關於情境式詮釋之概念及實踐，請參拙著〈論朱熹《詩集傳》中的情境解經——以
《王風》〈揚之水〉為例〉，發表於國立中央大學中文系與儒學研究中心主辦之「宋
明清儒學的類型與流變」學術研討會，2014年10月30日；〈論牟潤孫經史研究中的
情境詮釋法〉，《經學史研究的回顧與展望——林慶彰教授榮退紀念論文集》（臺北
市：萬卷樓圖書公司，2019年），下冊，頁1297-1311；〈論鄭玄對「周公居東」說的
詮釋——內在理路與情境解經的分析〉，《經學研究集刊》第22期（2017年5月），頁
37-57。

隱居避亂；或遠戍不歸；又有室家相棄，流離失所，非陳詩何
以寫其悲憤哉？（卷上，頁26a-b）

《詩序解》作於一九二六至一九三○年間，但陳延傑卻曾於一九二四
至一九二五年間，兩度躲避軍閥戰亂，逃離南京。作於一九二四年的
〈甲子十月十三日自滁州避亂，乘土車行三十五里，是夕宿水口，翌
日早發，行七十里，抵浦口，晚過江還家，作一首〉，和作於一九二
五年的〈乙丑九月十八夜發板浦避兵，廿四日抵鹽城，越二日乘舟還
金陵，中遭風覆舟，幾沉溺，蕭然賦此〉二詩[28]，皆述其「隱居避
亂」情狀，豈其所謂「非陳詩何以寫其悲憤哉」？

又有聚焦於其個人遭遇之小時代者，如其對下述諸詩的詮釋：

○〈北門〉：此篇寫窮困之狀，直無所告訴，詩殆寫苦悶者
耶？（卷上，頁15b）

○〈考槃〉：此敘賢者肥遯山中，不交當世，翛然有以自樂，
初與君不相涉。孔子曰：「吾于〈考槃〉，見遯世之士而無悶
於世。」信夫！余讀此詩，神為之往矣。（卷上，頁20b）

○〈汾沮洳〉，魏源說：「〈汾沮洳〉，刺賢者不得用，用者未必
賢也。『公行』、『公路』、『公族』，皆貴游子弟，無功食祿，
而賢者隱處沮洳之間，采蔬自給，誰知其才德高出在位之上
乎？」其說本《韓詩外傳》，頗足以達意。余讀是篇，心為
之嚮往矣。（卷上，頁37a）

陳氏感〈北門〉寫窮困之狀，以為詩寫苦悶者；又因孔子讀〈考槃〉

---

28 此二詩皆見其撰《晞陽詩》，家藏手鈔本。

見遯世之士而無悶於世，神為之往；復因魏源說〈汾沮洳〉係賢者隱處，采蔬自給，而心為之嚮往。陳氏早年詩作，常有苦吟飢貧之句，如〈雨晴過田舍〉有「我負窮巷居，文字愧碌碌。簞食亦不營，何以自結束？儻遇植杖翁，躬耕山之麓」句。又如〈秋夕貧居書懷〉有「古簾缺月寥天碧，吾愛吾廬貧更幽」句；於〈江行曉望赤壁山〉發出「我為飢所驅，栖栖羈塵鞿」之歎；〈冬月廿四日自武昌還金陵〉亦自訴「我一蓬廬士，養真不待賈，頭賣寒與飢，行役鄂之渚」；而〈雪中溪行〉更苦吟「貧居莫問鐺無粥，吟雪溪頭可療飢」，儼然一窮困文士。[29]其詮解上述諸詩時，或不免有自身處境及情感的投入，而產生「反身性詮釋效用」歟？[30]

身兼詩人與詩文評家的陳延傑，論《詩經》固然重視詩歌緣情的一面，但他亦沒有忽視《三百篇》攸關政教風俗的詩用的一面。他於一九三六年，應中央大學國文系同學會之邀，發表題為「學詩之法」的演講，完整地闡述了他的詩教觀：

> 清焦里堂謂詩非說理，迺在言情，此與《書》所謂「詩言志」

---

29 〈雨晴過田舍〉刊於《學衡》第14期（1923年），「文苑‧詩錄一」，頁1。餘四詩皆收入《晞陽詩》中，創作年代在一九二一至一九二五年間。

30 陳氏的反身性詮釋行為，在他後來的著作中仍持續有所表現，如其出版於一九三八年的《張籍詩注》（上海市：商務印書館），在其〈序〉中他自述寫作動機，云：「籍廢于俗輩，而獨以詩名，其天將窮餓其身，思愁其心腸，而使自鳴其不平者歟？水部詩自宋以來無注者，余頗惜之。余窮臥溪山，亦以身廢，既為郊、島詩作注，又感水部之寒餓，復注其詩，今後之學者，得以知其志焉。」（見氏撰：〈序〉，《張籍詩注》〔臺北市：臺灣商務印書館，1967年臺1版〕，頁1-2。）陳延傑本任教於南京中央大學中文系，卻於一九三六年七月被裁員，不再延聘，主其事者，系主任汪東（旭初，1890-1963）也，此當為陳延傑窮餓之因。（參見第三章第二節）其〈序〉、其《注》，殆亦有感而發，與張籍遭際適產生反照自身的生命存在通感，而有不平之鳴也。

者，意正同也。蓋詩由心生，觸物而發，動於自然，感於無形，有關于政教風俗者，至大且巨。世之碩彥或有未省，以詩多吟風弄月之作，模山範水之什，遂詆為小道，視若末技，從而非之，不亦謬與？旨哉孔氏之論《詩》也，其言曰：「《詩》可以興，可以觀，可以群，可以怨。」……本是四者，證諸《葩經》三百，亦無不一一脗合。〈關雎〉述淑女之配君子，〈樛木〉興黎民之附人君，〈葛覃〉黃鳥之辭，或比盛德，或喻令聞，若此之屬，借物興感，或美或刺，皆所謂「可以興」者是也。讀〈汝墳〉而識政教之暴；誦〈漢廣〉而知世化之淳；夏日冬夜，〈葛生〉寫思夫之怨；御窮詒肄，〈谷風〉道逐婦之情；〈螽斯〉美周室子孫之盛；〈七月〉述農家耕稼之勞；夷狄交侵，淮土之鼓（鍾）〔鐘〕不絕；兵亂相仍，室家之常道乃乖；（〈中谷有蓷〉），黎侯興〈式微〉之歎；周士有〈黍離〉之感；〈載馳〉載驅，閔祖國之顛覆；〈何草不黃〉，傷宗周之漸彫；若此之屬，讀其詩而識其國之盛衰，辨其辭而明其俗之隆殺，皆所謂「可以觀」者是也。〈鹿鳴〉呦呦，嘉賓式樂；〈伐木〉丁丁，友生是求；〈常棣〉之華，傷管蔡之失道焉；〈女曰雞鳴〉，警君子之好朋焉，若此之屬，皆所謂「可以群」者是也。〈伐檀〉譏小人之尸位；〈碩鼠〉刺有司之重斂，〈節南山〉見忠臣之憂世；〈正月〉識賢者之傷遇，而《小雅》尤多怨誹之音，比興之辭，若此之屬，皆所謂「可以怨」者是也。[31]

---

31 陳延傑演講、尤敦誼紀錄：〈學詩之法〉，《國風》第8卷第5期（1936年5月），頁194-195。又此場演講彭鐸（1913-1985）亦將其重點筆記整理下來，以〈學詩之法——陳仲子先生在國文系同學會講〉為題，刊於《國立中央大學日刊》，1936年4月28日（第1669期，頁3482）和4月30日（第1671期，頁3488-3490），可以參看。

在他看來，這些原則不只適用於《三百篇》，「漢魏以來詩篇，亦罔不如是」。他呼籲聽者：

> 當今神州板蕩，海內鼎沸，誠能有具此四者之詩人，出而砥礪氣節，評騭得失，以詩作諫，以情感人，則抑亦國家人民之幸。赴仁蹈義，願同希夫前賢；勵志篤行，是所望于諸生。[32]

最後總結道：

> 觀文山（案：即文天祥）、疊山（案：即謝枋得）之蹈死不悔，詩教之為力豈小也哉！[33]

整體來看，陳延傑對《詩經》的看法有重視其具有詩歌緣情本質的一面，亦有強調興觀群怨的政教致用的一面；前者可謂之「詩之體」，後者則可謂之「詩之用」。而此體用觀亦可貫徹至後世的詩歌中，因此其「《詩》觀」即其「詩觀」，《詩三百》與漢魏以下詩歌原理相通一致。此所以其論《詩三百》可以用讀唐宋人詩歌的方式來「以詩言《詩》」的理論基礎。

第四節　結語

從陳延傑不假《詩序》，不拘執今古漢宋的門戶之見，以及以詩言《詩》的說《詩》立場與進路來看，他確實較近於林慶彰先生所謂

---

32 陳延傑演講、尤敦誼記錄：〈學詩之法〉，頁195。
33 陳延傑演講、彭鐸整理：〈學詩之法──陳仲子先生在國文系同學會講〉（續完），《國立中央大學日刊》，1936年4月30日（第1671期），頁3490。

民國初年反《詩序》運動陣營的一方,而遠離強調專門之學,嚴守今古或漢宋立場的《詩經》學者。且其直尋詩之歸趣,不沾黏於名物訓詁之詮解方式,亦頗近於梁啟超(1873-1929)所謂清代獨立治《詩》三大家姚際恆、崔述和方玉潤等之說《詩》風格。[34]

　　陳延傑出身兩江師範學堂,嘗任教於南京中央大學中文系,與王瀣(伯沆,1871-1944)、吳梅(1884-1939),黃侃(1886-1935)、汪辟疆(1887-1966)、胡小石(1888-1962)和汪東等人同事,同為南雍學術的一員。一般認為,南雍學術整體學風偏於守舊,不同於新文化運動者所倡導的趨新學風。[35]其中黃侃與汪東皆為章太炎(1869-1936)門下,對國學研究和傳統文化所持之保守立場,與北方新文化運動健將,更形成一強烈的對比。以黃侃的治學態度而言,章太炎在黃侃過世後曾對他做了蓋棺論定式的評論:

> 說經獨本漢唐傳注正義,讀之數周,然不欲輕著書,以為敦古不暇,無勞于自造。清世說制度者若金氏《求古錄》,辨義訓者若王氏《經義述聞》,陳義精審,能道人所不能道,季剛猶不好也。或病其執守泰篤者,余以為昔明清間說經者,人自為師,無所取正。元和惠氏出,獨以漢儒為歸,雖迂滯不可通

---

34 見梁啟超撰:《中國近三百年學術史》(臺北市:中華書局,1987年臺11版),頁184-185。黃忠慎《清代獨立治詩三大家研究:姚際恆、崔述、方玉潤》(臺北市:五南圖書公司,2012年)一書對此三家進行了專門深入地研究,可參看。

35 在現代中國人文學術發展過程中,以北京高校和研究機構為主體所形成的北方學統,和南方江浙高校所形成的南方學統,其差異性和對立性是極為明顯的,相關論述可參:彭明輝:〈現代中國南方學術網絡的初始(1911-1945)〉,《國立政治大學歷史學報》第29期(2008年5月)、桑兵:《晚清民國的國學研究》(上海市:上海古籍出版社,2001年),頁49-55、76-81與《學術江湖:晚清民國的學人與學風》(桂林市:廣西師範大學出版社,2017年),頁163-191;沈衛威:《民國大學的文脈》(臺北市:花木蘭文化出版社,2014年)中的相關章節。

者，猶順之不改。非惠氏之戇，不如是不足以斷倚魁之說也。
自清末訖今幾四十歲，學者好為傀異，又過于明清間，故季剛
所守視惠氏彌篤焉。獨取注疏，所謂猶愈于野者也。[36]

黃侃於一九二七年十一月十四日（陽曆十二月七日）的日記中，曾有
如下記錄，或可印證章太炎之說：

講《毛詩》，以牟廷相《詩切》中諸妄說錄示學士，俾知今日
新學小生率臆說經之不足為奇，祇足為戒。[37]

南雍國學的另一代表人物曲學大家吳梅，雖不以治經名世，然其
日記中亦記載許多研讀經書的心得，如其於一九三六年八月廿五日
（陽曆十月十日）記道：

取朱子《詩經集傳》讀之，至《鄭風》止。細按仍宗〈小
序〉，惟所指淫奔諸篇，雖各有所本，愚意終覺未安。[38]

又其於一九三五年八月廿八日（陽曆九月廿五日）更如此記道：

與伯沆論《詩經原始》，渠竭力推服，余以為不宗毛、鄭立
說，憑臆論斷，雖所疑甚是，已開後人非聖之漸。況遠如姚際

---

36 章太炎：〈中央大學文藝叢刊黃季剛先生遺著專號序〉，收入程千帆、唐文編：《量
守廬學記》（北京市：三聯書店，2006年），頁7。

37 黃延祖重輯：《黃侃日記》（北京市：中華書局，2007年），上冊，頁285。

38 王衛民編校：《吳梅全集》（石家莊市：河北教育出版社，2002年），日記卷下，頁
791-792。

恆、崔東（璧）〔壁〕，近如胡適之、顧頡剛等，不主故訓，肆
口武斷，我輩正不必為之推助矣。伯沆亦知此弊，故云語語有
根柢，實則亦姚氏之學而已。[39]

　　陳延傑治經，於《易》參正《程傳》，說《詩》不取《詩序》，獨
許王質，雖云不守門戶，然於漢、宋學術以及敦古和趨新的學風之
間，其所表現者似頗與黃侃、吳梅等南雍學術之主流人物異趣。[40]然
觀其治《詩》，雖不假《序》說，卻不曾廢棄孔子興觀群怨之詩教立
場；又嘗力倡讀經之重要[41]，與北方新文化運動之反《序》疑經，甚
至及於反對以孔子為代表的儒家主流學術文化等之激烈主張，仍有天
壤之隔。以此觀之，陳延傑實仍近於南學而遠於北學也。

39　王衛民編校：《吳梅全集》，日記卷下，頁617。據向達（1900-1966）回憶：「民國
　　八、九年間，在南京聽王伯沆先生講《詩經》，往往妙緒紛綸，豁然開朗。王先生
　　講說之餘，常提到方玉潤的《詩經原始》，稱道不置；後來在王先生那裏看到《原
　　始》，才明白王先生的議論全是得力於方氏的書。」（見氏撰：〈方玉潤著述考〉，
　　《唐代長安與西域文明》〔臺北市：明文書局翻印，1981年〕，頁579。）

40　南雍學人對傳統國學所持之立場，亦非一律。吳梅不喜方玉潤《詩經原始》之說
　　《詩》，與王伯沆爭論。然汪辟疆就曾在〈讀書舉要〉「下篇」中將方書與陳奐《詩
　　毛氏傳疏》和朱熹《詩集傳》並舉，以為「頗多新解」，可與其他二書「任取其一
　　讀之」。（見《汪辟疆文集》〔上海市：上海古籍出版社，1988年〕，頁20-21。）

41　陳延傑：〈大學國文教材應注重讀經〉，《高等教育季刊》第2卷第3期（1942年9
　　月），頁74-78。

第五章
湖湘學人蘇維嶽的《詩經》撰述與《詩》教理想

第一節　蘇維嶽的生平經歷與著作

　　湖湘學人蘇維嶽（1877-1947）一生致力於《詩經》的研究，相關著述甚豐，惟僻處湖南鄉隅，聲名不顯，學界罕聞。其生平經歷在李謨高主編的《冷水江市教育志》（以下簡稱《教育志》）有簡略記載，可以參考：

> 蘇維岳（謹案：「嶽」簡體字作「岳」），字幼申，號周翰，自號「清塘迂叟」，一八七七年生於毛易鄉毛易村。晚清秀才，畢業於駐省新化師範，多次在湖南省教育會暑校和東南大學第四屆暑校進修師範課程。畢生從事教育工作，歷任大同高小、縣立資江小學、新化鄉村師範學校校長和楚怡工業學校、縣立中學等校國文教師。一九二三年，在家鄉與族人蘇業塤、蘇鳳初等創辦日初小學，義務擔任校長十多年。一九二九年，參與籌創新化鄉村師範學校，並任首屆校長，為發展全縣小學教育培養了一批教師。一九四一年，在楚怡任教的同時，擔任家鄉——大成鄉中心國民學校校董會董事長和建校委員會主任委員，為籌款、建校奔走效力。在辦學實踐中，闢苗圃、搞實驗，大力提倡科學，反對封建迷信，為發展農業生產，多次向

縣長呈文獻策。他思想開明，同情共產黨，支持和保護其女兒
蘇鏡從事地下革命活動。蘇維岳一生著作頗多，已刊行的有
《清塘迂叟文存》、《迂叟詩成》（謹案：「成」疑似「存」），未
出版的有《詩經正訓》、《經學贅言》（謹案：當為《詩學贅
言》）。一九四七年病逝，享年七十歲。[1]

此外，蘇維嶽於一九四五年九月，為參加國民政府教育部學術審
議委員會（以下簡稱「學審會」）舉辦的學術獎勵，曾親自寫作一份
內容豐富的申請說明書，其中對其個人的簡歷記載頗翔實，原文錄之
如下：

> 姓名：蘇維嶽。年齡：六九。性別：男。籍貫：湖南省新化
> 　　　縣。
> 住址：湖南新化大成鄉毛易鋪。
> 通訊處：重慶財政部直接稅務署易宏正轉。
> 學歷：湖南駐省師範畢業，湖南省教育會歷屆暑校，研究教
> 　　　育、心理各科。東南大學第四屆暑校，研究國學、社
> 　　　會、心理等。
> 經歷：歷任新化縣立區立村立小學校長，湖南私立楚怡工業專
> 　　　科教員兼訓育，新化青峯鄉村師範校長兼教員，湖南私
> 　　　立中和國學專科《詩經》兼《公羊》、《穀梁》教授。[2]

1　李謨高主編：《冷水江市教育志》（冷水江市：冷水江市教育委員會，1993年），頁
　　267。案：此傳記資料為專題研究計畫審查人提示，又承長沙理工大學哲學系陳峰
　　助理教授代為下載原件，謹一併致謝忱於此。
2　原件藏於南京中國第二歷史檔案館，檔案編號：5-1360（2），全文見本書「附錄
　　三」。

這份說明書中的簡歷可以與《教育志》中的小傳相互對勘與補充。首先，在籍貫上，簡歷所載是湖南省新化縣，但《教育志》卻將其隸屬於冷水江市，這顯然是行政區劃所衍生出的問題。查冷水江原屬新化，一九六九年後正式設立了縣級冷水江市，蘇氏出生的毛易鄉（現為毛易鎮）被劃歸為冷水江市，因而其出生地才出現了前後兩種不同的記載。

其次，在學歷方面，兩份材料都提到蘇氏曾經多次在湖南省教育會暑校和東南大學第四屆暑校進修過，不同於《教育志》僅記載進修師範課程，簡歷還提到他進修教育、心理、國學、社會等各科。於此可以了解，蘇氏不但是好學不倦的學人，而且他也不是僅接受傳統的教育，於現代的新式學問，如教育學、心理學、社會學等皆有所接觸。

不過，在蘇維嶽的學習經歷中還有一件值得敘述的事，即是他曾於一九三〇年代經由時任南京國學圖書館館長柳詒徵（1880-1956）的同意，在館內讀書研究。在蘇氏自撰的申請著作獎勵說明書中自述其「迄二十三、二十四兩年，在金陵龍蟠里國學圖書館遍攷《詩》箸」（見下引），此事在柳詒徵為蘇維嶽《詩經正訓》寫的序中，敘之甚詳：

> 典簿盍山，悠悠十稔，翾飲鷦巢，不能盡啟藏書之鑰，效用於世，渴冀海內學者，不鄙嫜陋，來同荒寂，大發書林之寶藏。久之得二君，曰閩蔡尚思，曰湘蘇維嶽。二君皆溺於書，皆抱憂世之心，皆痛時流高心空腹，荒經蔑古，持不根之浮談，賊世誣民，猥曰為學問而學問也。先後下榻山館，窮日夕眠沫庫書，惟虞其視力不能一瞰而洞若千卷冊。余私幸往來借閱者既日有加益，而又得長日住館，銳精壹志之士，啟靈照而揚耿

光，於吾十年願望為不虛矣。[3]

這段被柳詒徵形容為「掘鑛」（柳序謂：「蔡君猶眷念山館不已，謂如
鑛產之猶未盡掘也。」）的館中讀書歲月，令蘇維嶽念念不忘，他曾
致書給蔡尚思（1905-2008），謂其「于《詩》類各著，意令無一要義
逃出眼簾之外，而力有未能，正如鑛山之采而未盡」云云[4]，又有
〈采鑛行留別柳館長翼謀並柬蔡君尚思〉一詩追憶這段經歷。[5]

　　第三，簡歷對他的教學和辦學活動雖沒有《教育志》來得詳盡，
但卻多出了他曾在湖南私立中和國學專科教授《詩經》和《公羊》、
《穀梁》的記錄。蘇氏所謂「中和國學專科」的全名為「中和國學專
科學校」，由時任湖南省主席的何鍵（1887-1956）在對日抗戰前創辦
於長沙，提倡國學，推廣讀經，力主「發揚民族精神，培養國民道
德」，但當時未獲政府立案承認。[6]此外，他還曾於一九三六年時加入
湖南船山學社，參與學社的活動；[7]以及在以「明儒術，辨是非，正
倫紀，厚風俗，發揚固有文化精神」為辦刊宗旨的湖南《國學報》上
發表文章。[8]中和國專、船山學社與《國學報》都有何鍵的影子[9]，《國

3　柳詒徵：〈序〉，見蘇維嶽撰：《詩經正訓簡本》，鈔本，原件藏國立政治大學圖書
　　館，未著頁碼。此文又刊於《國風》第8卷第3期（1936年3月），引文見頁71。

4　蘇維嶽致蔡尚思函收錄於蔡尚思：《中國思想研究法》，《蔡尚思全集》（上海市：上海
　　古籍出版社，2005年），第2冊，頁632。蘇函寫作時間為一九三六年三月二十四日。

5　該詩刊於《船山學報》第14期（1937年11月），「文苑・詩錄」，頁43。

6　何鍵：〈為教育部不准國學專科學校立案訓勉諸生〉，《國學報》第2卷第1期（1937
　　年5月），頁26。

7　劉志盛：〈湖南船山學社大事記（下）〉，《船山學刊》1991年創刊號，頁215。

8　見《國學報》第2卷第1期（其他期皆同），版權頁所載之「投稿簡約」。

9　關於何鍵在湖南所推動的文教活動，可參看羅玉明的〈船山學社與三十年代湖南讀
　　經運動〉（《船山學刊》2003年第2期，頁9-14、46）、〈合法性與三十年代何鍵在湖南
　　倡導的尊孔讀經〉（《船山學刊》2005年第4期，頁23-25）、〈湖南紳士與三十年代湖
　　南的讀經運動〉（《求索》2005年第9期，頁186-190）、〈20世紀30年代湖南尊孔祀孔

學報》上常刊登中和國專和船山學社的訊息。這幾個機構組成群體的共同立場皆偏於傳統和守舊，由此亦可約略看出蘇氏的治學風格和思想歸趣，然此方面的經歷和學思表現卻不見《教育志》述及，不知何故？

　　蘇維嶽一生精研《詩經》，其學術著作也以《詩經》為主。謝玉芝（1861-1942）在為其《詩經正訓》作序時，對他的《詩經》撰述有所介紹：

> 蘇子幼申積二十年之精力灌注於《范經》一書，晚始發為論著，其已成書者有《詩學贅言》、《詩經正訓》、《毛詩釋例》、《詩經集評》各種。《正訓》卷繁，復釐為《詩旨闡真》、《詩經教學參攷書》、《詩經讀本》三種，其中於《讀本》為便於誦讀。[10]

而他在一九三六年印行的《詩學贅言》中有附其《詩經叢箸》未刊書目，計有：

> 《詩經正訓》、《毛詩釋例》、《詩經釋詞》、《增訂詩經名物圖說》《詩經評粹（附簡註）》《詩經類誌》、《清代文集論詩各篇提要表》。[11]

　　活動述論〉（《湘潭大學學報》（哲學社會科學版）第32卷第1期〔2008年1月〕，頁92-96）等系列論文；楊學東：《何鍵傳》（北京市：東方出版社，2005年），頁474-488；以及林彥廷：《民國時期軍閥之經學研究》（臺北市：東吳大學中國文學系碩士論文，2011年6月），第三、四章之相關段落。

10 謝玉芝：〈序〉，見蘇維嶽撰：《詩經正訓簡編》，鈔本，未著頁碼。

11 參蘇維嶽：《詩學贅言》，1936年長沙彰文印刷局鉛印本。案：《詩學贅言》相關資料為長沙理工大學哲學系陳峰助理教授赴長沙湖南圖書館代為鈔錄，謹此致謝。

此外，在其親撰的申請著作獎勵說明書中，對著作經過和完成時間復有更詳細的自述，其云：

> 研究《詩》學始於民國十二年，自二十年辭去鄉師校長後，杜門研究四年，著《詩經正訓》百餘萬言及《釋例》、《釋詞》等書。迄二十三、二十四兩年，在金陵龍蟠里國學圖書館遍攷《詩》著，撰《詩學贅言》等書。後在國學專科授課二年，及鄉居五年中，又將《正訓》改編成《正訓簡本》、《詩旨闡真》、《詩經教學參攷書》三種。在《簡編》擬撰之時，曾函呈陳前教育部長，承覆書讚許，並主融會（匯）姚（濟）〔際〕恆[12]、方玉潤兩家《詩》說，統一《簡本》，以利後生小子。但兩家《詩》說失多於得，故祇舍短取長，兼撰〈論方氏《詩》說之得失〉一文於三十一年夏。承前部長函索《詩著》要點時附呈。本年復著論金氏、顧氏說《詩》及康氏說經駁文，成《詩經研究下》。

又云：

> 著作始於民國二十年，至二十四年大致完成，至三十年復有修改。內《詩學贅言》已於二十五年印刷若干本，為國學專科講義，迄本年復加修改，名《詩經研究上》，兼著論文數篇，名《詩經研究下》，於九月中完成。[13]

綜合上述三種材料，可知蘇氏始撰有百餘萬言的《詩經正訓》（繁

---

12 原文明顯訛誤者加圓括號標識，正確的字則用方括號標識之，下文同此。
13 同註2。

本）、《毛詩釋例》、《詩經釋詞》，繼之撰著《詩學贅言》，後來又將百餘萬言的《詩經正訓》改編成《詩經正訓簡編》[14]、《詩旨闡真》、《詩經教學參攷書》三種，以及將數篇單篇論文集合為《詩經研究下》。《詩學贅言》則經修改後改題《詩經研究上》。蘇氏為參加國民政府教育部學審會舉辦的著作獎勵，將《詩經正訓簡編》、《詩旨闡真》和《詩經研究上》、《詩經研究下》收錄在一起，題為《詩經叢箸》。惟「詩經叢箸」當為蘇氏對己《詩經》相關論著所自題的叢書名稱，但其實際內涵卻可能隨時間和具體情況的改變而有所不同。在一九三六年印行的《詩學贅言》中所附之《詩經叢箸》未刊書目較送交學審會備審的《詩經叢箸》（蘇氏申請獎勵說明書中寫作「箸」）內容多出許多，且亦有多種後來未見提及，如《增訂詩經名物圖說》、《詩經類誌》、《清代文集論詩各篇提要表》等三種。而《詩經評粹（附簡註）》又不知與《詩經集評》關係為何？

　　國立政治大學圖書館藏有一套《詩經叢箸》謄鈔本，鈐有「教育部學術審議委員會」的藏書章，當是蘇氏當年為申請著作獎勵時所送交的備審資料。後來隨國民政府遷臺，輾轉移交至政治大學圖書館收藏。其中包括《詩經正訓簡編》五冊（編為《詩經叢箸》乙號，5-10。其中 5、6 合訂）、《詩旨闡真》二冊（編為《詩經叢箸》乙號，3-4）和《詩經研究下》一冊（編為《詩經叢箸》乙號，2），闕收《詩經研究上》一冊（當為《詩經叢箸》乙號，1），並非全璧。[15]這

---

14 蘇維嶽行文之際稱此著作名稱頗不統一，或題「簡本」，或作「簡編」。鈔本題名為《詩經正訓簡編》，今從之。

15 蘇維嶽在申請獎勵說明書的備註欄中說到：「計呈《詩經研究上》二冊、《詩經研究下》二冊，《詩經闡真》國風二冊，又雅頌二冊，《詩經正訓》國風上四冊，國風下四冊，又小雅四冊，大雅二冊，三頌二冊。」各書分冊與政大所藏者不同。惟政大所藏謄鈔本之編號分冊當為此套書存於學審會時已然，或為學審會為方便送審，對此套書所作的編訂。審查人所見到三書分冊編訂的情況亦為如此。（參第三節）

三種《詩經》著述可說構成了蘇維嶽《詩經》研究的主體。但在此之
外，他尚有《毛詩釋例》、《詩經釋詞》、《詩經讀本》、《詩經集評》、
《詩經教學參攷書》、《詩經評粹（附簡註）》、《增訂詩經名物圖說》、
《詩經類誌》、《清代文集論詩各篇提要表》等著作。由此可知，蘇維
嶽的學術生涯幾乎全投入對《詩經》的研究，他所產出的學術成果，
在數量和廣度上也是極為驚人的。但可惜的是，除了《詩學贅言》有
民國二十五年長沙彰文印刷局鉛印本外，其他的《詩經》著作皆從未
正式刊行過，因而使得他的《詩經》研究在當代的《詩經》學、古典
詩學中幾乎未曾引起任何的反響，可說是一位被遺忘得相當徹底的學
者。[16]

　　所幸的是，蘇維嶽曾於一九四五年九月，以《詩經叢箸》（包含
《詩經研究上》、《詩經研究下》、《詩旨闡真》、《詩經正訓簡編》）參
加國民政府教育部學審會舉辦之著作獎勵，獲得第六屆（一九四六、
一九四七年度）「古代經籍研究類」的三等獎（同時獲獎的還有陳延
傑〔1888-1970〕）[17]，使其研究成就稍可透過公開評議的機會，而得
以讓世人所知；且獲獎的事實也無異藉由國家的體制和名器，來對其
學術成就加以肯定。儘管這些作為對其實際的學術名聲和影響之增
進，收效甚微，但畢竟他的研究成果、著作和獲獎的肯定，也是當代
學術史（即使只是限縮在《詩經》學史）中客觀存在的事實。學人的
被遺忘和學術著作的罕傳不代表其人其學不存在，對這類學人和學術
的研究，目的是讓吾人可以對構成當代學術史中的某些隱蔽幽微的面
向和脈絡，有更多的關注和認識。本文僅根據所能掌握到的有限材

---

16 即使尋霖、龔篤清編著的《湘人著述表》（長沙市：嶽麓書社，2010年）於蘇維嶽
　　的著作亦僅列有兩種，一是《詩學贅言》，1936年新化蘇氏長沙鉛印本。另一則是
　　《迂叟抗敵論文集》，1932年鉛印本。（見第1冊，頁338。）
17 參第三章第一、三節相關敘述。

料，對他的著作、學問旨趣與理想抱負做一基本的介紹與評述，旨在將蘇維嶽其人、其書及其學術重新帶回當代的學術視域中，至於進一步的深入研究，則仍有俟他日。

第二節　蘇維嶽的《詩》學立場和《詩》教理想

蘇維嶽在申請獎勵說明書中對他的《詩經叢箸》的內容要點有所闡明：

> 《詩經研究上》詳述《詩》之來源與定義、詩人與時代之關係，并毛氏《序》、《傳》之精，三家與《毛詩》異同得失之故，及朱子《詩》說之失與《詩》教真諦。《詩經研究下》重在說明不信《毛序》，或稍依《毛序》，及不信《毛序》所根據群書之失。餘如《詩旨闡真》逐篇說明毛義之精及古今詆《序》者之謬誤。《正訓簡本》每詩古音韻及訓詁攷據、大義章旨等均有最簡要之詮釋，餘如《釋例》，於經、《序》、《傳》、《箋》均詳其例，訓詁攷據，詳釋疑難。《詩經集評》詳言文章之美，以繁多，未及呈送。[18]

由此可見其尊毛立場之堅定與徹底。一方面遵照《毛詩》系統的《詩序》、《毛傳》和《鄭箋》來說明詩旨（《詩旨闡真》）和詮釋詩篇（《詩經正訓簡編》），另一方面又極力摧破與《毛詩》一系說解立異之不同《詩》說，如朱子《詩》學及其他不信《毛序》者（《詩經研究上》、《詩經研究下》）。

---

18 同註2。

他對自己的《詩經》研究極具信心，在獎勵說明書中自陳其著作在學術上有五項特殊貢獻：

> 一、闡明近代今文家誤解四家《詩》說及「作」有「誦古」之義以溝通今古文。二、詳述朱子《詩》說失源十一內於誤解「詩無邪」之義，及不明聲與詩、俗樂與雅樂之別，頗為明澈，可知宋說不能在漢學外另樹一幟。三、於毛氏《序》、《傳》之精，總論分論敘述均明，使古今疑難悉為解釋。四、新說謂漢宋說、今古文說悉為牽強附會，欲一概推翻，祇認為歌謠總集者，即由未察異說紛紜之由來，并以衛宏所作《(時)〔詩〕序》誤為《毛序》之故也。上述《詩箸》於此等均窮源竟委，明辨以晢。五、《詩》教溫柔，足醫時下恣睢暴戾，涼薄詐欺之病，而以異說之多，致微婉忠厚之旨隱而不宣。今煙障既去，天日為昭，在此民主實施之時，正便推行，以資團結，而免障碍。(餘詳《正訓》編纂要旨)[19]

這段話提及今文家說與朱子的《詩》說和所謂的「新說」，這涉及他的《詩經》學史觀，在〈讀胡適之先生的〈讀經平議〉〉一文中他說道：

> 自來解經的異說很多，大約不外「漢宋說」、「今古文說」、「新說」等；「漢說」重考據訓詁，「宋說」重義理，「今古文說」重家法，「新說」則主就經文求義，直截了當。他們的優劣，是聚訟了多久而沒有解決的懸案，近人持平的評論，是「漢說」多拘泥，「宋說」多空疏，「新說」多臆測，最好是去「漢

---

19 同註2。

說」之拘泥，而從古書古訓中求可靠的證據，合經的義理，以免空疏臆測之弊，我個人也以為然。[20]

在〈讀金公亮先生《詩經學 ABC》書後〉文中他更有如此強烈的論斷：

> 治《詩經》者本有今古文之說、（誤）〔漢〕宋說、新舊說之分，金先生主新說，余主舊說，以守舊者而評論求新者，此與求新者評論舊說之謬誤何異？其如冰炭之不相投明矣！然余敢於評論者，以《詩》說只有是非之分，並無新舊之別。何者？《詩》說雖有上說數家，而以余研究之結果，今文異義，可與古文會通，故今文說可以併入古文一家。至宋說、新說異義，皆係誤解，拙著多所辨正，此兩說應在取銷之列。由是而言，此數家祇存毛氏一家，而又甚為精核，故余遵守之，並非以《詩》有數家，而余祇治毛氏一家也。[21]

其以為今文異義可與古文之《毛詩》會通，從而將今文說併入古文《毛詩》一家。又認為宋說與新說的異義皆係誤解，主張將此兩說取消。如此，二千年來的《詩經》學史只有古文《毛詩》說一家，其他不同的說法，不是可以與古文會通，就是誤解毛說。蘇氏這種以毛說來貫通古今《詩經》學的史觀雖然看似簡單直截，但卻顯得專橫武斷。

他這種罷黜諸說，獨尊毛、鄭的《詩》學立場，使其著作出版飽受挑戰質疑。在《詩經研究下》收有一文，題為〈附上陳教育部長

---

20 蘇維嶽：〈讀胡適之先生的〈讀經平議〉〉，《國學報》第2卷第3期（1937年7月），頁2。

21 此文收錄於蘇維嶽：《詩經研究下》，鈔本，原件藏國立政治大學圖書館，未著頁碼。

書〉，文中開頭謂：

> 鈞示藉悉，拙撰《詩經叢著》承交國立編譯館審核，因僅以
> 毛、鄭言《詩》，失之過狹，故未通過出版，不覺悚然自惕。
> 復蒙鈞座盛心，囑融合各家之言，加以董理，列成系統，則於
> 學術上之貢獻，當匪淺鮮。仰見鈞座獎勸誘掖之心，與曩年囑
> 編《正訓簡本》，俾後生小子皆能遍讀之盛意，終始如一，不
> 勝慚感交集。[22]

出版受阻事，在申請獎勵書中也有提到，在「以往曾否向本會申請獎
勵」欄中，他填寫道：

> 未及申請獎勵，前祇摘錄數言呈請陳前部長審核予以刊印，因
> 前部長原有如花費不多，准提國款出版之函示故也。但書交國
> 立編譯館，審查呈覆，稱該書甄引廣博，數典辨物，彰明
> 《傳》、《箋》之學，欲以《詩》教陶淑國人，誠有可取。惟專
> 以毛、鄭言《詩》，未免失之過狹，所請以國款出版之處，似無
> 庸議等語。前部長函轉此呈時，并囑加以董理，列成系統，以
> 貢獻於學術界。因復整理〈論方氏《詩》說〉文，列表詳解，
> 并附文詳論送呈。後值新舊部長交替延擱，未得覆示此項文表。
> 鈞會曾覆稱已交國立編譯館，而親往查問，實未收到。故修改
> 另鈔並附新箸，逕請鈞會澈底審議，以明是非，而便推行。[23]

其所上書的「陳教育部長」，即國民政府要角陳立夫（1900-2001），

---

22 蘇維嶽：《詩經研究下》，鈔本，未著頁碼。

23 同註2。

時任教育部長（任期為 1938 年 1 月 1 日至 1944 年 11 月 20 日），上書的目的希望其所撰著之《詩經叢箸》能得到教育部的資助出版。[24]而在他填寫申請獎勵書的一九四五年九月時，教育部長已改由朱家驊（1893-1963）繼任，故行文謂「陳前部長」。但上節徵引蘇氏的申請獎勵說明書中又有謂：「在《簡編》擬撰之時，曾函呈陳前教育部長，承覆書讚許，並主融會姚際恆、方玉潤兩家《詩》說，統一《簡本》，以利後生小子。」可知蘇氏不只一次上書陳立夫部長，請求協助出版專者。

　　綜合兩份文件來看，陳立夫及其所治理的教育部（包含下轄的國立編譯館），對蘇維嶽著作所持的觀點是相當一致的，即認為他專主毛、鄭，失之過狹，希望他融合各家之說，尤其是姚際恆（1647-約1715）和方玉潤（1811-1883）兩家《詩》說。但倔強的蘇維嶽對這個意見頗不服氣，一則於獎勵說明書中聲明「兩家《詩》說失多於得，故祇舍短取長」，一則於〈附上陳教育部長書〉中大發論議：

　　　　本來《詩》學有今文說、古文說、宋說、新說各派，僅以毛、鄭言《詩》，洵為過狹。惟國立編譯館未承指示應採何家，尚不知其意以何家為善？在愚管所見，《詩》雖有上列四家，實

---

24 陳立夫在接任教育部長後，積極推動高等教育課程的標準化，包括統一大學課程標準，公布共同科目表、編輯部定大學用書、推行教師資格審查和強化學生各式考試等措施。陳立夫在一九三九年於教育部下設立大學用書編輯委員會專門負責大學用書的編輯工作，直至一九四二年才將此工作轉交給國立編譯館負責。國立編譯館大學用書編輯委員會遵照部頒《大學科目表》編輯大學各科用書，編輯方式採用特約編著、公開徵稿及採選成書三種辦法，各項書稿分請專家辦理初審、複審及校訂三道手續。教育部向學術界廣徵書稿，至一九四三年十一月為止，共收到二百零四種各類書稿。（以上見汪伯軒：《陳立夫與中國戰時高等教育》〔臺北市：國立臺灣師範大學歷史系碩士論文，2012年〕，頁201、204-208。）疑此即為蘇維嶽上書陳立夫請求協助出版著作的背景。

祇有毛氏一家為古義，餘如齊、魯、韓三家之異毛者可以會
通，宋說、新說之異毛者，皆為誤解。三家遺說之著作，可以
王先謙《詩三家集疏》為詳。宋說以朱子《詩辯說》為鵠，新
說以方玉潤《詩經原始》為較善。以上各書，嶽已著《詩學贅
言》，及〈論方氏《詩》說之得失〉等文，詳加辨論。《贅言》
未及呈送，然《正訓簡篇》及《詩旨闡真》，一皆本此書立論。
〈方氏《詩》說〉文，均經呈覽，而未蒙編譯館採取，則必以
為論不中肯明矣。然愚者千慮，非無一得，不揣譖昧，仍就前
著各文要點，加以董理，重新提出，一以實事求是為依歸，而
力除成見，此乃千餘年來《詩》學上懸而未決之大問題。[25]

文中謂：「惟國立編譯館未承指示應採何家，尚不知其意以何家為
善？」語氣間頗有抬槓的意味。其下又堅持今文三家說可會通於古文
毛說，宋說與新說又皆為誤解的論調，且他曾對宋說與新說的代表，
即朱熹（1130-1200）與方玉潤之著作加以批駁，但未獲編譯館採
取。因而又再接再厲，將其舊文加以董理，重新提出，希望能獲得教
育部及編譯館的正視。其用心之良苦與堅持己見之毅力，誠然令人動
容，但過度嚴守及捍衛某種學術立場與主張，不容異己之見的態度，
即令在傳統帝制，儒家獨尊的時代都不見得會有如此極端的表現（除
了秦廷實行法家之學，以吏為師的政策外），更何況在儒家經學褪去
政教神聖權威光芒的民國年間？

　　但蘇維嶽為何如此捍衛與堅守古文毛、鄭的《詩》說呢？除了學
術的理由外，似亦有來自現實上的焦慮感。在申請獎勵說明書中，他
列舉自己著作的特殊貢獻，其中第五項為：

---

25 蘇維嶽：《詩經研究下》，鈔本，未著頁碼。

《詩》教溫柔，足醫時下恣睢暴戾，涼薄詐欺之病，而以異說之多，致微婉忠厚之旨隱而不宣。今煙障既去，天日為昭，在此民主實施之時，正便推行，以資團結，而免障碍。[26]

將當時「恣睢暴戾，涼薄詐欺」的社會風氣和溫柔敦厚的《詩》教關聯起來，以為《詩》教可以醫治邪弊的風俗。但關鍵在於多歧的《詩》學異說，導致微婉忠厚的《詩》旨隱而不宣。因而如若在《詩》學上以古文毛說為尊，將其他異說掃除，則自然「煙障既去，天日為昭」，且更有助於推行民主政治，達到團結人心的效果。他將《詩》說之定於古文《毛詩》一尊視為《詩》教的基礎，不如此，微婉忠厚的《詩》教要旨將無法顯明出來為世人所知。沒有經過溫柔敦厚《詩》教所教化的社會將會充斥恣睢暴戾、涼薄詐欺的邪弊風氣，最終將無法團結人心，推行民主。他以自己的經歷與感受來印證這個說法：

在此撰述中，環境惡劣，險象時生。然本溫柔敦厚之旨，嚴以責己，寬以恕人，率能消泯橫逆，入於坦途。由是又感於《詩》教之果有効益，不難普遍實施，因畧舉古今名人說《詩》受蔽之害，以見治學不可以無師承，而又不可盲從師說。論學不可無主見，而又不可先入為主，慎擇於始，或有難能，省察虛心，罅隙易見。治學如此，處世亦然，成見苟捐，溫敦克盡，精神團結，外侮何虞？舉所經歷者如此，願與〔國〕內《詩》學專家一審得失也。[27]

---

26 同註2。

27 蘇維嶽：〈自序〉，《詩經正訓簡編》，鈔本，未著頁碼。此文作於一九四二年。

他的這番理念，柳詒徵頗為了解，在他為《詩經正訓》寫的〈序〉中，有更進一步的闡述：

> 蘇君專攻《毛詩》，其居湘也，已博覽諸家經說，折衷一是，能溝三家之異毛者而通之，顧以讀書未遍，雌黃之下宜慎也。裹糧來金陵，踵蔡君住館。……為書若干卷，印以問世，徵序於余，且述其鄉居目擊官吏紳民暴橫腐窳之狀，靳以溫柔敦厚之教，陶淑民性，返之周漢，使世人知服膺經訓之益，而廢經與疑古二者，皆未識國學之真效也。嗚呼！孔子論誦《詩》，期達於授政，《詩》之為用大矣！今之人匪先民是程，匪大猶是經，惟邇言是聽，惟邇言是爭。其究也乃不止於日蹙百里，而韋布之士，又徒呫呫於聲韵通叚之末，以漢學為名高，無論孔門讀《詩》不如是，漢儒所謂通經致用亦不如是也。讀《詩》而不能通於政事，雖多奚為？蘇君既得其大原，而後旁搜博覽，證成其說，舉平生憂患之思，託之傳經，以發攄其憤懑，而又以溫柔敦厚不愚為歸，前人之聚訟不決者，一一為之融鑄條貫，刺剟經會，歸於大順，使讀《詩》者恃南針而不迷，知《傳》、《序》之非偽，造篇誦《詩》，皆得曰作。釋其疑慮，遜志時敏，以《詩》學裨政教，斯誠海內學者之幸，抑亦吾山館所儲諸經說之先師往哲之幸也。[28]

從柳氏序文中可進一步得知蘇維嶽所謂「時下恣睢暴戾，涼薄詐欺之病」、「環境惡劣，險象時生」，與其鄉居時所目擊「官吏紳民暴

---

28 柳詒徵：〈序〉，見蘇維嶽撰：《詩經正訓簡本》，鈔本，未著頁碼。又刊於《國風》第8卷第3期（1936年3月），引文見頁71-72。案：二者字句畧有不同，正文所徵引者，以《國風月刊》所刊者為主。

橫腐齗之狀」有關[29]，所以才會藉溫柔敦厚之《詩》教，來「陶淑民性，返之周漢」。他的整體理念是：一方面高舉經書的價值，強調服膺經書內容的效益。另一方面，又突出《詩經》的致用功能，主張「以《詩》學裨政教」。不過，他所遇到的最大阻礙恐怕是在當時新文化運動的刺激下，所產生的廢經與疑古的思潮。他對此深感痛心疾首，將矛頭指向了晚清以來在思想界上掀起颶風的康有為（1858-1927）身上。他在〈康有為《新學偽經攷》駁議〉一文中大力抨擊康有為：

> 康氏在政治思想上，不無功績。蓋清季變法維新，皆康氏與其門人梁氏等所唱導，戊戌政變慷慨就義者多，即其成效。雖其後志在保皇，不言革命，此為政見所不及，尚不足深責。惟在學問上變亂是非，□弊貽害不小。其著《孔子改制攷》，推證《春秋》公羊改制之說，固含有政治革命社會改造之意，然謂六經皆孔子所作，則與孔子述而不作之旨不符。雖遵孔子，實誣孔子，尤以《新學偽經攷》變亂是非，影響學術甚鉅。今之辨古史者，謂堯、舜、禹皆無其人，其動機即由讀《改制攷》與《偽經攷》而來。今之言國學者，謂《偽經攷》與姚際恆《古今偽書攷》、崔述《攷信錄》等，皆為辨偽名著，應先讀

---

29 蘇氏在〈致柳翼謀先生書〉中對此有詳細說明：「曩在鄉嘗有改革之志，故力倡民德與民生並重，而舌敝脣焦，成效卒鮮，且以辦學捐輸，富豪怨恨，私囊難容，排解紛難，宵小怨私利難圖，因為若輩所嫉視，故與為難。公益則暗事阻擾，私事則暗謀傾陷。嘗喻其險如資水之七十二灘，幸腳跟站穩，無隙可乘，且秉悲憫之念，曲予優容，不激不隨，小心應付，始得出險入夷。……此類現象，除人才甚多，文化甚盛之地，或已改良外，其餘則幾如赤狐黑烏，到處皆是，且不第鄉村如是，試上而觀之，其不營私舞弊，而奉公守法者，恐亦不為多數。上無道揆，下無法守，其斯之謂與？」（收錄於氏撰：《詩學贅言》，「附討論《詩》學書牘」，頁4a，致柳翼謀函共二通，此為第二通，致書時間為一九三六年二月五日。）

之。曩閱此說,以為世多識者,無庸駁辨。然積非成是,一提經學輒令人頭痛,甚且素精國學者,亦慮葬送青年,不敢提倡;即稍有提倡者,即有人斥為孔家店之人,漸已抬頭。古云先民有言「詢於芻蕘」,當此人心陷溺,積重難返之時,國勢雖有轉機,而種族前途,實形危險,應有多方面之警惕,以期變化氣質。但此與學問之純正精深有關,斷非淺薄複雜之學說,及走馬式之訓練所能奏效。西洋競爭之說,已告失敗,東方文教,實為應時之需,固宜博採眾說,以資廣益。然尤必有其中心思想,共策進行。乃今人竟於古聖賢修己治人之格言懿行,每遭唾棄,而不能比重於芻蕘之言,豈不可怪?此雖是最少數之人,然中有負重望之名流,影響社會人心不小,何能集中力量,以共入於光明之途,推原其故,於學問上之是非,首為變亂者,應尸其咎,故不得不就康氏《偽經攷》縷言之。[30]

文章結尾又說道:

余為學術明是非,以免流毒無窮起見,引其原文指斥,或亦不傷厚道,并有推豰之功與?[31]

他從明是非、正人心的角度立說,對一切違逆儒家正統經訓與主流學說的異說及思潮大加攻伐。當一九三六年四月十八日,《天津大公報》刊出胡適(1891-1962)反對陳濟棠(1890-1954)、何鍵與宋哲元(1885-1940)等軍閥推動的學校讀經之〈讀經平議〉一文後[32],引

---

30 此文收錄在蘇維嶽:《詩經研究下》,鈔本,未著頁碼。

31 同上註。

32 胡適:〈讀經平議〉,原刊《天津大公報》星期論文,1937年4月18日,第2版。又載

發反對陣營的反彈，紛紛為文辯駁。蘇維嶽也在《國學報》上發表〈讀胡適之先生的〈讀經平議〉〉一文評論此事，他在文章結尾處語重心長地呼籲：

> 彼方（謹案：謂歐西）科學日益精微，而又自有一定不移的立國精神，我方科學幼稚，不能迎頭趕上，而於立國的精神，復游移不定；很為國家前途擔憂。讀經是否可做立國的精神，我現在少談理論，但重事實，歷史是人生經驗的淵藪，六經皆史，即是孔子集古代經驗的大成。二千年來，經書未能盡解，孔道亦未大行，但已「澈上澈下」的發生了效果。即在這日趨卑下的惡濁社會裏面，有識的多覺得歐化的風俗不好，中國的四維要張，這就是固有道德的表現，也即經書有效的表現，現在讀經的呼聲，已漸有繼長增高的趨勢，吾心應該向經的整理，和讀的方法去研究，並向讀了應該實踐相督促，不應該再事抑制。因為抑已徒生內部的意見並亂學生的心思，何若利導之為愈呢？登峯的不止一路，渡河的不止一津，但達到「殊途同歸」罷了，何必在歧路上相爭呢？如其不然，我恐「議論未定，而金兵已渡河」的故轍，不免再踏了，不可怕嗎！[33]

蘇維嶽這種「少談理論，但重事實」以及重視實效的想法，也體現在他的《詩經》研究和撰述上。其「欲以《詩》教陶淑國人」的理想主要還是透過教育，在《詩經正訓簡編》的「讀例」中（第八至第十

於《獨立評論》第231號（1937年4月25日），頁13-16。此文收錄於潘光哲主編：《胡適全集》之《胡適時論集》（臺北市：中央研究院近代史研究所胡適紀念館，2018年），第5冊，頁347-350。

33 蘇維嶽：〈讀胡適之先生的〈讀經平議〉〉，頁7。

例），他對其著作有如此的期許：

八、本書可供大學文科之研究，中小學亦可選讀。

九、中小學選讀標準如下：

　　高中初中各選四十篇內外，高級小學選二十篇，國民學校
　　選十篇內外（小學或改用白話句解亦可）。

十、中小學選讀以分類為宜，唐文治編有《詩經大義》，分倫
　　理學、性情學、政治學、社會學、農事學、軍事學、義理
　　學、修辭學八門，計選八十餘篇。每門均有序論一首。清
　　儒亦有編《風雅倫音》者，分君臣、父子、兄弟、夫婦、
　　朋友五門，內又分正變二項，合計百餘篇。余參照唐氏分
　　類法，共選一百二十篇，另編目錄，並以甲乙丙丁字樣，
　　分記于篇名之上。深者為甲，次者為乙，又次者為丙，最
　　淺者為丁。中小學校各級即按照深淺選讀，目錄及唐氏序
　　論坿後。[34]

他在〈附上陳教育部長書〉中對他編撰的《詩經》教科書更懷抱著如
此的理想：

　　敬祈准令書店刊印《詩經選本》，以供師範學校、中小學校及
　　家庭社會之選讀，俾與學校訓育、國民訓練，相輔而行，以陶
　　冶其性情，如鳥魚之毓于川澤，以漸去其暴戾恣睢之氣，爭競
　　涼薄之風。倘蒙讚許，庶可收風行草偃之效。[35]

---

34 蘇維嶽：〈讀例〉，《詩經正訓簡編》，鈔本，未著頁碼。

35 此文收錄在蘇維嶽：《詩經研究下》，鈔本，未著頁碼。

雖然不知道實際施行的狀況，但蘇維嶽《詩》教的理念，不是只停留在抽象的學理論說，更落實到了教育實踐的場域，其所言所為，充分體現了儒者通經致用的精神。

第三節　蘇維嶽《詩經》撰述的評價及檢討

　　蘇維嶽的《詩經》著作雖然大多未曾正式刊行，學界一般鮮少知曉。但他還是積極地透過寫信、求序及參與國家體制內的出版補助與著作獎勵的方式，將他的研究成果和主流學界聯繫起來。如其曾於一九三四年八月致書給北京大學中文系教授羅庸（1900-1950），將其著作寄呈給他，請其指導教正。羅庸於一九三五年十一月九日覆書，對他的研究做出正面的評價：

> 竊觀大著論文，於詩旨晦昧，世教淪夷，深致惋歎。風人之言，實契聖言，復能疏通故訓，辨訂淵源，紬宋宗毛，發明古義，於舉世廢學之日，為窮山空谷之音，扶教明經，論不虛作，專家之業，審待讚揚。[36]

又如謝玉芝為其《詩學贅言》作序，亦讚美道：

> 今蘇子之書，一以《序》說為主，《序》說已定，必為之曲暢旁通，求其的解。《序》說有疑，必為之慎思明辯，求其歸趣，精審至矣。

復謂：

---

36 致書與覆書均收錄於蘇維嶽：《詩學贅言》，「附討論《詩》學書牘」，頁3a。

其中明《序》之為毛作而非衛宏，與夫為三家異同，淪其匯通
而釋其癥結。並沈思獨往，得千載不傳之祕鑰。而《詩》教三
篇，發明溫柔敦厚之旨，反覆詳盡，尤於人心世道有關。為朱
子正其錯訛，亦為明辯以晰。無錫吳子，鎮江柳子，謂為毛氏
功臣，有裨政教，非溢美也。[37]

此外，在蘇維嶽的申請獎勵說明書「介紹人對於本箸作品之評語」一
欄中，有如此的評論意見：

按《詩》義可疑者一在今文與古文異，二在宋說與漢說異，三
在《毛詩》注疏亦有拘泥之處。箸者於四家《詩》說之溝通，
漢宋《詩》說之優劣，既列舉確證詳言，且於毛義之微婉而與
群書相合，群書之非虛偽而確可證《序》，無不瞭如指掌，使
孔子興觀群怨，邇事遠事，及從政能言之旨，藉以顯明，今人
疑難自可渙然冰釋，允為毛氏功臣，有裨政教不小。[38]

申請獎勵說明書所載介紹人有二，一為當時擔任四川大學文學院院長
的向楚（1877-1961），和華西大學教授兼四川省立圖書館館長的蒙文
通（1894-1968）。雖然不能確知二人個別的具體意見為何，但評語欄
中的話語應該代表二人共同的觀感。

　　這些書信、賜序和介紹人的評語所呈現的都是較為正面、支持，
甚至讚賞的意見，難免有客套與人情的成分在，多只見標榜揄揚的話

---

37 謝序見收於蘇維嶽：《詩學贅言》，引文見頁1a-b。案：序中所謂「無錫吳子，鎮江
　　柳子」者，吳子為吳稚暉（1865-1953），柳子係柳詒徵。謂為「毛氏功臣，有裨政
　　教」者，當為謝氏概括吳稚暉覆蘇維嶽書（見《詩學贅言》，「附討論《詩》學書
　　牘」，頁5a。）與柳詒徵〈詩經正訓序〉語（見第二節所引）而成者。
38 同註2。

語，鮮少尖銳嚴苛的批評。但在較具有客觀、嚴謹的審查程序的學術
評議（如聘任、升等、獎勵與著作出版等）活動中，蘇維嶽的著作和
研究成果還是需經過嚴格的考驗。正如上節提及蘇氏著作曾呈送教育
部請求出版，卻未獲國立編譯館審查通過之事，主要的理由似乎是認
為蘇氏的著作「專以毛、鄭言《詩》，未免失之過狹」（見上節）。若
從教學用書的角度來看的話，國立編譯館這樣的處置確是合情合理
的。此外，他也於一九四五年參加學審會舉辦的第六屆著作獎勵，被
評選為古代經籍研究類三等獎。獲得這種由國家機制主導的學術獎勵
活動之肯定，自然對他的學術聲譽的提升有所助益，但當時兩位審查
人對他的著作也提出了相當嚴肅深刻的評論意見。這兩份審查意見不
但具體呈現他《詩經》撰述的特色及優缺點，而且也可說在相當程度
上反映了他學術研究的實質水平。

　　第一份審查意見為錢穆（1895-1990）所執筆，撰寫日期為一九
四六年三月五日，評語如下：

> 本著作共三種十冊，內《詩經研究》兩冊，《詩旨闡真》兩
> 冊，《詩經正訓》六冊，卷帙浩繁，不克通體細讀。惟就大體
> 論之，專據《毛詩》《序》、《傳》以說《詩》義，可以為《毛
> 詩》之功臣，未必即《詩經》之正解。先就《詩序》言，胡承
> 琪云：「作《詩》者即一事而形諸歌咏，故意盡於篇中。序
> 《詩》者合眾作而備其推求，故事徵於篇外。」作《詩》者與
> 序《詩》者既非一人，則本序《詩》之義而推作《詩》之旨，
> 其間自可有出入之處。抑且《毛序》與齊、魯、韓三家互有不
> 同，則何從而見《毛序》之必當？故作者既力主《毛序》傳自
> 子夏，又必謂三家與毛本無異同，其立論根據則在《三家詩》
> 「作」、「賦」二字通用。攷篇中（《詩經研究上》）惟「賦」訓

誦古，亦可以訓造篇，此義盡人皆知。若謂「作」訓造篇，亦可以訓誦古，則於古無徵，殊難成立。《左》僖廿四年，富辰曰：召穆公作詩曰「常棣之華」云云，《鄭志》答趙商云：「凡賦詩者，或造篇，或誦古。」孔疏《毛詩》云〈常棣〉所誦古「指此召穆公所作誦古之篇，非造之也」。今按：此自限於疏不破注之大例，然左氏明言召穆公作〈常棣〉，即《鄭箋》謂「周公弔二叔之不咸，而使兄弟之恩疏，召公為作此詩而歌之」，亦僅約會左氏原文，亦明謂召穆公作詩，非周公作詩也。而《毛序》則云閔管、蔡之失道，故作〈常棣〉屬此，本於《左傳》而文省義變，遂儼若以〈常棣〉詩歸之周公，正在此等處，亦可見《毛詩序》出《左傳》後，不得謂傳自子夏矣。（此處亦不謂《左傳》乃孔子同時左丘明作）此處《鄭箋》正可糾《序》文之失。乃後儒不善讀，轉因誤解《序》文，而強認〈常棣〉為周公詩，《孔疏》引《鄭志》已屬牽強，今本書作者乃本此而謂作賦通用，乃捨此一條亦復更無他據。至作者引《鹽鐵論》「此〈杕杜〉、〈采薇〉所為作也」，此明謂漢代社會情狀有類於古昔，作為此詩之時期，此「作」字斷無「誦」之義，可見「作」訓「誦古」乃作者之曲說。若此義不立，則《三家詩》與毛歧異之處，不得如作者謂多由後人之誤解，然則〈關雎〉之咏何以必知非刺庸主而作乎？一義不立，眾義皆碎，故曰專據《毛序》以說《詩》，只可為毛之功臣，未必即《詩》之正解也。至《毛傳》訓詁更屬有失有得，清代二百四十年治《詩》研訓詁糾《毛傳》，確有新得，為今所當采納者，指不勝屈。今作者《正訓》乃亦專從《毛傳》，未免更自褊狹矣。[39]

---

39 同註2。

錢穆對蘇氏專宗《毛詩》的基本立場和釋《詩》態度提出了「專據《毛詩》《序》、《傳》以說《詩》義，可以為《毛詩》之功臣，未必即《詩經》之正解」的批評，可謂一針見血。他質疑序《詩》者與作《詩》者既非一人，則如何可確信序《詩》者所闡發的即為作《詩》者之旨？在四家《詩》並存的情況下，如何保證《毛詩》說的必當？錢穆還原蘇氏的論證，即：「力主《毛序》傳自子夏，又必謂三家與毛本無異同，而其立論根據則在《三家詩》『作』、『賦』二字通用。」對蘇維嶽來說，「《三家詩》『作』、『賦』通用」說確實是他自詡的極大創見，他以此來溝通今文之《三家詩》與古文之《毛詩》，將其列為五項特殊貢獻中的第一項。因為《三家詩》與《毛詩》在詩篇的作者與創作年代常存在著歧異，以〈關雎〉為例，《毛詩》一系《詩》說將此詩定位為大姒、文王之詩（《鄭譜》），《三家詩》卻謂作〈關雎〉以刺康王晏朝，二者在創作時代上截然不同。但如若《三家詩》所謂之「作」為誦古之意，乃陳古刺今的作法，並非造篇，則《三家詩》說就可與《毛詩》溝通，將其整合到《毛詩》說的系統內。[40]但在錢穆看來，此說的最大問題就在於「『作』訓誦古，則於古無徵，殊難成立」。即使《左傳》僖公廿四年「召穆公作詩」可以解釋作召穆公誦周公所作〈常棣〉之詩（錢穆也不同意這樣的闡說），但也屬孤證，因為「捨此一條亦復更無他據」。如果錢穆的反駁是有效的話，則其辯駁對蘇維嶽整體的《詩經》學確實可以起到「一義不立，眾義皆碎」的釜底抽薪效果。

　　儘管錢穆對蘇氏《詩經》研究的基本立場和立論根據採取如此高強度的批判態度，但他在審查意見表中的「總評」欄中，最終還是對

---

40 參蘇維嶽：〈三家詩作賦二字通用考〉（《制言》第23期，1936年8月），頁1-3；此文又收錄於《詩學贅言》；以及《詩旨闡真》，鈔本，原件藏國立政治大學圖書館，卷之一，《周南》，〈關雎〉。

蘇氏的著作給予勉勵和肯定，其謂：

> 《詩序》自否盡可信為一大問題，《三家詩》與毛異同，孰得
> 孰失，又為一大問題，本書於此兩事均未能有所創闢，惟謂
> 《詩序》非衛宏作，又極論後儒不信《序》而說《詩》之差失
> 處，則確為有見。今欲折衷古今諸家，為《詩經》撰一比較最
> 合理之解說，此事甚難。若專據一家說之，雖不免有得有失，
> 而為之較易，亦於治此一家言者有參攷之助。本書用力甚勤，
> 立意亦平正，雖不免專守《毛傳》，要為有前儒楚襆，其根本
> 差誤點已列詳如左。要之，整理諸家不失為治《詩》者一種參
> 攷材料。網羅詳贍，而有別擇，似可給予第三等獎勵，是否有
> 當，敬備公決。[41]

　　另一位審查人為章太炎（1869-1936）門下四大弟子之一，號稱
東王的汪東（1890-1963）所撰。汪東的審查意見表撰寫於一九四六
年三月廿日，全文僅二百一九字，與錢穆的九百三十餘字（皆不計標
點符號）相較，在內容上確實是疏略不少。但汪東簡要式的審查，同
樣也頗能指出蘇維嶽《詩經》著作的特色與不足，其云：

> 作者專治《詩經》數十年，於古今諸家異同得失之故，剖析詳
> 明，著為專書，自非率爾操觚者可比。茲將所送審查三種，分
> 別評論如下：
> （一）《詩經研究》
> 此篇皆為單篇別論，而與他編主旨自成一貫，持論精審，足探
> 本原，其駁斥朱子及近代諸家之說，尤多透闢。

---

41 同註2。

（二）《詩旨闡真》

此編專釋《詩序》，以毛、鄭為主，一掃群咻。其於各家之
說，或采或駁，亦多允當。惟魯齊韓三家，實有與毛乖異處，
作者每欲強而同之，殊可不必。

（三）《詩經正訓》

大體尚可，惟聲音訓讀之學，非作者專長，故欠精覈。鈔胥錯
誤，不一而足，必詳加校勘，然後可讀也。

總評：大醇小疵，擬請給予二等獎。[42]

汪東在治學立場上同樣趨近於固守舊學，主古文經學[43]，因而對
蘇維嶽「專釋《詩序》，以毛、鄭為主」的做法，確具有同情的共
感，惟亦不苟同蘇氏強同今古的態度。不過較為緊要的是，汪東指出
蘇維嶽聲音訓讀有欠精覈的弱點，不啻對其所標榜的「《正訓簡本》
每詩古音韻及訓詁攷據、大義章旨等均有最簡要之詮釋」（申請獎勵
說明書語，見上節所引），構成一嚴重的打擊。諷刺的是，蘇氏在
〈論方玉潤《詩》說之得失〉文中，亦設下十六端以斥方玉潤《詩》
說之失，其中有「不精訓詁」、「不精攷據」、「誤解詩詞」等端[44]，由
此可見，著書立說而有創獲，固然困難，批評論斷前賢之說，亦非易
事，幾何不陷於范曄（398-445）評論班固（32-92）所謂之「致論於
目睫」之效應！[45]

---

42 同註2。

43 司馬朝軍、王文暉：《黃侃年譜》（武漢市：湖北人民出版社，2005年），頁409。

44 蘇維嶽：〈論方玉潤《詩》說之得失〉，《詩經研究下》，鈔本，未著頁碼。

45 范曄：《後漢書》（臺北市：鼎文書局，1991年6版），卷30下，〈班彪列傳〉，頁
1386。案：班固譏刺司馬遷（約前145-約前86）不能以智免刑，卻亦身陷大戮，此
誠范曄所感慨者也。

　　錢、汪二氏之評審意見，當可代表當時學界守舊敦古一派（雖然
二人皆非專以《詩經》名世）對蘇維嶽整體《詩經》研究的看法，因
而對其著作較能持同情地理解。但教育部及其屬下的國立編譯館對其
著作的審查意見，卻刻意強調被蘇維嶽視為「新說」的姚際恆與方玉
潤二家著作較優，且力主其應融會姚、方兩家《詩》說，這樣的立場
或許較近似當時學界趨新立異一派之看法。二者最大的不同就在於他
們對《詩序》在理解《詩》義和詮釋《詩》篇時，所具有的作用之認
定不同。守舊敦古一派力主不可離《序》言《詩》，《詩序》是理解
《詩經》的基礎、關鍵甚至鑰匙，故極力維護《詩序》的權威。趨新
立異一派則不然，否認《詩序》和《詩經》在意義上的直接關聯，強
調文本的優位性，極力拆解《詩序》的權威地位。[46]蘇維嶽既專尊
《毛詩》，以《詩序》說《詩》，則力主「詩外求義」，甚至批評方玉
潤「誤於詩詞中求詩旨」，其謂：

> 詩意微婉，每有言在此而意在彼者，故當於言外求之。朱子解
> 《詩》，多以字面直捷說之，惟於《楚詞》，則知其委曲借託之
> 義（見〈湘君〉注），已於〈論朱子《詩》說之失〉詳之。方
> 氏多駁朱說，間亦自云當於詩外求之，而實則仍於詩中求詩
> 旨。[47]

但在《詩序》作者和《詩經》作者非同一人的情況下，以後起晚出的
《詩序》作為衡量、理解《詩經》三百篇（作者非一時一地一人）的

---

46 對此問題的相關討論，請參林慶彰：〈民國初年的反詩序運動〉，氏撰：《中國經學
　研究的新視野》（臺北市：萬卷樓圖書公司，2012年），頁197-222。
47 蘇維嶽：〈論方玉潤《詩》說之得失〉，《詩經研究下》，鈔本，第二章，乙、十三，
　未著頁碼。

惟一、最高標準，其權威性甚且凌駕詩篇文本之上，這樣的詮釋理念確實很難說服所有的讀者。[48]更何況蘇維嶽先《序》後《詩》，以《序》言《詩》的主要理由仍是認為《詩序》係「記朝代與王公史事之重要寶典」[49]、「攷朝代王公事由之寶典」[50]，這些資訊誠然有助於理解詩篇的創作背景，但一來無法確信《詩序》所言者必然正確；二來這些資訊也無法全然窮盡詩篇的豐富意義。過分執著《詩序》來言《詩》的治學方式，其所得當如錢穆所說的，「未必即《詩經》之正解」，充其量也只是《毛詩》一家《詩》說之正解。

第四節　結語

　　蘇維嶽是當代學界久經遺忘的學者，其著作也因缺乏關注（如《詩學贅言》）或無緣刊行（如其大多數著述），而罕為世人知曉。本文透過湖南圖書館所藏之《詩學贅言》鉛印本（中國和日本某些圖書館亦有收藏）和政治大學特藏之《詩經叢箸》數種的謄鈔本，以及蘇氏參加教育部學審會著作獎勵時所撰寫的申請獎勵說明書和錢穆、汪東所寫的審查意見表，再加上為數不多的其他相關資料，勉強將其《詩經》撰著之大致內容和成就，加以勾勒出來。從中可以看出，蘇維嶽一生主要的研究幾乎全投入在《詩經》當中，且他不只從事客觀的學術研究，更抱持著經世致用的理想，積極透過教育的方式（包含辦學教學和撰寫教科書），來推動《詩》教，以期能陶淑人心，使社

---

48 相關討論另見拙著：〈說經之家第一爭話之端——《詩序》公案平議〉，《釋經以立論——漢代毛鄭《詩經》經解的思想探索》（臺北市：里仁書局，2011年），頁212-226。

49 蘇維嶽：〈論方玉潤《詩》說之得失〉，《詩經研究下》，鈔本，第一章，未著頁碼。

50 蘇維嶽：〈讀金公亮先生《詩經學ABC》書後〉，《詩經研究下》，鈔本，未著頁碼。

會臻於祥和,從而達到理想的境地。他為此付出了大量的精力與財力,同時也飽受家人友朋的非議。他在寫給柳詒徵的信中曾如此敘說自己的理念與遭遇的困境:

> 《詩》學可理人之性情,尤為經典中之最有效益者。嶽故殫精力,以研之寒暑,嚴酷不計,經濟艱窘,不計室人交謫,不計戚友揶揄,不計無非,期有闡明,以為持世計也。[51]

對蘇維嶽甚為了解的謝玉芝於其處境也有來自目睹親聞的觀察:

> 余嘗過其書齋,陳篇蠹簡,魚麟雜沓,几間繽紛,無置茗盌處。值境綦艱,粗糲鹽薑,時或不繼。室人不無交謫,里黨亦或疑其過迂。乃埋頭蘸朱墨,交稽互校,或拄頰撫管,閉目澄思,宜其著述之工也。蘇子前沈浸於定王臺圖書館,頃復寢饋於蓋山圖書館。巾車所至,輒進發古人之藏,至數十百種而不止。其嚮道之篤,求志之專,用力之猛,可謂至矣。[52]

由此可知,蘇維嶽直可說把《詩經》當作終身的志業來對待,幾乎達到「造次必於是,顛沛必於是」的境地。

但是如此癡迷的努力卻不一定可以換得正面的回報,尤其在學術研究的層面上,學界同儕的認可往往決定了學術成就的有無與高低。蘇維嶽的《詩經》研究成果雖曾獲得國府教育部學審會學術獎勵之肯定,惟其一生僻處湖南鄉隅,從未在正式的學術機構任職或高等院校

---

51 蘇維嶽:〈致柳翼謀先生書〉,收錄於《詩學贅言》,「附討論《詩》學書牘」,頁4b。

52 謝玉芝:〈序〉,《詩學贅言》,頁1b-2a。

任教過（湖南私立中和國學專科學校未獲政府立案承認），亦無緣打進主流學術圈，可說是一位典型的邊緣學人。但蘇維嶽渴望被認可的心思極為強烈，屢以書信干謁各界名流。《詩學贅言》中收錄有多封他寫給當時學界名人如章太炎、黃節（1873-1935）、柳詒徵、胡適、羅庸，以及知名報人李抱一（1887-1936）等人的書信。又請政界達宦林森（1868-1943）和孫科（1891-1973）為其題字[53]，並致書吳稚暉，請他為其書題簽，以及請謝玉芝和柳詒徵寫序。此外，楊樹達（1885-1956）亦曾在回憶錄中寫道：「新化蘇維嶽來，以其《毛詩》著述求序。」[54]但這些做法收效似不顯著，並無法使其書、其學發揮更大的影響。

除了向學界政界聞人干謁求取指導及支持外，他亦常喜對持論與其不同調的新派學人論辯，《詩經研究下》收有他批評方玉潤、金公亮、顧頡剛（1893-1980）和康有為的文章。而在申請獎勵說明書中，他還要求學審會對其著作「澈底審議，以明是非，而便推行」。但他在這些論辯的文章中，常流露出對這些學者輕蔑不屑的態度，如批評方玉潤「苟知《序》為後人所作，何至多此夢囈語乎」？又嘲諷他「凡此適見其繆妄可笑而已」。[55]在〈讀金公亮先生《詩經學 ABC》書後〉中逕謂鄭樵（1104-1962）、朱熹、崔述（1740-1816）「三氏所說，本不值一辨」。[56]又攻擊顧頡剛對孟子說《詩》的批評，謂：「其當不看書解書不明至此，妄思妄言至此，而邃痛加詆毀，此於孟子無

---

53 林森所題字為「宿儒耆學」，孫科所題字為「經明行修」。

54 楊樹達：《積微翁回憶錄》（北京市：北京大學出版社，2007年），頁98，1937年12月4日條。

55 蘇維嶽：〈論方玉潤《詩》說之得失〉，《詩經研究下》，鈔本，第二章，乙、三，未著頁碼。

56 蘇維嶽：〈讀金公亮先生《詩經學ABC》書後〉，《詩經研究下》，鈔本，未著頁碼。

損，惟於顧君盛名有妨，或亦中有所蔽者之勢所必至與？」[57]更在〈康有為《新學偽經攷》駁議〉文中說其寫此文動機乃「為學術明是非，以免流毒無窮起見」。[58]遣詞用句皆甚為辛辣尖刻，絲毫不留情面。再加上動輒批評別人「誤解」、「誤讀」、「可笑」等，這些過激的表現似乎顯示出蘇維嶽的心胸中實有一股抑鬱不平之氣，或許惟有藉此舉方得以宣洩。

然而蘇維嶽在治學方面並非任憑情緒左右，毫無理性的自覺，他嘗對治學的方法和態度有所省察反思，其云：

> 吾嘗謂讀古書須先求古人本意，再以科學方法整理之。以時代眼光讀之，始為合法。若以時代眼光強解古書，致真像全失，則何不另箸新詩之為愈？而必使古人抱不白之冤，并使學者入于歧途，而漸啟由深入淺、由真轉偽之弊乎？此意上篇已畧言之。余近擬箸文言求真實學問之方法，即在「澈底研求」與「心無所（弊）〔蔽〕八字。」[59]

他的「心蔽說」來自於戴震（1724-1777），其謂：

> 東原戴氏云：凡論一事，勿以人蔽我，勿以我自蔽。旨哉言乎！余觀自漢迄今之釋《詩》者，多蔽人自蔽之見。[60]

他評批古今學者致「誤」之由根本原因就在於「研究不澈底」和「心

57 蘇維嶽：〈讀顧頡剛先生〈論詩經在春秋戰國時的地位〉〉，《詩經研究下》，鈔本，未著頁碼。

58 蘇維嶽：〈康有為《新學偽經攷》駁議〉，《詩經研究下》，鈔本，未著頁碼。

59 蘇維嶽：〈自序〉，《詩經研究下》，鈔本，未著頁碼。

60 蘇維嶽：〈自序〉，《詩經正訓簡編》，鈔本，未著頁碼。

有所蔽」，後者尤為緊要。[61]他檢討自己為學雖亦不免有蔽，但他自信所堅信的《毛詩》要義是經過反覆玩味和自省其失所得到的，因而自蔽之見應該會減少許多。他更進一步檢討「古今名人說《詩》受蔽之害」，從中體認「治學不可以無師承，而又不可盲從師說。論學不可無主見，而又不可先入為主」的道理。[62]蘇氏所言誠然有理，然而又如何判定與己說異者之研究必然不澈底？又如何認為持異說者就是蔽人自蔽之見？蘇氏雖認為自己可經由自省其失、反覆玩味的方式，消失自蔽之見，然而又如何知道異己者就沒有做過同樣的工夫？且蘇氏過分執著一家之說，將其視為神聖不可挑戰之權威，寸土不讓，違言必爭，這樣的絕對心態，從更高的層次來看，難道不也是一種「心有所蔽」的表現嗎？蘇維嶽以此來指謫持宋說、新說以釋《詩經》者，其人未必肯受也。

---

61 蘇維嶽：〈康有為《新學偽經玫》駁議〉，《詩經研究下》，鈔本，未著頁碼。

62 以上均見蘇維嶽：〈自序〉，《詩經正訓簡編》，鈔本，未著頁碼。

卷下
顧門弟子經學之窺探

第六章
何定生與《古史辨》的《詩經》研究

第一節　前言

　　何定生（1911-1970），廣東揭陽人，一九二六至一九二九年間就讀於廣州國立中山大學國文系，係顧頡剛（1893-1980）早年在廣州中山大學時期的學生。[1]一九二九年二月退學隨顧頡剛北上北平學習[2]，但因種種細故，與顧頡剛發生摩擦，一九三〇年代後遂疏離於顧頡剛的學術圈。一九三七年七七事變後，顧頡剛為避日寇而匆忙逃離北平，從此師生二人便因戰亂的阻隔而聯繫遂疏。一九四八年何定生又隨國民政府渡海來臺，更斷絕了與顧頡剛的聯絡。此後直至何定生在臺逝世，終生未再與顧頡剛聯繫。[3]雖然何定生與顧頡剛實際相處的時間不過是在一九二七至一九三七年的十年間[4]，而有密切互動的時

1　楊晉龍：〈何定生教授年表初稿〉，《中國文哲研究通訊》第20卷第2期（2010年6月），頁5-7。

2　顧潮：《顧頡剛年譜》（北京市：中華書局，2011年增訂本），頁192。

3　關於何定生與顧頡剛的互動往來關係，請參車行健、徐其寧：〈顧頡剛與何定生的師生情緣〉，收入車行健：《現代學術視域中的民國經學——以課程、學風與機制為主要觀照點》（臺北市：萬卷樓圖書公司，2011年），文中敘述見頁193-208。案：此文原刊於《中國文哲研究通訊》第20卷第2期（2010年6月），頁53-66。

4　顧頡剛於一九二七年四月應聘為廣州中山大學史學系教授兼系主任，同年十月，何定生始選修顧頡剛的課。何定生最後一次拜謁顧頡剛的記錄是一九三七年六月十二日。參楊晉龍：〈何定生教授年表初稿〉，頁5、11；車行健、徐其寧：〈顧頡剛與何定生的師生情緣〉，頁193、207。

間也不過兩年多[5]，但何定生終其一生卻承受到顧頡剛極大的影響[6]，
山東大學歷史系的王學典教授在其主撰的《顧頡剛和他的弟子們》特
列一章〈始於愛而終於離——顧頡剛與何定生〉，專門探討二人的關
係，並將其列在顧頡剛其他諸位聲名昭著的弟子們——包括譚其驤
（1911-1992）、童書業（1908-1968）、楊向奎（1910-2000）、劉起釪
（1917-2012）等人——之中的第一位[7]，確實有見於何定生在顧頡剛
諸多弟子中本就具有一種無法為他人所取代的特殊地位，而此地位之
取得自然又建立在顧頡剛大學教學生涯初始階段與何定生之間親密的
師生互動關係。用一般更通俗的話來講，何定生實際上可稱作顧門的
「大弟子」或顧頡剛諸多弟子中的「大師兄」。

　　何定生早年曾有數篇關於《詩經》的論文刊載於顧頡剛主編的
《古史辨》第三冊中，而其晚年也曾為文評論《古史辨》及《古史

5　主要集中於一九二七至一九二九年間，參車行健、徐其寧：〈顧頡剛與何定生的師
　生情緣〉，頁193-206。

6　何定生晚年在臺灣大學中文系的學生曾志雄教授的這段回憶頗令人動容：「一九七
　〇年四、五月，大概是我認識何老師以來他身體最好的時候。那時何老師大部分時
　間都能夠到教室上課，從他上課的表情少了變化看，他的心情應該平穩一點了。下
　課的時候，師母來接他。有時候，我也陪他們走上一段路。在路上，何老師通常不
　太說話，跟剛才上課的時候明顯不一樣，心情像變得頗為沉重似的。偶而他會發出
　深沉的歎息，一面走一面喃喃自語：『唉，顧老師啊！甚麼時候能見您呢？老師
　啊——』『老師啊！能看見我的書，那多好啊！』之後就是一大段沉默，神情無
　奈。他說這話是斷斷續續的，聲音很小，可是嗓音清晰，還是能夠讓身邊的人聽清
　楚。這種情形已經不止兩、三回，所以每回當他在路上開聲歎息的時候，我幾乎都
　可以料想到他要說哪幾句話，為盼望誰而歎息。雖然我不曾聽過何老師說顧頡剛怎
　樣影響他，可是在這短暫的十秒八秒的歎息裏，就足以讓我知道顧先生真的影響了
　何老師一生了。」（見氏撰：〈永遠的懷念——紀念何定生教授逝世四十週年〉，《中
　國文哲研究通訊》第20卷第2期〔2010年6月〕，頁73。）

7　王學典主撰：〈始於愛而終於離——顧頡剛與何定生〉，《顧頡剛和他的弟子們》（北
　京市：中華書局，2011年增訂本），頁81-122。案：正文對諸位弟子的羅列係根據該
　書篇章排列的次序。

辨》中的《詩經》研究成果（參第二、三節）。有鑑於《古史辨》與
顧頡剛的關係，既然何定生是顧頡剛早年極為親近的弟子，則何定生
本人是否從屬於所謂的「古史辨派」？[8]自然也是值得關注的問題。
但在解決這個問題之前，還是得先將所謂的「古史辨派」的定義做一
番探討。

顧名思義，所謂「古史辨派」自然是跟《古史辨》這套專門討論
古史問題的著作分不開的，顧頡剛的弟子楊向奎對《古史辨》曾有如
下的敘述：

> 從一九二六年《古史辨》第一冊結集出版到一九四一年《古史
> 辨》第七冊結集出版，先後共十五年的光景，參加中國古代史
> 討論者有多人，而主將始終是顧頡剛先生。後期，《古史辨》第
> 七冊的主編是童書業教授，他是頡剛先生古史學說的發揮者。[9]

楊向奎在〈論「古史辨派」〉一文中主要是以顧頡剛和童書業二人為
討論對象。似乎從他的角度來看，顧、童二人顯然就是古史辨派的核
心人物，這也可以說是古史辨派最嚴格、最狹隘的定義。

當然，作為中國現代人文學界有影響力的學術流派，古史辨派當
然不會只有顧頡剛和童書業二人，凡是有參加以顧頡剛為主導的古史
討論，並有文章登載或收錄在《古史辨》中者，都有可能是該派中的
一員。如何定生登在《古史辨》第三冊中的〈關於詩的起興〉一文，

8　楊向奎即如此稱呼，他曾在〈論古史辨派〉，收入《中華學術論文集》（北京市：中
　　華書局，1981年）一文中，對以顧頡剛和童書業為主的該學派學術內容做過評論。
　　又劉起釪亦認為《古史辨》的出版，「于是在中國史學界裏，出現了一個以『疑
　　古』為旗幟的『古史辨派』。」（見氏撰：《顧頡剛先生學述》〔北京市：中華書局，
　　1986年〕，頁131。）
9　楊向奎：〈論古史辨派〉，頁11。

其中部分論點為莫礪鋒在《朱熹文學研究》書中所批評，莫氏就稱何定生為「《古史辨》學者」。[10]但並非凡有文章登在《古史辨》中的學者皆屬於古史辨派，如胡適（1891-1962）和錢穆（1895-1990）的文章皆可在《古史辨》中看到，但恐怕不太會有人視他們為「古史辨派」或「《古史辨》學者」。[11]

　　除了文章登載在《古史辨》七冊中這個基本條件外，至少還須滿足以下兩個條件，即：與顧頡剛有一定程度的師友交遊關係，以及認同《古史辨》學風，二者符合才算古史辨派者。只存在師友交遊關係，但為學理念與治學方向與《古史辨》學風大異其趣，也不能算是古史辨派。楊向奎就是一個最鮮明的例子，他既是顧頡剛的弟子，早年與顧頡剛有密切的師生關係，且亦曾為文登載在《古史辨》中，參與古史的討論。但他後來公開聲稱不屬於古史辨派，且曾多次為文公開批判顧頡剛，強烈表達不認同其理念。[12]因此，若將楊向奎視為古

10　莫礪鋒：《朱熹文學研究》（南京市：南京大學出版社，2000年），頁239。

11　夏傳才（1924-2017）雖亦認為不見得在《古史辨》發表過文章便是一派，但他持動態的發展觀念，還是肯定那些在《古史辨》發表過文章的學者，「至少在一定時間內他們的觀點有一致之處，並且彼此聯繫，有過合作關係」。但至於後來的發展就另當別論了。（見氏撰：《二十世紀詩經學》〔北京市：學苑出版社，2005年〕，頁109。）所以就胡適和錢穆二人的情況來說，他們的理念與治學方向的確在某一特定時期（二十年代）與《古史辨》接近，或可稱為同道或戰友，但後來又遠離，終致分道揚鑣。又案：誠如王汎森所言：「《古史辨》是由許多史家在不同刊物上發表的文字所選輯而成，但它們之所以編排在一起，實因有共同的脈絡貫穿其間，形成幾個論域（discourse），所以收集在這七大冊書中的文字不管是贊成、修正或反對對方的論點，卻都是在同一個棋盤上下棋，應該放在一起來分析與描述。」（王汎森：《古史辨運動的興起——一個思想史的分析》〔臺北市：允晨文化實業公司，1987年〕，頁289。）這些為文贊成、修正或反對的學人都可以視作是古史辨運動的參與者，但並不一定都是古史辨派者，只有那些贊成、支持與認同古史辨運動的人才有可能是古史辨派的學人。

12　相關討論參見本書第九章。

史辨派，恐有違實情。但若僅認同或私淑《古史辨》的治學理念，卻並無與《古史辨》主要人物有直接而親近的交遊關係，亦不曾有文刊載在《古史辨》中，恐也很難說是屬於古史辨派。如在一九八一年出版《左傳疏證》，論證《左傳》為劉歆所偽作的徐仁甫（別名徐行，1902-1988），其治學理念與《古史辨》相合，且曾與顧頡剛通信[13]，但他既非《古史辨》的作者，又未與顧頡剛有較為親近的師友交遊關係，頂多只能說他是古史辨派的同道，而不能將其列入古史辨派中。因此，真正意義上的古史辨派應是那些認同《古史辨》治學理念，又與《古史辨》核心人物顧頡剛具有一定程度的師友交遊的親近關係，且圍繞著《古史辨》來討論古史問題與發表研究成果的學術社群。[14]事實上，這個學術群體從局外人的角度來看，應是具有高度辨識性的，就如同顧頡剛在一九三〇年代創辦的《禹貢》半月刊及禹貢學會，也聚集了一批有志鑽研歷史地理學的同道及學生，他們的作為及表現引起了中外學界的注視，為此日本學者森鹿三（1906-1980）還曾於《東洋史研究》第一卷第二號寫了〈禹貢派的人們〉一文加以評

---

13 《顧頡剛全集》中之《書信集》卷3共收有六通顧頡剛致徐仁甫的書信，通信時間均集中在一九七三至一九七五年間。（參顧頡剛：《顧頡剛全集》〔北京市：中華書局，2010年〕，第41冊，《書信集》卷3，頁511-515。）案：此六通信均錄自徐仁甫：〈記顧頡剛先生論左傳及對左傳疏證的期許〉，收入王煦華編：《顧頡剛先生學行錄》（北京市：中華書局，2006年），頁405-410。又案：關於徐仁甫《左傳疏證》的研究，可參宋惠如：〈從重建古史到重省學術史——徐仁甫（1902-1988）左傳疏證研究及其意義〉，《輔仁國文學報》第36期（2013年4月），頁57-80。

14 從某種角度來說，參與古史問題討論，而又有文被收入在《古史辨》中的學界中人即已意味著與顧頡剛有著一定程度的互動關係，否則彼此之間根本毫無交集，文章也自然不可能會登載在《古史辨》中，但這中間又勢不可免地會存在著與顧頡剛親疏遠近不等的關係。在較廣泛的意義上的古史辨派包括所有那些在古史辨運動期間，因認同《古史辨》學風而參與其相關之古史討論，既而文章又被收入在《古史辨》中，且又與顧頡剛有所互動往來的學人們。至於較狹義也可說較核心的古史辨派自然就是那些與顧頡剛關係最為緊密親近的師友門生們。

介。[15]類比這種稱呼，也不妨將這個學術群體稱為「古史辨派的人們」。[16]

　　討論過了「古史辨派」的定義之後，接下來要探討的就是何定生與《古史辨》的關係，或更直接地提問：何定生屬不屬於古史辨派？首先，何定生確曾在《古史辨》登載文章，臺北明倫出版社於一九七〇年翻印《古史辨》時，特邀毛子水（1893-1988）、徐文珊（1900-1998）、何定生與陳槃（1905-1999）四位曾與《古史辨》或顧頡剛有密切關係的遷臺學者為文誌念，顯係注意到了何定生為《古史辨》中的作者這一事實。[17]其次，他曾為顧頡剛的門生，儘管後來二人因嫌隙而疏離，又因動亂而失聯，但何定生文章登載在《古史辨》第三冊的當時，他們的確還維持著極為親密的師生關係。第三，尤其重要的是，何定生終其一生的學風及主要學術觀點仍繼承著顧頡剛在《古史辨》中所開展的方向。由此來看，何定生確實可以稱得上是古史辨派

15　森鹿三撰、周一良譯：〈禹貢派的人們〉，《禹貢》半月刊第5卷第10期（1936年7月16日），頁65-68。案：在顧頡剛主持《古史辨》編務時期，由於其樂於提攜後進，所以收錄了不少學生或學界後進的文章，這些人與顧頡剛有著緊密的關係，形成「顧頡剛的弟子們」。這些門生弟子也與「古史辨派的人們」有重疊的關係，就如同「禹貢派的人們」的情況。

16　與古史辨派相接近的概念厥為所謂的「疑古學派」。但二者仍有所不同，大體來說，後者範圍較廣，可以涵攝前者；但前者只能集中在《古史辨》中，範圍較窄，不能將二者等同，說疑古學派即為古史辨派。

17　四人中除毛子水外，皆曾為顧頡剛的學生，且皆亦有文刊載在《古史辨》中。毛子水雖無文刊於《古史辨》中，然其早年與顧頡剛為舊識，其嘗自謂：「傅（斯年）、顧（頡剛）二位是我在北大預科時最為志同道合的學友。」（見宋淑萍：〈毛子水先生傳〉，《國立臺灣大學中國文學系系史稿（1929-2014）》〔臺北市：國立臺灣大學中國文學系，2014年〕，頁635。）又《顧頡剛日記》從一九二四至一九四三年間記錄二人互動處甚多，甚且《古史辨》第一冊出版時，顧頡剛還在日記中將其列為應贈送人之一。（見顧頡剛：《顧頡剛日記》〔臺北市：聯經出版事業公司，2007年〕，第1卷，頁799，「1926年9月30日」記。凡此皆足印證毛子水早年確與顧頡剛有著深厚的交誼。

的學者，而他的治學成果主要就表現在《詩經》研究。

第二節　何定生與《古史辨》的翰墨因緣

　　何定生早年就讀廣州中山大學時期曾寫過兩篇有關《詩經》的論文，即〈詩經之在今日〉與〈關於詩經通論與詩的起興〉，前文寫於一九二八年七月，原載廣州《民國日報》副刊；後者撰於一九二九年五月，原載《國立中山大學語言歷史學研究所週刊》第九集第九十七期，一九二九年九月四日出版。他寫作此文時已退學隨顧頡剛北上故都北平，所以實際的撰作地點是在北平而非廣州。[18]當顧頡剛於一九三○至一九三一年間編輯《古史辨》第三冊時[19]，將這兩篇文章收入《古史辨》第三冊下編，並且又將〈關於詩經通論與詩的起興〉析分成〈關於詩經通論〉與〈關於詩的起興〉兩篇。此是何定生與《古史辨》結緣的始末，而這不但使其成為《古史辨》的作者群中之一員，且亦使他有資格擁有「古史辨派」或「《古史辨》學者」，這樣一個在現代人文學術史中具有特殊地位的頭銜甚或學術光環。

　　何定生當年刊登在《古史辨》中的文章，或許仍帶有些許初學者的青澀稚嫩，但也充滿蓬勃的朝氣與初生之犢的銳氣。在〈關於詩經通論〉文中，他對當時才剛被學界所注意的姚際恆（1647-約1715）的《詩經通論》做了初步但又不失尖銳的評析。首先，他承認此書在《詩》學史上及在《詩》研究上，確實是一部難得的重要著作。他接著指出姚氏的冀圖不但要推翻《詩序》，而且還想推翻反《詩序》的

---

18 見何定生：〈關於詩的起興〉，《古史辨》（臺北市：藍燈文化事業公司，1987年），
　　第3冊下編，頁705。

19 據顧潮《顧頡剛年譜》所載，顧頡剛編校《古史辨》第3冊始於一九三○年十一月
　　至十二月間，此編校工作又一直持續至一九三一年，直至該年十一月，該冊才正式
　　由北平樸社出版。（參顧潮：《顧頡剛年譜》，頁213、219、220-221。）

朱熹（1130-1200）《詩集傳》。雖然朱子的《集傳》之學算是《詩
經》學的革命派，但姚氏仍不滿意，嫌朱子不夠徹底，是個調和派，
姚氏想別樹一幟地進行徹底革命。其次，何定生進一步指出，姚氏的
態度既非如清代的學者，先據毛、鄭以倒朱，再依三家以倒毛，而是
各派混戰中超然的一派。他想自己披荊斬棘，去敲開《詩經》的門。
第三，何定生認為，姚氏也實在只有這種可貴的精神，因為他並不會
比朱熹更高明。如在對待《詩序》的態度上，姚氏雖罵《詩集傳》
「佞《序》」，但他自己也仍不徹底，有時也用《序》。此外，他對淫
詩問題的見解就遠不如朱熹，甚至為了打倒《詩集傳》，姚氏不惜反
對淫詩，甚至不惜替美刺說張目。因此，在何定生看來，姚氏的見解
也不會比朱熹高明。最後，何定生肯定姚氏的可貴精神，就在於他的
嚴刻的不輕易相信這點上。[20]姚書的最大價值，就在於其體現了嚴格
的懷疑精神，不輕易相信既有的權威的說法，由此看來，何定生此文
的觀點確實是很「古史辨的」，背後顧頡剛的身影隱約若現。事實
上，據何定生晚年自述，此文之作乃他在廣州中山大學一年級時，在
當時讀《詩》風氣下，顧頡剛將姚際恆《詩經通論》介紹給他，並命
他寫批評，結果在急就之下所寫出來的文章。[21]

　　至於〈關於詩的起興〉一文，其中主要的觀點，用他晚年的自
述，即是「完全是個鄭樵主義的」[22]，他對於鄭樵（1104-1162）的觀
點皆抱持高度讚賞與認同的態度，如「夫詩之本在聲，而聲之本在
興；鳥獸草木乃發興之本」、「嗚呼！詩在於聲，不在於義。」[23]何定

---

20 以上敘述參何定生：〈關於詩經通論〉，《古史辨》，第3冊下編，頁419-423。

21 何定生：〈詩經的復始問題〉，《詩經今論》（臺北市：臺灣商務印書館，1968年），
　　頁77。

22 何定生：〈詩經的復始問題〉，《詩經今論》，頁186。

23 何定生：〈關於詩的起興〉，《古史辨》，第3冊下編，頁699、700。

生從鄭樵的觀點得到啟發，從聲音、歌謠的角度出發，認為作為詩的起頭的興句是和下文沒有意義上的關連，他給「興」下的定義就是：「歌謠上與本意沒有干係的趁聲。」[24]他自承所主張的鄭樵「唯聲主義」和其師顧頡剛的「協韻起頭說」亦有點兒暗合[25]，且何定生為了證成他的觀點，在此文中還援引了後世兒歌民謠來做例證[26]，這種做法除了有受當時風氣影響的痕跡外，最直接的影響恐仍與顧頡剛之提倡歌謠研究，且利用歌謠來論證《詩經》相關問題的做法脫離不了關係。[27]

　　〈詩經之在今日〉這篇文章是何定生三篇收入《古史辨》第三冊文章中最早寫成的（一九二八年七月），也是內容較單薄的一篇。何定生在這篇於二十分鐘內寫完的文章中，除複述他三年前十四、五歲時所作的〈詩經的文學觀〉，把《詩經》的性質用歌謠來解釋的論點外，也對自己研究《詩經》的過程做了回顧。其自述青少年時期學識見聞有限，只在《學海類編》中找到宋代程大昌（1123-1195）的《詩論》及在《四部叢刊》中找到蘇轍（1039-1112）《欒城應詔集》裡的一點材料。後來看到顧頡剛的〈詩經之厄運與幸運〉，其中展示的研究《詩經》的方法之周詳廣大，繁複多方，使其大吃一驚。後來陸續又看見謝無量（1884-1964）的《詩經研究》，以及各種雜誌上如雨後春筍般談論關於《詩經》一類的文章，皆使其眼界大開。因此他所謂「《詩經》之在今日」的意思，便是他建議當時若要談論《詩

---

24 何定生：〈關於詩的起興〉，《古史辨》，第3冊下編，頁702。

25 何定生：〈詩經的復始問題〉，《詩經今論》，頁186。

26 何定生：〈關於詩的起興〉，《古史辨》，第3冊下編，頁700-701。

27 顧頡剛之提倡歌謠研究，見氏撰：〈自序〉，《古史辨》第1冊，頁37-40、75-77。顧頡剛利用歌謠來論證《詩經》者有〈從詩經中整理出歌謠的意見〉（《古史辨》，第3冊下編，頁589-592）、〈論詩經所錄全為樂歌〉（《古史辨》，第3冊下編，頁608-658）等二文。

經》，至少宜從顧頡剛及其他零碎之作與俞平伯（1900-1990）等所編
列之外有所發見者入手，否則拾人殘棄牙慧，在他看來也是挺無聊
的。此外，他還建議應要有歷史的眼光與常識，倘若以二十世紀的思
想來律一切過去的見解，如此做法實不可行。[28]此文令人注意之處倒
不在於他所提出來的實際觀點如何（如《詩經》與歌謠的關係，及
《詩經》研究方式的建議等），而在於敘述他早年《詩經》研究與觀
點的形成過程。雖然顧頡剛確實是影響他至為鉅大的關鍵人物，但他
在接觸顧頡剛著作前的青少年時代，即已注意到《詩經》與歌謠的關
係，包含興句與本詩沒有多大關係；換章只換韻腳，於本詩意義沒有
改變；不同篇之詩有相同的句子等，這些地方使他注意到了聲的關
係。此外，他也開始利用後世歌謠來為其論點進行論證，甚至他在見
到鄭樵的言論後更加確定他的見解。[29]這顯示出的意義是：何定生的
《詩經》研究固然受到顧頡剛的直接影響，但他在接觸到顧頡剛的觀
點前並不是白紙一張，也不是如陳相見許行般之「盡棄其學而學
焉」，而是已有一定根柢，相當學養，且學術觀點、為學進路及學問
興趣適與顧頡剛相契合，遂在遇到當時學問已卓有成就的顧頡剛之
後，便傾心學習，跟隨顧頡剛疑古辨偽的步伐，投入於《詩經》的研
究。這種關係多少類似於當年顧頡剛追隨甫留美歸來的胡適所開創的
新穎治學方法的情況[30]，這樣的師生情緣及學問傳承影響關係，確實
極具意義與特色。

---

28 以上敘述參何定生：〈詩經之在今日〉，《古史辨》，第3冊下編，頁690-694。

29 何定生：〈詩經之在今日〉，《古史辨》，第3冊下編，頁690-693。

30 顧頡剛只比胡適小兩歲，且其舊學根柢亦不遜於胡適。但顧頡剛大二時，聽了傅斯
年（1896-1950）的推薦，去旁聽剛從美國留學歸來的胡適在北京大學哲學系開設的
「中國哲學史」，從此以後對胡適非常信服。（參顧頡剛：〈自序〉，《古史辨》，第1
冊，頁36。相關討論又參王學典主撰：《顧頡剛和他的弟子們》，頁8-10。）

第三節　何定生對《古史辨》的《詩經》研究之評析

　　何定生與《古史辨》的《詩經》研究的關係，不只表現在其文曾收入於《古史辨》中，而成為《古史辨》作者群中之一員，更顯示在他晚年自覺地為《古史辨》中的《詩經》研究成果做系統性的評判，其中自然也包含他早年的文章。不同於學生時代所作《詩經》論文之青澀與倉促，晚年的評判係立基於其數十年持續研究《詩經》所積累之深厚學養，一方面呈顯出其《詩經》學的成熟觀點，另一方面也表達出他對《古史辨》的《詩經》研究的具體成果所做之深入回顧與反省。而這種回顧省思的工作又是來自於參與者的見證與現身說法，相較於站在《古史辨》外，用純粹客觀中立的態度來檢視《古史辨》的《詩經》研究成果者，何定生這種作法確實增加了不少的說服力與親切感，其學術價值不容小覷。[31]

　　何定生對《古史辨》的《詩經》研究成果所作的評騭，主要展現在〈詩經的復始問題〉一文中。此文收入《詩經今論》卷二，原題作〈詩經的復古解放問題〉。所謂「復古解放」，照何定生的意思，是在周樂亡後，樂歌失其原始用途，三百篇的原始面目便逐漸被掩埋。漢儒所倡之「諫書」思想一直籠罩著後世，即使宋、清學人對於漢儒的附會雖也頗有爭執，但在「諫書」思想的基本觀念上，仍與漢儒同一立場。因此在他看來，今日若要研究《詩經》，非從漢、宋、清學，乃至戰國之儒，如孟、荀、《學》、《庸》之學解放出來，以復於春秋

31　這種情況頗類似梁啟超（1873-1929），他親身參與和見證了晚清以其師康有為（1858-1927）為中心的今文學思潮和變法改革運動，而他在《清代學術概論》中也將自己視為晚清學術史的組成分子加以敘述和評論。這樣的論述方式是否忠實於歷史？其客觀性又如何確立？……等問題暫且不顧，即使僅將其論述視為歷史參與者的證詞或現身說法，相信仍是有極高的參考價值。

以前之古，如此才有獲得真相的可能。而惟有三百篇回到春秋以前之古後，方可覷其本始地位，而詩人之意乃可從原始的解釋得到解放，他認為這才是研究《詩經》最終的目標。[32]由於《詩經》的復古解放問題在民國初年時與其他的古史問題，同樣受到新文化運動的激盪而被熱烈討論，所留下來的三十萬字的幾十篇論文，仍不失其為所謂「啟明期」重要文獻的意義與價值[33]，因此何定生便決定將這些收錄在《古史辨》中的論文做文摘式的輯錄，並仿效方東樹（1772-1851）《漢學商兌》的方式引述各文，並加以批評。[34]但何定生作此文並非只是消極地作學術史的回顧，事實上他有更積極的目的，即是「寄意於新解題的問題」，希冀可以提供「今後研究《詩經》的新方向和實例」。[35]

何定生在此文中將《古史辨》中的《詩經》研究論文分為六類：（一）《詩經》的一般綜合問題、（二）《詩序》問題、（三）專書討論、（四）歌謠問題、（五）起興問題、（六）詩解舉例。他的做法大

---

32 以上敘述參何定生：〈詩經的復始問題〉「本文提要」，《詩經今論》，頁1-2；及「序論」，頁74。

33 何定生：〈詩經的復始問題〉「本文提要」，《詩經今論》，頁1-2。

34 何定生：〈詩經的復始問題〉，《詩經今論》，頁80。

35 何定生：〈詩經的復始問題〉「本文提要」，《詩經今論》，頁2。案：何定生曾於一九六四年年底時擬訂爾後研究《詩經》之計畫，其云：「今日研究《詩經》工作，皆破碎片段，最好從字義（包括詞彙、成語辭句等）作徹底研究，然後詩可貫通。若做字典編排，從字、詞、片語、成語的關係，以尋求章句的特徵，必可窺詩旨的消息，然後可及詩人的意志也，如此則《詩經》可讀矣。我以為今日研究古書，必能使之現代化——即使現代人可讀，才是有意義的工作。《詩經》乃古典文學的第一部書，我欲為此闢一新途徑，以為拓展之始。」（楊晉龍：〈何定生教授年表初稿〉，頁17。）所謂「詩旨的消息」和「詩人的意志」即解題的主要內容。對何定生來說，研究《詩經》的最終目的，就在於「尋求詩文最後（也可說就是本始）的解釋」。（〈讀詩綱領〉，《定生論學集——詩經與孔學研究》〔臺北市：幼獅文化事業公司，1978年〕，頁13。）何定生欲編纂《詩經辭典》，顯然是為《詩經》新解題的準備；而有了《詩經》新解題，方可使《詩經》為現代人所讀。

體上是在各類中針對相關的重要論文做文摘式的評述，惟有第六類是針對《古史辨》所討論的詩篇做綜合性的評析，並不對各別論文的內容做摘要及評論。以下分別對各類中的評述意見做一番考察。

（一）就《詩經》的一般綜合問題而言，何定生共評析了顧頡剛〈詩經在春秋戰國間的地位〉、胡適〈談談詩經〉、顧頡剛〈讀詩隨筆〉與錢玄同〈答顧頡剛先生書〉（收入《古史辨》第一冊中編）二文論《詩經》的輯集問題、張壽林〈詩經是不是孔子所刪定的？〉、俞平伯〈論商頌的年代〉與陳槃〈周召二南與文王之化〉等六組七篇文章。他對其師顧頡剛的〈詩經在春秋戰國間的地位〉（原題作〈詩經的厄運與幸運〉）一文極為推崇，既稱許為「新文化運動以來有關《詩經》問題第一篇最具爆炸性的文字」[36]、又讚揚此文在此次《詩經》問題的討論中，「為最具全面的重要性」、「最有分量之作」。[37]事實上，何定生對此文評析所用的篇幅也是最多的，遠超過對其他論文的評論。由此皆可看出何定生對此文的重視。

此文共分五章，第一章「傳說中的詩人與詩本事」，顧頡剛用樂歌的觀點來述說《詩經》的起源，何定生認為是最近事實的，而且他也贊成顧頡剛關於三百篇的作者和本事不能希望有一個完滿回答的說法。[38]第二章「周代人的用詩」，顧頡剛指出若要看出《詩經》的真相，最應該研究的就是周代人對於詩的態度，而這就不得不研究那時人用詩的方法。他歸納出來大概可分為典禮、諷諫、賦詩和言語等四種用法。但何定生卻以為《詩經》的諷諫作用甚為微小，除了諷諫的詩歌外，還有男女私情、民生疾苦、吟詠情性一類的詩歌，都是藉著「無算樂」才入樂的。這些樂歌最大的意義在於賓主盡歡，因此諷諫

---

36 何定生：〈詩經的復始問題〉，《詩經今論》，頁75。
37 引文分別見何定生：〈詩經的復始問題〉，《詩經今論》，頁81、105。
38 何定生：〈詩經的復始問題〉，《詩經今論》，頁83。

作用可發揮的機會就更少了。何定生批評顧頡剛不從諷諫作用和樂歌
的客觀關係上來認識諷諫的客觀效果，卻去相信《左傳》和《國語》
中那些和三百篇毫不相干的「獻詩、獻曲」一類的傳說。[39]何定生極
看重散歌散樂（無算樂）的作用，他認為正歌重在行禮，而無算樂則
專主娛賓，故內容能愈輕鬆愈好，這也是三百五篇詩之不能不有半數
以上的散歌（相當於漢人的變詩）的道理。他對顧頡剛未能從這點上
來把握感到惋惜，認為是一個大弱點。[40]但他卻很稱許顧頡剛對春秋
時「賦詩斷章」的認識，認為此章結論所說「他們無論如何把詩篇亂
用，卻沒有傷損《詩經》的真相」的話最為得間。[41]第三章「孔子對
於詩樂的態度」，何定生雖認為顧頡剛既知道孔子用詩的方法和春秋
人一路，但卻從他無一語涉及「思無邪」的問題這一點看出，其對於
孔子對詩樂的態度之認識仍嫌不足。[42]第四章「戰國時的詩樂」，何定
生申述顧頡剛的觀點，認為戰國時雅樂既已失傳，三百篇無所憑藉，
戰國時代之儒只好借詩文來講義理。所以就時代言，這是個詩樂的變
形時期，但就儒術而言，卻是《詩經》學的胚胎時代。[43]第五章「孟
子說詩」，對文中關於「王者之跡熄而《詩》亡」的解釋做了番批
評，認為孟子非如顧頡剛所說的，將「《詩》亡」和「《春秋》作」二
事連在一起，因為這分明是講不通的。[44]

　　何定生肯定此文所涉及的範圍，已包括了今日所應提出《詩經》
問題的主要部分，如三百篇何以能集合在一起，又何以能流傳下來，
漢人的《詩經》學又如何形成等。而作者就原始禮樂的觀點，即周人

39　何定生：〈詩經的復始問題〉，《詩經今論》，頁87。
40　何定生：〈詩經的復始問題〉，《詩經今論》，頁91。
41　何定生：〈詩經的復始問題〉，《詩經今論》，頁96。
42　何定生：〈詩經的復始問題〉，《詩經今論》，頁99-100。
43　何定生：〈詩經的復始問題〉，《詩經今論》，頁102。
44　何定生：〈詩經的復始問題〉，《詩經今論》，頁104-105。

用詩的方法，來尋求問題的答案，以及其中所展現出來的若干觀點也都得到何定生的認同。但他對顧頡剛不知諷諫作用之為依存於無算樂，且對於歌謠與言情一類的詩所以能入樂的原因，仍認為缺乏真切的認識。又文中未對春秋時賦詩引用淫詩問題有積極的見解，以及作者對孔子「思無邪」之義亦無一語涉及等，都有美中不足之憾。此外，何定生亦不苟同顧頡剛所持之漢人《詩經》學乃導源於孟子的「亂斷詩」之說，認為另有匪伊朝夕的累積原因，不能專歸責於孟子。在他看來，與其說受了孟子的影響，毋寧說是戰國、秦、漢之儒對於《詩經》做一種有目的的綜合解釋。[45]

　　雖然何定生對這篇曾在他青少年時期給予他極大啟發的論文，有著種種的批評，但整體來說，他還是能對顧頡剛此文在當時所發揮的影響及貢獻有充分的肯認，如他認為此文已經「提供了攻擊漢人的《詩經》學一個全面性的戰略」。又說作者係「以一個現代歷史學者的態度和方法來寫的文章」。因而此文的發表，「使大家的意識為之一新」。影響所及，「對於詩文的再估價很自然的便成為一時的新風氣」。[46]

　　除了顧頡剛此文外，何定生還在此類文章中評析了胡適等人的文章，只是篇幅沒那麼多，有些也只是針對個別細節的問題。以下略為撮述其中較為重要的論點。在評論胡適〈談談詩經〉時，他首先肯定該文關於「《詩經》不是哪一個人輯的，也不是哪一個人做的」觀念，以為根據此觀念，孔子刪詩說便不足辨。又他對文中強調研究《詩經》要講文法，也認為是很切要的。但他對胡適用社會學的眼光來解《詩》，則持較保留的看法。[47]此外，他對陳槃〈周召二南與文王之化〉文中脫盡傳統束縛的解《詩》態度亦有不同的想法，認為如此

---

45 何定生：〈詩經的復始問題〉，《詩經今論》，頁105-106。

46 何定生：〈詩經的復始問題〉，《詩經今論》，頁75-76。

47 何定生：〈詩經的復始問題〉，《詩經今論》，頁112-113。

未必能得其真際。如其對胡適解〈葛覃〉、〈小星〉等詩表示欣賞,但何定生卻批評說:「無異方從漢人的附會陰影中出來,卻又進入另一種新的附會裏去。」他犀利地指出:這也許正是當時解《詩》新風氣的一般趨向。[48]

(二)就《詩序》問題而言,何定生評析鄭振鐸(1898-1958)〈讀毛詩序〉和顧頡剛的〈毛詩序之背景與旨趣〉二文。他指出鄭文這篇專為攻擊《詩序》而作的文章,在觀點上是與顧頡剛的反漢人態度一致的,其中甚至有一部分材料還是顧頡剛所供給的。可惜「文筆軟弱,論證常不能切中肯綮」,雖文長不下萬言,卻還不如顧頡剛不過千言的〈毛詩序之背景與旨趣〉之精警切要。[49]何定生概括顧文的論點有二:一、《毛詩序》的方法是以「篇第先後」為「時代早晚、道德優劣、政治盛衰」的標準;二、《毛詩序》乃東漢初衛宏所作,已明著於《後漢書》。然漢以來人必欲推而上之謂為子夏所作,或孔子所作,或國史所作,或詩人所作。何定生認為上述兩點,即足以道出《毛詩序》背景的隱微,也充分說明二千年來尊《序》者篤於信古而甘於自欺的心理。他認為這種心理可能也就是漢人託古改制思想的另一種表現。[50]

(三)關於專書討論的問題,何定生討論了顧頡剛〈重刻詩疑序〉和他自己的〈關於詩經通論〉二文。就前文而言,何定生認為顧頡剛雖有意對王柏(1197-1274)《詩疑》一書的價值加以渲染,但若就其黜「淫詩」一事而論,則無甚新意,因此義乃朱子之餘緒。何定生認為此書的價值仍在其讀《詩》的態度和方法上,前者誠如顧頡剛所指出的,其表現出了不信一切權威(包含毛鄭、《詩序》、《左傳》,

---

48 何定生:〈詩經的復始問題〉,《詩經今論》,頁124。

49 何定生:〈詩經的復始問題〉,《詩經今論》,頁77、127。

50 何定生:〈詩經的復始問題〉,《詩經今論》,頁129。

甚至其太老師朱熹），只單就《詩經》白文致力的態度。而在方法方面，顧頡剛也歸納了四種從文本本身與其他文獻相互比勘的精密手段。何定生亦肯定顧頡剛對王柏的功罪所做的持平之論。[51]就後文來說，何定生在相隔三十多年後，重新回顧自己的文章，他指出此文係專就姚際恆的反朱及辨偽的獨特精神做重點的提出，但他也反省該文仍存在著若干缺失之處，包括對前述要點發揮仍嫌不夠；論朱熹反《序》原委反占頗重篇幅，不無喧賓奪主之嫌；及論姚氏見解不如朱熹高明處，所引例證仍嫌不足等。[52]

（四）關於歌謠問題的討論，何定生亦評析了顧頡剛〈從詩經中整理出歌謠的意見〉、〈論詩經所錄全為樂歌〉，及魏建功（1901-1980）〈歌謠表現法之最緊要——重奏複沓〉和張天廬〈古代的歌謠與舞蹈〉等四文。在何定生看來，歌謠與《詩經》的關係也是當時討論的重要主題。他概括顧頡剛〈從詩經中整理出歌謠的意見〉的大意有兩點：一、風、雅、頌之分在聲音而不在意義。二、《詩經》中的歌謠都已成了樂章，不是歌謠的本相，其往復重沓處乃樂工所申述。此文發表後，魏建功〈歌謠表現法之最緊要——重奏複沓〉持相反意見，顧氏為答魏文及兼論程大昌、顧炎武（1613-1682）所謂《詩經》中有部分徒歌之說，遂有〈論詩經所錄全為樂歌〉的長文。但何定生批評此文以後世歌謠形式來證《詩經》，以為證驗價值不高。而其用《左傳》、《國語》所載之徒歌形式來反證《詩經》之為樂歌，及從《詩經》的形式來判斷其成為樂歌的痕跡二點，也認為只有部分的理由，再加上若干解釋的問題，所以判斷論據並不強固。[53]總體來說，何定生認為《詩經》所錄皆為樂歌，《儀禮》本身即足以證明，

---

51 何定生：〈詩經的復始問題〉，《詩經今論》，頁77、134。
52 何定生：〈詩經的復始問題〉，《詩經今論》，頁77-78。
53 何定生：〈詩經的復始問題〉，《詩經今論》，頁78。

而顧頡剛欲從歌謠關係上來求其證驗，便轉多凝滯。[54]魏文及張文皆為批評顧文而發，何定生對魏文沒有太多具體評論，張文則對其批評顧文論〈桑中詩〉及以漢樂府例《詩經》之不可靠，以為「甚得間」。而對其論歌舞的關係亦大致同意，但對他疑《儀禮》所載〈鹿鳴〉「鼓瑟吹笙」為後人所加，及疑樂工不能製譜等處，則不予苟同。[55]

　　（五）起興問題的討論在當時也是一個相當被重視的課題，這方面的文章有顧頡剛〈起興〉、朱自清（1898-1948）〈關於興詩的意見〉、劉大白（1880-1932）〈六義〉與何定生的〈關於詩的起興〉等文。何定生認為顧文完全主鄭樵「詩在於聲，不在於義」的見解，因而說起興就是借聲起句，也可說是協韻起頭說。[56]朱自清則主「從當前習見事物指指點點地說起，便是起興」，但何定生比較朱自清與顧頡剛之說，發現朱氏主張「興是直說此事以象徵彼事」，較顧說多了「象徵」的觀念，而這不單純是聲音的問題。他認為漢、宋人把此關聯（直說此事與彼事）說得太重了，因此比興分不清；但鄭樵和顧頡剛又把聲音以外的關係看得太輕了。他認同朱說，覺得他所指出的象徵關係也是興詩應有之義。[57]至於劉大白對賦比興的關係之說法，何定生認為亦近於朱自清，蓋其無一語及於聲音，明顯和鄭樵、顧頡剛不同。[58]他坦承自己早年的主張淵源於鄭樵，又暗合於顧頡剛的協韻起頭說。但他此時的想法顯然有了較大的修訂，即開始認為起興的句子之聲音和意義的關聯是相對的，可能只是純粹無意義的聲音，但

---

54 何定生：〈詩經的復始問題〉，《詩經今論》，頁175。

55 何定生：〈詩經的復始問題〉，《詩經今論》，頁179。

56 何定生：〈詩經的復始問題〉，《詩經今論》，頁79、181-182。

57 何定生：〈詩經的復始問題〉，《詩經今論》，頁79、183-184。

58 何定生：〈詩經的復始問題〉，《詩經今論》，頁185。

有時也可能是有意義的。他對此問題的看法可能受到朱自清的影響，雖不否定興詩主要的方法在聲音的變換，但也注意到了詩意的暗示或象徵的作用之可能。[59]

（六）在詩解舉例的評析中，何定生回顧了當時被熱烈討論的詩篇，包括《邶風》〈靜女〉、《召南》〈野有死麕〉、《召南》〈小星〉、《鄭風》〈野有蔓草〉等十幾篇詩。何定生對當時所進行的詩解討論做了整體的回顧：他認為詩旨的客觀解釋是當時《詩經》問題的討論所追求的最終目標。但傳統的漢、宋、清學的解釋都受到《毛詩序》和漢儒思想的籠罩禁錮。因而今日要給原始的《詩經》一個客觀的解釋，非從漢、宋、清學的基本觀念上解放出來不可。[60]但舊解釋固然要丟棄，新觀念的引進是否就一定合於客觀的要求呢？觀其對胡適用社會學的眼光解〈野有死麕〉和〈小星〉的批評[61]，以及擔心解《詩》為掙脫舊傳統的狂熱而走向極端的情況[62]，就可知何定生對此亦不免抱持著懷疑的態度。

總的來說，在這六類《詩經》研究論文的評論中，雖然看似頭緒有些紛雜，所論列的學者及論著亦頗繁多，但仍是可以理出貫串其間的主要脈絡，亦即他對顧頡剛表現在《古史辨》中的《詩經》研究成果的把握與對話。在一般綜合問題的評論中，何定生特別針對顧頡剛的〈詩經在春秋戰國間的地位〉做細緻的評析。對《詩序》問題的討論中，他也特別標舉顧頡剛〈毛詩序之景背與旨趣〉的觀點。而關於專書討論的問題，他主要討論的就是顧頡剛的〈重刻詩疑序〉和他自

---

59 何定生：〈詩經的復始問題〉，《詩經今論》，頁79、186-187。

60 何定生：〈詩經的復始問題〉，《詩經今論》，頁188。

61 何定生：〈詩經的復始問題〉，《詩經今論》，頁76、192-194、。

62 何定生：〈詩經的復始問題〉，《詩經今論》，頁200。案：何定生對此現象舉的例證是魏建功將《魏風》〈伐檀〉的「彼君子兮，不素餐兮」翻譯成：「唉，那些混賬王八旦，無菜不下飯！」

己的〈關於詩經通論〉。在歌謠問題和起興問題的討論中，顧頡剛的
文章及論點依然是其論述的焦點。雖然不完全都是正面肯定的評論，
時有尖刻銳利的批評，但由此也可以看出顧頡剛在他心目中的地位。

　　身為參與者或局內人的何定生眼中的《古史辨》的《詩經》研
究，固然對當時的成果有種種的批評，但大體來看，他的思想意識及
方法觀念還是處於新文化運動當時所謂「啟明期」中，他所批評致憾
者倒不是那些悖離了啟明期所追求的復古解放思潮之研究成果，而是
嫌其在復古解放方面仍不夠徹底，或又為新的權威所宰制。他所追求
的應是對啟明期當時所主導的方法意識之持續深化，而這樣的學術史
觀確實是與身為旁觀者或局外人的《詩經》學者頗為不同。比較兩位
同樣都有對二十世紀《詩經》學史進行研究的當代《詩經》研究大
家──夏傳才與趙沛霖──在其大著中均有評論《古史辨》的《詩
經》研究的篇章，但要麼從不同的史觀立基點加以評析（夏著以馬克
思主義為主）；要麼從客觀的時代學術文化思潮與學術史的建構模式
來評析（趙著），均與何定生的評騭大相逕庭。[63]但令人感到可惜的
是，何定生對《古史辨》的《詩經》研究之相關論說卻並未被包括夏
傳才與趙沛霖等大多數當代《詩經》研究者所注意及利用，這對現當
代《詩經》學史的研究來說，無論如何都是一個缺憾。[64]

---

63 夏傳才的論點見其所撰《詩經研究史概要》（北京市：清華大學出版社，2007年增
　注本），頁175-189；及《二十世紀詩經學》，頁104-111。趙沛霖的論點見氏撰《現
　代學術文化思潮與詩經研究──二十世紀詩經研究史》（北京市：學苑出版社，
　2006年），頁55-85。

64 以臺灣當代《詩經》研究大家趙制陽為例，他曾撰有〈古史辨詩經論文評介〉（收
　入氏撰：《詩經名著評介》第二集〔臺北市：五南圖書出版公司，1993年〕，頁507-
　627）之長文，亦將《古史辨》中之《詩經》論文分為：一般問題討論、《詩序》問
　題、《詩經》論著評介、詩篇討論、《詩經》與歌謠的關係、六義與起興問題等六
　類，除次序與類名字詞稍有不同外，幾乎完全同於何定生的分類。但趙先生文中除
　了評介何定生登載在《古史辨》的文章外，並未提及何定生〈詩經的復始問題〉這

第四節　結語

通過前面的考察可知，何定生不但是不折不扣的古史辨派的學者，而且他還一直延續保有古史辨派所擁有的思想意識與方法觀念，當年為他整理遺稿的曾志雄教授看得很清楚，其云：

> 他處理的雖是些古老（或傳統）的問題，卻用比較（或整合）、批判、復原、解釋等方法和態度來進行。這些方法和態度，顯然是顧頡剛疑古派的一個衍生型態。[65]

而他對《古史辨》的肯定也可從他晚年為《古史辨》臺灣版所寫的序言中看出：

> 這個三百萬字巨著的出現，事情雖是由顧先生個人發端，書中的編排，也顯然代表了顧先生個人思想的成長；但實際上這部書也正反映了三十年代那個「新思想運動」的客觀背景。……《古史辨》雖不必對於古史問題解答了什麼，但只這（二）〔三〕百萬字的記錄本身，就已不失其為一個新興世代的思想抽樣，值得所有對中國文化有興趣的人們參考了。[66]

他在《詩經》研究方面更是繼承了《古史辨》的方法，曾志雄曾如此敘述何定生《詩經》研究的特色，其云：

篇文章，而其文章論點也未見有引用因襲何定生此文的痕跡，顯然趙文並未受何文之影響。

65 曾志雄〈理稿報告〉，見《定生論學集——詩經與孔學研究》，頁196。

66 何定生：〈寫在古史辨臺灣版的編首〉，《古史辨》（臺北市：明倫出版社，1970年），第1冊，頁1。

　　何老師研究《詩經》從古字義和古代禮樂制度出發，注重探求
《詩經》的原始面貌和時代意義，以此填補古史辨派對《詩
經》研究的不足，這是一般人不易為之的事。由於他親身經歷
古史辨派的洗禮，對當時《詩經》研究的情況瞭如指掌，所以
晚年在這方面做了不少工作。他在世的最後幾年，臺灣商務印
書館出版了他的《詩經今論》，該書一方面挖掘過去「疑古
派」在討論《詩經》上的不足，特別著力於《雅》、《頌》禮儀
意義的探討；一方面也深入而有系統地闡述了漢人對待《詩
經》的態度，以及這種態度對後人的影響。書中對《詩經》問
題前後照應，可以說繼往開來；在評述學者觀點時深入淺出，
尤見識力，給人耳目一新的感覺。文章中看問題之準，找證據
之精，更往往叫人歎為觀止。[67]

　　而這也反映在他對《古史辨》的《詩經》研究的整體評價上。他認為
民國二十年代前後關於《詩經》復古解放問題的討論，雖時間推移十
餘年，空間也從上海延伸到北平、廣州等地的二十餘種刊物，包括了
北京大學、中山大學的研究刊物，統計大小論文五十餘篇，總篇幅不
下三十萬字，但事實上只是古史問題的一個流波，其中只有顧頡剛的
〈詩經在春秋戰國間的地位〉和〈論詩經所錄全為樂歌〉二篇長文
「具有全面性的重要意義」，其餘大都只是枝節或個案的討論而已。[68]
於《古史辨》的《詩經》研究中獨許顧頡剛的成就與貢獻。
　　他對顧頡剛的《詩經》研究不只有繼承、肯定而已，他更有所開
展與突破，何定生晚年自述其數篇《詩經》研究論著有一個共通的基
點：「就是藉禮樂的觀點，來解答《詩經》所發生的問題。」他認為

---

67 曾志雄：〈永遠的懷念──紀念何定生教授逝世四十週年〉，頁72。
68 何定生：〈詩經的復始問題〉，《詩經今論》，頁79。

「這是個重要的觀點，也是個新的觀點。」他批評過去的學人，雖然並非不知道《詩經》和禮樂原始關係的事實，但只重視主觀的義理解釋，卻完全忽略了禮樂關係的重要性。[69]惟獨顧頡剛「曾嘗試對此事，作全面的探討，已觸及問題的核心」，但在他看來，卻依然不能掙脫鄭玄（127-200）見解的網羅，所以雖有足夠的破壞力，卻缺少建設性的結論。[70]因而總結來說，他評價顧頡剛的工作：

> 仍沒有掃清漢以來《儀禮注》所加於詩樂關係的玄談，還原《詩經》在禮樂用場中（即樂次）的本來面目。作個比喻，顧氏已經走到百尺竿頭，就是缺少更進的一步。[71]

何定生要致力的就是這「更進的一步」，也就是對「《詩經》樂歌關係的再檢討」。這種關係再檢討的意義，他在〈寫在古史辨臺灣版的編首〉文中有很清楚的陳述：

> 今日的《詩經》研究，不正該起碼從恢復其樂歌的原始地位做起麼？我們今日研究《詩經》，若不能從乾嘉學人——即清學的漢學的壁壘中出來，以復於原始的樂歌地位，也就是說，今日我們研究《詩經》，若不能從陳奐、馬瑞辰、胡承珙，乃至姚際恆、魏源等的頭腦思想解放出來，以復《詩經》於《儀禮》的樂歌地位，而欲盼望求得三百五篇詩原始解題的本真，那是不可能的。再換個講法，我們今日研究《詩經》，若仍不能放棄陳奐、馬瑞辰等人的思想方法，那樣讀《詩經》，那仍

---

69 以上見何定生：「卷頭語」，《詩經今論》，頁1。
70 何定生：〈詩經與樂歌的原始關係〉，《定生論學集——詩經與孔學研究》，頁23。
71 何定生：〈詩經與樂歌的原始關係〉，《定生論學集——詩經與孔學研究》，頁23。

不過是等於玩古董那樣的奢侈生活，不是此時此地所應該提倡
的。我們今日讀《詩經》，惟有站在《儀禮》的樂歌地位，從
人性的同類意識來接觸人性，才有碰到詩人靈感的可能。這是
今日研究《詩》起碼應建立的新世代觀念。[72]

可以說，他就是在這個問題上承續了顧頡剛《詩經》研究的成果而再
加以開展、突破。

何定生的成就為其中山大學的老同學陳槃所充分肯定，他高度評
價了何定生在這個問題上的貢獻：

（何定生）平生精力所詣，蓋在先秦舊學，而〈《詩經》與樂
歌的原始關係〉一文，則又其獨往獨來、自成一家之作。……
《詩經》與樂歌關係，古人言之矣。然二千年來學者，徒知其
然，而不能道其詳。至于定生，然後能辨識「正歌」與「無算
樂」，徵之《詩》本經與《儀禮》、《禮記》，以暨《左傳》、《國
語》等，本本原原，如合符節，而使吾人讀其文者，一旦之
間，昭若發矇。[73]

而顧頡剛晚年在收到曾志雄寄贈給他的何定生著作後，也在《日記》
中如此寫下他的心得：

其所論《詩經》與孔學，實為我論學諸文之發展。惜哉此人，
如此早逝，真可悲也。[74]

---

72 何定生：〈寫在古史辨臺灣版的編首〉，《古史辨》，第1冊，頁1-2。
73 陳槃：〈題記〉，《定生論學集——詩經與孔學研究》，頁1。
74 顧頡剛：《顧頡剛日記》，第11卷，頁695，「1979年10月9日」記。

又曰：

> 書中有〈詩經與樂歌的原始關係〉長文，將《詩經》與《儀禮》詳細關係鉤索而出，以駁正余倉卒所為之〈論詩經所錄全為樂歌〉之說，使我心服。[75]

對於渴望能再見到顧老師的何定生，顧頡剛的評價應該會讓他感到非常振奮。

對何定生著作、思想及晚年生活極為熟悉的曾志雄教授回憶其師的豪情壯志：

> 他對自己的《詩經》專題研究表現深具信心。他曾經自豪地對我說了不只一次：（二十世紀）三十年代是《詩經》的 Koo's Age（顧頡剛時代），現在是《詩經》的 Ho's Age（何定生時代）。[76]

從他對顧頡剛《詩經》研究的開展與突破，以及獲得顧頡剛本人的認肯這點來看，何定生的自豪完全是有根據的，只可惜天不假年，未能讓他再充分發揮其所學，這不但是何定生個人的不幸，也是《詩經》學界的損失。

---

75 顧頡剛：《顧頡剛日記》，第11卷，頁698，「1979年10月25日」記。
76 曾志雄：〈永遠的懷念——紀念何定生教授逝世四十週年〉，頁72。

第七章
何定生一九四六年致顧頡剛未刊書函述要

第一節　緣起

　　二〇一五年九月八日，顧頡剛（1893-1980）女兒顧潮女士從美國兒子家中寄發了一封電郵給我，信中說到：

> 這兩年整理先父保存的他人來信，其中有何定生寫於抗戰勝利後的一通，待回京後發你一閱。

同年十一月十二日，顧潮女士回到北京後，便將此函的 ODT 文字檔寄給我，方得以一窺此函內容。原信僅有少許標點，為方便閱讀，顧潮在將此函打字輸入電腦時，又添補了一些標點。原來的文字檔是簡體字，我將其轉換為繁體字，並寄回給顧潮校正，經其確認無誤。二〇一七年六月中旬，復又去信顧潮，請觀原函，顧女士將其掃描成 JPG 檔後，寄贈給我。至此，該函之原件及釋文，均得而觀之，誠一快事也！

　　何定生（1911-1970）就讀廣州中山大學國文系期間，曾與顧頡剛頻繁通信，現可見者共有六通，均刊載於《國立中山大學語言歷史學研究所週刊》，這也是今日僅能看見的何定生致顧頡剛之已刊書信。[1]

1　這六通書信的具體刊載情況請參見車行健、徐其寧輯錄：〈何定生教授論著目錄〉，

顧潮所藏此函未見諸《顧頡剛日記》的記錄中，亦未見收於顧潮主編
的《顧頡剛全集》中的《書信集》中。[2]全函扣除標點符號，共約一
千二百多字，何定生用行草書寫於滿滿三張信箋中，其中對其行跡、
生活、家庭與心志多所述及，可補充和修正很多學界過去不知道的細
節，具有高度的史料價值。剛接觸此函時，曾與顧潮教授商議能否將
其公諸於世，或可讓世人對顧頡剛與何定生的師生關係，以及何定生
在抗戰軍興後的行跡有更多的了解。但因牽涉何定生家庭與婚姻事
務，在未取得何定生家屬同意前，不便將其全文公布。二○一七年三
月，何定生女兒何念貽女士從美國回臺省親，在臺大中文系史甄陶教
授的安排下，筆者於四月三日與何女士在臺灣大學水源會館餐敘，一
同出席者尚有中央研究院中國文哲研究所的楊晉龍教授和國立東華大
學中文系吳儀鳳教授。席間與何女士提及，擬趁何女士短暫在臺期
間，為其攝製五分鐘左右的訪談短片，攜至福建師範大學經學研究
所，於二○一七年五月十四日舉行的「2016 年國家社科基金重大項
目《臺灣經學文獻整理與研究（1945-2015）》開題報告會」上播放，
何女士當場允諾。後來在與史甄陶教授和臺大中文系博士生盧啟聰的
合作下，將此訪談短片構想擴大為對何定生教授整體生平經歷和學術
成就的十分鐘記錄短片，取名為《經師身影——臺灣大學何定生教
授》。[3]在拍攝過程中，筆者將此函交給何女士，並徵詢是否同意公

《中國文哲研究通訊》第20卷第2期（2010年6月），頁32-33，及〈何定生教授論著
　目錄（增訂稿）〉，原刊載於《中國文哲研究通訊》第24卷第1期（2014年3月），頁
　131-132。此增訂稿附於拙著：〈何定生與古史辨的詩經研究〉文後。後又經增修，
　附於本書之後，做為「附錄四」。

2　《顧頡剛全集》中的《書信集》僅收有七通顧頡剛寫給何定生的書信（見顧頡剛：
　《書信集》卷2，收入《顧頡剛全集》〔北京市：中華書局，2010年〕，第40冊，頁
　313-329），但並未收有何定生致顧頡剛的書信。

3　此記錄短片後上傳至You Tube，供人自由點閱。

布。何女士表示要與其兄長商量，無法作主，此事遂寢。因而只能採
取折衷辦法，改用重點評述的方式，向學界介紹此封書信，但對涉及
何定生家庭和婚姻等私領域的部分則略而不談。這個做法得到了顧潮
教授的支持。

何定生此函寫於一九四六年五月一日，他當時人在山東省會濟南
市。函中對其一九三〇年後之行蹤交代頗詳，其中有不少可對楊晉龍
根據《顧頡剛日記》、《何定生日記》、何定生一九四八年八月獲聘為
國立臺灣大學中文系講師時所填寫的人事簡歷（以下簡稱〈簡歷〉）、
對何定生家屬所進行的訪問稿等資料所編製的〈何定生教授年表初
稿〉（以下簡稱〈年表〉），以及本人與徐其寧合撰的〈顧頡剛與何定
生的師生情緣〉（以下簡稱〈情緣〉）二文，加以修正與補充，以下略
述其要。

第二節　書函要旨述析

一、根據《顧頡剛日記》所載，何定生與顧頡剛最後一次見面的
記錄是一九三七年六月十二日。[4]不到一個月後，便發生蘆溝橋事變，
中國對日抗戰全面爆發。顧頡剛為躲避日寇追捕，於七月二十一日晚
間倉皇逃離北平。[5]二人從此再無直接音訊聯絡的記錄，直到一九七九
年十月九日，在何定生去世後的九年，高齡八十七歲的顧頡剛才突然
收到何定生的學生曾志雄教授，從香港九龍寄來何定生教授的《定生
論學集》和《詩經今論》二書，並告知何定生已去世的消息。[6]〈年

4　顧頡剛：《顧頡剛日記》（臺北市：聯經出版事業公司，2007年），第3卷，頁653。

5　參顧潮：《歷劫終教志不灰——我的父親顧頡剛》（上海市：華東師範大學出版社，
　　1997年），頁184。

6　顧頡剛：《顧頡剛日記》，第11卷，頁695。

表〉和〈情緣〉皆依照《顧頡剛日記》所記來敘述二人關係的發展[7]，似乎一九三七年六月十二日是他們的最後一次聯繫。但何定生此通於一九四六年五月一日寄給顧頡剛的書信，卻證明了二人間的聯繫絕非《顧頡剛日記》中的記錄所能完全涵蓋，雖然顧頡剛勤於寫日記，但也很難做到有事必記與諸事畢錄的地步。[8]且由何函開頭所述「違師教已逾十年，今日始獲知郵遞之便」，似乎在此函之前，他們應已有一些直接或間接的聯繫。或許是顧頡剛主動與他接觸，或他透過間接的管道獲知顧頡剛的通信方式。而函末「師母亦在渝否」的問候，則顯示出他似乎知道顧頡剛和其夫人待在重慶。但對照《顧頡剛日記》和《顧頡剛年譜》，顧頡剛於該年四月十三日自重慶飛抵南京，四月十五日到徐州與其妻張靜秋（1908-1991）會面。則何定生寫此函時，顧頡剛已和其妻離開重慶，然不知此函是否仍舊寄往重慶，而顧頡剛又是如何、何時接獲此信的？此中細節俱已不可知曉。

　　二、關於何定生與燕京大學的關係，據其〈簡歷〉自述：一九三八至一九四一年就讀於燕京大學歷史系，修業三年畢業，獲得文學士文憑。一九四一年進入燕京大學研究院就讀，但僅修業一年，其於〈簡歷〉中的「已否畢業」和「學位」欄均空白未填寫，實際情況不明。然其於致顧頡剛此函中則對此敘述甚詳：

7　參楊晉龍：〈何定生教授年表初稿〉，《中國文哲研究通訊》第20卷第2期（2010年6月），頁11-12；車行健、徐其寧合撰：〈顧頡剛與何定生的師生情緣〉，收入拙著：《現代學術視域中的民國經學——以課程、學風與機制為主要觀照點》（臺北市：萬卷樓圖書公司，2011年），頁207-209。案：此文原刊於《中國文哲研究通訊》第20卷第2期（2010年6月），頁53-66。

8　有趣的是，這個情況似乎可以很好地作為當年張蔭麟（1905-1942）對以顧頡剛為主的疑古學風所提出的「默證」（argument from silence）之詰難的案例，即未被記載的不一定不存在。

生自北平陷後即閉門窵居，嗣以協和醫院蒲教士之教，以趙時
化名入燕大肄業，初進新聞學系，一年，改入歷史學系。畢業
後以畢業論文（〈宣統政紀考證〉[9]，約二萬餘言，方擬發表於
《史學年報》，已付印矣，而一二八之變起，然因此反得修改
機會亦佳。）獲得哈佛燕京學社獎金入研究院肄業，論文擬題
為《庚子後之維新制度》。旋以日美戰起，大學被封閉，遂來
濟南……光復以來原擬回燕大研院（哈佛獎金可繼續），已得
大學三次電報，然終無車可通，無已則仍執教於此間省立臨時
中學及齊大補習班，以俟交通恢復。雖目前生活不成問題，然
年華之逝令人心悸，生研究院學業已延宕四年，今又困於交
通，人壽幾何，前途將何以為計！是以每念師計劃人生之教而
輒悵然若失也。

由此可見，他就讀燕京大學過程的曲折與辛酸。其實何定生早於一九
二六年十六歲時，即考入廣州中山大學國文系就讀，但在一九二九年
二月退學，隨顧頡剛北上北平。之後經歷了一連串生活、感情、學業
的紛擾以及與顧頡剛齟齬的風波，最終脫離顧頡剛的學術圈子後[10]，
他又在九年後以二十八歲的「高齡」返回校園，重新當起大學生。這
番的毅力與決心，著實令人敬佩。而他也努力地把握這得來不易的學
習時光，縱情於知識的擷取和學術的鑽研，由此獲得燕大名師鄧之誠
（文如，1887-1960）和洪業（煨蓮，1893-1980）的賞識，他在信中

9　據一九四八年刊出的燕京大學〈歷史學系近十年概況〉所載，化名趙時的何定生係
　於民國三十年六月畢業於燕大歷史系本科，畢業論文為〈宣統政紀考證〉。此材料
　原刊於《燕京社會科學》1948年第1卷，收錄於王應憲編校：《現代大學史學系概覽
　（1912-1949）》（上海市：上海古籍出版社，2018年），下冊，頁784。
10　參車行健、徐其寧合撰：〈顧頡剛與何定生的師生情緣〉，頁199-207。

自述：

> 生畢業論文〈宣統政紀考證〉之序文為文如師所喜，此與生預
> 研究院試之國文冠場及獲哈佛燕京獎金之榮譽，同為生最沾沾
> 自喜之三事。

為此，他用帶著悲欣交集的心情，向顧頡剛剖述此時的心境：

> 然私心脈脈所引為竊喜不敢告人者，則實在於真做過「學
> 生」，真嘗「人」之味。肉體者，固不能不先求其存在，然為
> 「學生」為「真」學生以得知「人」，則無假也！！！何也，
> 時不可再也。故生在燕大乃可為生命史最怵惕悲喜之一頁。

又說：

> 誠以「老而為學，如秉燭夜游」，生得以燭光與日月爭明，要不
> 能不為此傷心失學人之人生盛事，師母亦笑其不失為稚子乎？

可以想見，對一個熱愛學術，而又富有才情的青年學者，他在昔日的
恩師面前，對於自己因年少輕狂而將曾經擁有過的大好學習資源給輕
易荒廢掉，該會是有多麼的悔恨交加！而對於目前又好不容易爭取到
的求學環境，他又會是有多麼的珍惜！但可惜，他最終只能獲得大學
文學士的文憑，燕大研究院深造的機會，卻因戰亂後交通尚未恢復，
再也無從重續學業，對何定生而言，亦豈非傷心可悲之事？

　　三、何定生進入燕京大學重新就學，但專業已從之前在廣州中山
大學所主修的國文（中文）領域，改為史學領域，且從其畢業論文

〈宣統政紀考證〉及攻讀燕大研究院之論文擬題《庚子後之維新制度》來看，他是正準備朝中國近現代史的方向開展他的學術事業。其大學研修的成果，具體展現在畢業論文〈宣統政紀考證〉中，然此文今日存佚與否，狀況頗不明。據其〈簡歷〉所記，係發表於一九四一年的燕京大學《史學年報》中，而又據車行健、徐其寧輯錄的〈何定生教授論著目錄（增訂稿）〉，輯錄者於此條論著下，則有如下的案語：

> 此條目據何教授〈簡歷〉所記，然燕京大學歷史學會主編之《史學年報》自一九二九年七月十日出版第一卷第一期，至一九四○年十二月第三卷第二期出版後即中斷，共計發行三卷十二期。翻查其中篇目與作者，均無何定生撰作記錄。又據何教授〈簡歷〉云，此文曾獲哈佛燕京學社獎學金。[11]

從何定生此函方得知，原來這篇長約二萬餘言的論文，本擬發表於《史學年報》，且已進入付印階段，但自一九四一年十二月八日「珍珠港事件」後，日本軍警進入燕京大學校園，師生不得已離校（此即何函所謂「一二八之變起」）[12]，如此一來，預定刊載何定生此文的一九四一年之《史學年報》，當也無法順利出刊，而該期之《史學年報》與何文之最終下落如何，也不可得而知矣。

雖然從學歷上來看，何定生由中文專業改換為史學專業，但有趣的是，何定生最終安身立命之處仍是中文系，而非歷史系，決定這一切的是，何定生就讀於廣州中山大學國文系時的老師傅斯年（1896-1950）。一九四九年元月十日，傅斯年接任臺灣大學校長，同年八

---

11 參車行健、徐其寧輯錄：〈何定生教授論著目錄（增訂稿）〉，頁129。
12 以上敘述參考《中華百科全書》「燕京大學」條（沈劍虹執筆）（http://ap6.pccu.edu.tw/Encyclopedia/data.asp?id=6786）。

月，何定生即獲聘為臺灣大學中國文學系講師，因此當傅斯年於一九五○年十二月二十日猝逝時，他在二十一日晨間驚聞傅斯年過世的消息時，「知遇之感頓時盈胸，至靈堂痛哭失聲」，賴王叔岷教授（1914-2008）之牽扶方能立。[13]但不知為何傅斯年將持有燕京大學歷史系文學士畢業和燕大研究院歷史部肄業文憑的何定生聘任為中文系講師，而非歷史系？雖然何定生也曾在廣州中山大學國文系就讀過，但並未取得正式文憑。進入臺大中文系後的何定生，其研究和教學的重心又轉回到跟隨顧頡剛時代用功較多的《詩經》[14]，自此再也沒有任何史學方面的論著。如果當初傅斯年安排他進入臺大歷史系任教，他是否會成為一位近現代史的學者呢？[15]

四、何定生在此函中又提及「以趙時化名入燕大肄業」，但卻「因年事稍長而又化名就學，曾為人所注意，招來蜚語（謂生乃欲藉此作政治活動），幾遭排斥（大學院長會竟為我事集議數次）」。所謂政治活動，若對照《顧頡剛日記》所述，當是從事國民黨的黨務工

13 以上敘述參楊晉龍：〈何定生教授年表初稿〉，頁5、12-13。

14 參《國立臺灣大學中國文學系系史稿（1929-2014）》（臺北市：國立臺灣大學中國文學系編印，2014年），頁319；楊晉龍：〈何定生先生傳（1911-1970）〉，同前書，頁728。

15 李東華（1951-2010）在《光復初期臺大校史研究：1945-1950》（臺北市：臺灣大學出版中心，2014年）一書中，對傅斯年擔任臺大校長時期重整文學院師資陣容的努力給予高度的評價，他歸納傅斯年當時聘任教師有三項特徵，其一，延攬中央研究院歷史語言研究所菁英大量進入臺大任教。其二，新聘教師研究取向遠遠大過以往之教學取向。其三，用人不拘一格，無學派門戶之見。他以中文系的牟潤孫（1908-1988）、何定生與歷史系的姚從吾（1894-1970）、方豪（1910-1980）等人為以研究著名之顯例。又舉何定生為疑古派顧頡剛弟子，為用人不拘一格之例證。（頁161-162）牟潤孫與何定生同樣具有燕京大學史學專業的背景，何定生雖曾肄業於廣州中山大學國文系，但牟卻不曾就讀過中文、國文系所，傅斯年將他們安排至中文系任教，而非歷史系，箇中緣由，頗令人好奇。

作。[16]而在其家屬和學生的印象中，何定生似乎曾從事敵後工作。[17]這或許可以解釋他為何要改用化名進入燕京大學就讀，因為當時北平已淪陷於日寇之手，對曾經從事過黨務工作的何定生而言，這是不得已的做法。但也因為他採用化名，加上年歲又大於一般的大學生甚多，因此會招來蜚語，被人排斥，這種情況在當時氣氛緊張肅殺的淪陷區的大學校園內，當非罕見。

儘管如此，何定生在燕大校園中的日子還是過得挺充實的，除了學業的精進外，最大的收穫就是學好了英文，他在此函中還特別向恩師顧頡剛報告此事：「生在燕大雖因得通英文，以知有學問有世界。」英文之習得，為他開啟了更廣大的學問之窗，甚至也讓他在日後得以在天津《益世報》「國際周刊」中翻譯文稿以賺取稿費。[18]除了外文的收穫外，他又曾跟一位義大利女聲樂老師學習聲樂，因而培養了他喜歡音樂的興趣。此外，他也在燕大校園注重體育的風氣下，跟外國教練學習網球。[19]總的來說，他的二度大學生活可算得上是多彩多姿的。

五、何定生在此函中也花了不少筆墨向顧頡剛說明他與傳教士的來往，以及與基督教的關係。中間的關鍵人物就是他信中所說的蒲教士（Miss I. Pruitt）。一開始接觸蒲教士可能是因為健康的因素，他向顧頡剛說道：

16　參車行健、徐其寧合撰：〈顧頡剛與何定生的師生情緣〉，頁206-207。

17　此事本人曾聽聞何念貽女士說過。又其弟子曾志雄教授在〈永遠的懷念——紀念何定生教授逝世四十週年〉一文中，也回憶道：「後來抗戰發生，他為了做敵後工作，跑到山東當教員，掩飾身分。」（引文見《中國文哲研究通訊》第20卷第2期〔2010年6月〕，頁73。）

18　參車行健、徐其寧輯錄：〈何定生教授論著目錄（增訂稿）〉，頁130-131。案：從其論著目錄中來看，何定生在一九二九年前即有譯作刊載於報刊雜誌中，因而對其自述「在燕大雖因得通英文」，恐怕不能單純地理解為由絲毫不通而至於全面通習的狀態，應該只是一種對比於之前的程度，而更加精進的相對的說法。

19　以上俱見曾志雄：〈永遠的懷念——紀念何定生教授逝世四十週年〉，頁70、72。

> 復因蒲教士得 Dr. Hills 之診治，使腦系宿疾得以霍然，此為生
> 自經驗之奇跡，急欲為吾師告者。嗣又因蒲教士之教督鼓勇投
> 考燕大，遂終得窺學問門牆，稍藥愚暗。此二事者生謂為新生
> 之雙軌，缺一不可。

因蒲教士而治癒痼疾，復因蒲教士，以趙時化名進入燕京大學就讀，讓他有靈與肉皆獲新生的驚喜，他將此視為奇跡。在此奇跡的指引下，他得以進入基督教的世界，這中間的心路歷程應是有跡可尋的。他來臺之後信教益篤，所撰日記內容也多主要是關於宗教靈修的體驗，而鮮少於其他俗世層面事務的記載，讀書治學之札記亦罕見於其中。但從他公開發表的學術論著來看，並沒有太多與基督宗教有關者，更沒有執基督教神學學理及概念來解讀中國經典之處，似乎在一定程度上表現出了「學、教分離」的態度，這點頗值得玩味。

六、何定生寫給顧頡剛此函除了「藉尺書伸積悃」，向恩師報告近年來之行跡動態及申抒感懷衷曲外，最實際的目的應是函末提出的請求：

> 生邇來體力甚勝於昔，心境亦較有著落，第願得一機緣俾貢獻
> 其誠意，師能不以為棄材而拔擢之否乎？曩者漠視計劃，今求
> 有計劃而不得，師幸憐而教之，匆遽不能盡欲言。

從事後結果來看，何定生的請求應是未遂其願。但實情如何，在缺乏顧頡剛回應資料（書信及日記）佐證的情況下，恐難得知。有趣的是，曾被友朋門人視為「廣大教主」、「通天教主」的顧頡剛[20]，的確

---

20 參拙著：〈田野中的經史學家——顧頡剛學術考察事業中的古蹟古物調查活動〉，《現代學術視域中的民國經學——以課程、學風與機制為主要觀照點》，頁102，註15。

也常會面對學生類似的請求。顧頡剛於一九二九年從廣州北返故都北平，執教燕京大學後所收的第一批學生中的牟潤孫，雖然在學術興趣和研究路向上與顧頡剛不相契合，而親近於陳垣（1880-1971）的勵耘學風，因而表現出「身在顧門，心在勵耘書屋」的尷尬處境，甚至形同「破顧門」、「入陳室」的情況。[21]但到出社會，面臨求職的壓力時，依然回過頭來請求顧頡剛為其謀出路。[22]顧頡剛對何定生的關愛遠甚牟潤孫，在何定生追隨顧頡剛前往人生地不熟的北平時，一開始吃住皆在顧家，後來雖因二人離齬而分道揚鑣，但此時的顧頡剛仍很關心何定生的出路與生活問題。[23]顧頡剛在當時正是學術事業如日中天之時，手邊的資源也讓他有「顧老板」的稱號[24]，如果何定生此時仍跟隨顧頡剛，以顧頡剛需才孔亟的情況下，勢必能為何定生安排一份可滿足學術及生活需求的工作。但抗戰勝利後，選擇到上海經商的顧頡剛，並未回到他曾經企求「狐死首丘」的北平[25]，箇中原因頗為

---

21 參第八章。

22 顧頡剛曾在一九三五年七月十七日修書回覆牟潤孫，答以：「數度枉過，歉仄奚似。兩函均讀到，敬悉。此間局面過小，添員綦難。今欲為兄告者，只要兄努力以成其學，弟總有法子解決兄之困難。」（顧頡剛：〈致牟潤孫〉，《書信集》卷3，收入《顧頡剛全集》，第41冊，頁42。）相關討論，請見第八章，頁202-203。

23 參車行健、徐其寧合撰：〈顧頡剛與何定生的師生情緣〉，頁206。

24 顧頡剛執教燕京大學時的學生王鍾翰（1913-2007）曾生動地從學生的角度來描述顧頡剛在當時北平學界的地位，他說：「三○年代中，當時學術界流行的教授知名度高的，地位也高的，像胡適稱胡老板，顧頡稱顧老板。先生既稱老板，學生像我自然是小伙計了！」（見氏撰：《王鍾翰清史論集》〔北京市：中華書局，2004年〕，第3冊，頁1926；第4冊，頁2584。）當然，學人而有「老板」之稱，並非只是單純的名氣大、地位高，伴隨而來的往往是實際的學術資源的掌握。顧頡剛全盛時期身兼燕京大學歷史系主任、北平研究院歷史組主任和禹貢學會領導者，同時擁有三套人馬，這些名義和實質上的資源，可讓他充分驅使去實現他的學術理想和志業。因而，從學生的眼光來看，顧師頡剛無疑就是一位神通廣大的老板。

25 傅斯年於一九二八年四月二日致函胡適（1891-1962）時，曾戲稱：「頡剛望北京以求狐死首丘。」（見傅斯年：〈致胡適〉，歐陽哲生主編：《傅斯年全集》〔長沙市：湖南教育出版社2003年〕，第7卷，頁56。）

複雜，顧潮和王學典都曾做過解釋，可參看。[26]顧頡剛此時可能一方面是置身於百廢俱興，諸業蕭條的戰後重建環境中，自謀生計尚且勉強，如何有餘裕照顧以前的老學生？另一方面當然也因未重返北平主流學術界的舞臺，已不復當年身兼數職的「顧老板」的聲勢，因而收到信後的顧頡剛或許也只能用「已讀不回」來權充他的回應。其間反映出的，不只是何定生個人的悲哀，更是整個大時代的悲哀！亂世之中，人不能盡其才，奈何？![27]

---

26 顧潮：《歷劫終教志不灰——我的父親顧頡剛》，頁220-227；車行健、徐其寧整理：〈賢嗣傳家學，古史有餘音——顧潮教授訪談錄〉，《現代學術視域中的民國經學——以課程、學風與機制為主要觀照點》，頁217。（此文原刊於《中國文哲研究通訊》第19卷第3期〔2009年9月〕，頁109-126）；及王學典主撰：《顧頡剛和他的弟子們》（北京市：中華書局，2011年增訂本），頁252-253。

27 何函寄出八個月後的一九四七年一月間，當時擔任臺灣大學校長的陸志鴻（1897-1973）傳出有意聘請顧頡剛來長臺大文學院，此事雖以顧頡剛致信陸校長懇辭告終。（參顧潮：《歷劫終教志不灰——我的父親顧頡剛》，頁227；李東華：《光復初期臺大校史研究：1945-1950》，頁97）但頗可引起不少慨歎唏噓。戰後的臺大可能是他們師徒再一次重逢與合作的交會點，但人的命運往往受制於歷史的曲折，顧頡剛就曾在一九四八年年底的日記中感歎說：「在此大時代中，個人有如失舵之小舟漂流於大洋，吉凶利害，自己哪能作主，惟有聽之於天而已。」（顧頡剛：《顧頡剛日記》，第6卷，頁397）何定生進入臺大任教後，他或許也曾聽說過此傳聞，然而又能為之奈何？

第八章
顧門中的勵耘弟子
——牟潤孫經史之學的面向及其所反映的師承關係

第一節　前言

　　牟潤孫（1908-1988），原名傳楷，字潤孫，後以字行。生於北京，祖籍山東省福山縣。一九二九年考入燕京大學國學研究所，一九三二年畢業。指導老師為陳垣（1880-1971）與顧頡剛（1893-1980），復從柯劭忞（1848-1933）受經史之學。曾任教於河南大學、輔仁大學、上海同濟大學、上海暨南大學等校。[1]一九四九年自上海渡海來臺，一九五〇年經傅斯年（1896-1950）推薦，至臺灣大學中文系任教。[2]一九五四年接受錢穆（1895-1990）邀請至香港，擔任新亞書院文史系主任、新亞研究所導師兼圖書館館長，一九五八年轉任歷史系主

1　以上關於牟氏生平簡歷俱參中華書局編輯部：〈出版說明〉，《注史稿叢稿》（北京市：中華書局，2009年增訂本），上冊，頁1；及李學銘：〈牟潤孫教授編年事略〉，《注史齋叢稿》，下冊，頁786-795。

2　牟潤孫：〈傅孟真先生逝世二十周年感言〉，《海遺叢稿》（北京市：中華書局，2009年），二編，頁186。案：丘為君、鄭欣挺、黃馥蓉等人在《牟潤孫先生學術年譜》中的說法稍有不同，其云：「因臺灣大學中文系教授鄭騫、臺靜農等人的推薦，加上〈折可存墓志銘考證兼論宋江之結局〉一文也受臺大校長傅斯年的賞識，臺大遂聘請先生為中文系副教授。」（見《牟潤孫先生學術年譜》〔臺北市：唐山出版社，2015年〕，頁29。）又案：據《國立臺灣大學中國文學系系史稿（1929-2014）》（臺北市：國立臺灣大學中國文學系編印，2014年）所載，牟潤孫係於該年八月始任教於臺大中文系，一九五三年八月升任教授，一九五四年離職。在臺大期間，他曾開授過古籍導讀、《左傳》及國文領域等課程。（見頁299）

任，仍兼新亞研究所導師。一九六三年任香港中文大學歷史系講座教授。一九六八年應聘美國俄亥俄州立大學客座教授，一九七三年自香港中文大學歷史系退休，轉任香港中文大學研究所研究員。[3]主要著作有《注史齋叢稿》上下冊和《海遺叢稿》初編二編共四冊[4]，所述涉及經義闡析、史事考證、政事述論、思想闡發、人物回憶、往事追述、名物商討、小說戲曲之評論等[5]，涵蓋層面相當廣泛，內容頗為豐富，可謂囊括了牟潤孫一生最重要的學術論著。其經學相關論著，另見本書「附錄五」。[6]

　　牟潤孫生前曾有所謂「南來之學」的說法，在〈敬悼先師陳援庵先生〉文中他是這麼說的：

> 筆者在上海教書時，先師就有「吾道南矣」的話。說句狂妄的話，我願化悲哀為力量，今後將以我有生之年，傳播先師的學說，以期無負於他老人家的教導。[7]

可見其所謂南來之學的概念是與陳垣的學術有關的，此義，牟氏的弟子逯耀東（1933-2006）有所闡明：

3　以上俱見李學銘：〈牟潤孫教授編年事略〉，《注史齋叢稿》，下冊，頁789-793。

4　此據牟氏去世後北京中華書局於二〇〇九年所出版的版本而言，此版本由其弟子重新編定，與牟氏生前出版的版本在冊數、文章篇數，甚至書名等方面都不太相同（如《海遺叢稿》原作《海遺雜著》）。本文以新編本為據。

5　參中華書局編輯部：〈出版說明〉，《注史稿叢稿》，上冊，頁1。案：「經義闡析」一項為本文作者所加。

6　儘管如此，這兩部文集誠如〈出版說明〉所聲明的，並非牟氏全部著述，其中頗有漏收者，如〈從楊昌浚說到段芝貴——再論監察糾舉制度〉文中提及其有〈從《楊乃武與小白菜》說起〉，刊登於1979年7月29日的香港《新晚報》「風華」版。（《海遺叢稿》，初編，頁102。）又如《禹貢》半月刊第5卷第11期（1936年8月1日）頁49-55，亦刊有牟氏翻譯日人桑原隲藏（1871-1931）著的〈創建清真寺碑〉之譯稿。

7　牟潤孫：〈敬悼先師陳援庵先生〉，《海遺叢稿》，二編，頁88。

　　牟先生常說，援庵先生之學北傳，他又將援庵先生之學帶回南
方來。……牟先生自一九三三年入燕京大學研究所，直到後來
離開北京南下，前後二十年間，追隨援庵先生左右，習得援庵
先生的治學方法。……後來他用援庵先生治學的方法，在臺
灣、香港教了些學生。牟先生說這些學生有的因而進入史學之
門，他們的成就縱有高低的不同，或他們縱然不提治學的淵源
出自勵耘書屋，但他們受援庵先生的影響，是顯而易見的。這
是牟先生說援庵先生之學北傳後，他又將援庵之學帶回南方的
原由。[8]

　　雖然陳垣「吾道南矣」之「南」，當如牟氏另一弟子李學銘所理解
的，是概念較大的南方[9]，但就牟氏的實際狀況來看，他將陳垣學術
南傳的地方主要就在臺灣和香港，這顯然跟他的臺、港經歷有直接的
關係。但畢竟他待在香港的時間遠遠超過臺灣，所以他的南來之學主
要還是傳播在香港一地，而非臺灣。

　　牟潤孫既以傳播弘揚其師陳垣學術自任，但牟氏的老師不只陳垣
一位，尚有柯劭忞和顧頡剛。牟潤孫拜入柯劭忞門下時，柯劭忞年歲
已高，親炙時間雖不長，然牟潤孫依然終生禮敬，於師承淵源，更是
未嘗一日或忘。[10]故李學銘也將牟氏南來之學的概念推擴至於柯劭
忞，謂「蓼園之學也『南來』」，提醒人們在談到牟潤孫南來之學的淵
源時，固然不可忽略陳垣，但也不可不提柯劭忞。[11]惟獨與顧頡剛的

8　逯耀東：〈心送千里——憶牟潤孫師〉，收入《海遺叢稿》，二編，引文見頁327-328。

9　李學銘：〈牟潤孫先生與「南來」之學〉，《讀史懷人存稿》（臺北市：萬卷樓圖書公
　　司，2014年），頁299。

10　一九三一年牟氏二十四歲時受業於柯劭忞，柯氏時年八十二歲，兩年後柯氏即辭
　　世。相關敘述見牟潤孫：〈蓼園問學記〉，《海遺叢稿》，二編，頁64。

11　李學銘：〈牟潤孫先生與「南來」之學〉，《讀史懷人存稿》，頁300-301。

關係頗令人好奇，從現今留存的相關記述中似可看到二人間時有不諧甚或齟齬緊張的狀況，牟潤孫後來甚至疏離顧門而完全投入陳垣勵耘書屋門下。但這類遠離顧門的情況在顧頡剛弟子中也非罕見，大體說來，顧門弟子疏遠絕離師門有三種情況或類型：一、疏離者，因環境隔絕或性格齟齬等原因，疏於來往或斷絕音訊，但學問仍承襲顧頡剛，甚至繼續傳播顧門學問。顧頡剛在廣州中山大學時期的弟子何定生（1911-1970）即為其代表。[12] 二、叛離者，在學問立場上與顧頡剛公開決裂，公然批判，甚至劃清界線，於師門和學問並皆棄離。楊向奎（1910-2000）可謂此類型的代表。[13] 三、悖離者，介於上述二者之間，師門雖未棄絕，但學問卻有所背離。牟潤孫或可屬之。牟潤孫對顧頡剛的悖離不只是性格和為人處世的差異，更是治學方式及風格的扞格，本文擬從牟氏與陳垣、顧頡剛之間的微妙師承關係角度入手，來探討牟氏與此二人的學術聯結，以及其中所反映的治學路數與學風的異同。

第二節　牟潤孫經、史兼具的學術面向及其學術淵源

　　身為柯劭忞、陳垣與顧頡剛及門弟子的牟潤孫，其主要學術表現也在經學、史學兩方面，他對此是深有自覺的。在香港期間，他曾寄與陳寅恪（1890-1969）一冊他就任香港中文大學中國歷史講座教授的就職講演〈論魏晉以來之崇尚談辯及其影響〉，後來得到陳寅恪「『烏臺』正學兼而有之」的評語。[14] 牟潤孫對此評語的理解是：「『烏

12　關於顧頡剛與何定生的師生關係請參第六、七章。
13　關於楊向奎與顧頡剛學問的關係請參第九章。
14　見陳寅恪：《陳寅恪集・書信集》（北京市：三聯書店，2009年第2版），頁283。

臺』是御史臺，借以指史學。正學，正統之學，即經學。」為此，他由衷地表達了對陳寅恪「知音難遇」之感。[15]能得到陳寅恪如此的評賞，牟氏當確係經學、史學兼擅，甲部、乙部俱通的一位當代學人。

但曾為陳寅恪詩做過箋釋的胡文輝則對此函有不同的理解，他質疑牟氏誤解了陳寅恪的意思，其云：

> 我覺得陳氏在表面詞義之下，似另有一層影射；作為當事人，牟氏恐怕並未完全理解陳先生的深意。
>
> 按：以「烏臺」指史學，以「正學」指經學，未免故作迂曲，陳氏作為史學大家，根本不必玩這種雕蟲小技。而最值得留意的，是原件中的「烏臺」兩字加了引號，「正學」兩字加了專名線（《書信集》省略了專名線），若按牟氏的解釋，就不合標點符號的規範，顯得不倫不類。要知道，如果是以「烏臺」表示御史臺，則本應加專名線為宜；如果是以「正學」表示正統之學，則又應加引號為宜。現在則正好顛倒，兩不相稱，何也？
>
> 我以為，加引號的「烏臺」，疑指蘇軾著名的「烏臺詩案」；蘇軾反對王安石新法，賦詩托諷，被下御史臺問罪，此處可借指文字獄。加專名線的「正學」，則當指明初方孝孺，蜀獻王曾聘方氏為世子師，名其宅屋曰「正學」，故世號正學先生；方孝孺忠于建文帝，對篡位的燕王朱棣（明成祖）抗命不從，被凌遲處死，並株連十族，被難多達八百餘人，此處可借指政治株連。如果這樣，則「烏臺」加引號指事件、「正學」加專名線指人名，就都顯得文從字順了。

---

15 以上俱見陳寅恪：《陳寅恪集‧書信集》，頁284。

一九六六年六月六日，「文化大革命」在廣州展開……陳
氏此函，正寫于此年十一月間，所謂「烏臺」、「正學」兼而有
之云云，若指文字獄和政治株連而言，就完全吻合當時的政治
形勢了。也正因為那樣草木皆兵的形勢，陳氏才會在信中突兀
甚至無禮地請牟氏「以後不必再寄書為感」，顯然，那是因為
害怕「裏通外國」的罪名啊。

所以，「烏臺」、「正學」當係一語雙關，表面上雖是恭維
牟氏的論著，而深層含義則是影射當時的政治恐怖。余英時先
生曾將陳氏〈再生緣校補後序〉稱為「答海外讀者的一通密
電」（《陳寅恪晚年詩文釋證》〔下略〕），則陳氏此函，亦可謂
「答海外友人的一通密電」也。[16]

然而不論牟氏對陳寅恪回函的反應是否為一場「美麗的誤會」，但由
牟氏自詡的心情來看，無疑也承認經、史之學兼擅是其治學特色。

牟潤孫經、史之學的形成與陶塑除了其師門傳授外，尚有其他的
學術淵源，包括啟蒙、私淑及欽敬友善之師友的影響等，此皆由其著
作自述可見者，以下依次論敘。首先就其學問啟蒙而言，梁啟超
（1873-1929）在牟氏青少年時代給予他極大的影響，甚至引導他走
向史學之路。[17]他先是跟隨父親看《東方雜誌》、看報紙才逐漸崇拜梁
啟超。[18]到了十五歲那年，他在《晨報》看到了梁氏的〈國學入門書
要目及其讀法〉，覺得耳目一新，眼界為之開闊。後來又買了梁氏的
《清代學術概論》，讀後非常崇信。十六歲以後就按目求書，梁啟超

---

16 胡文輝：〈陳寅恪致牟潤孫函中的隱語〉，《人物百一錄》（杭州市：浙江大學出版
　　社，2014年），頁226-229。
17 牟潤孫：〈論治目錄之學與書籍供應──從梁任公《國學入門書要目》說起〉，《海
　　遺叢稿》，初編，頁225。
18 牟潤孫：〈買書漫談〉，《海遺叢稿》，二編，頁289。

在《東方雜誌》發表的〈清代學者整理舊學總成績〉成了指導他的索引，他專門看梁氏提及的那些書。在大學休學期間，甚至照著梁啟超的路子，寫了一些東西，並以此作為報考燕京大學國學研究所的論文著述審查資料。面試他的陳垣對其頗為賞識，把他招收了進來。[19]從梁超啟那裡，讓他獲益最大的應是學習到研究學問要如顧炎武（1613-1682）探求古韻般地找尋證據，運用歸納方法，歸納許多證據方可找出結論。又因梁啟超在《清代學術概論》中首先推崇顧炎武，從此顧氏在其心中留下極崇高而深刻的印象。[20]由顧炎武而延伸至清代學術，後來也成為牟氏治學的一個主要領域，新編本《注史齋叢稿》中甚至將其清代學術相關論著專門獨立成一個類目。欲探其肇始發端之跡，則固不能不承認此係梁啟超啟廸之功。他直到晚年回首前塵往事，仍然語帶感激的說：「引我進入學術之門者，總不能說不是任公先生。」[21]

　　梁啟超之外，陳寅恪對他的影響也不小，他曾公開為文承認自己私淑其學。[22]但牟氏對陳寅恪的接受也歷經了一段曲折的歷程。他一開始時並不太能讀陳寅恪的文章，因為陳氏的文章，或論蒙古源流，或論西夏譯經，或論梵藏譯經，均讓他感到枯燥無味，殊難接受。後來還是受到陳垣的啟發，對他指出陳寅恪文章的優點及學問的淵博、通曉語言的眾多，才讓他茅塞頓開，從此對陳寅恪崇拜萬分，以私淑

---

19 以上俱見牟潤孫：〈談談我的治學經歷〉，《海遺叢稿》，二編，頁295-296；〈論治目錄之學與書籍供應──從梁任公《國學入門書要目》說起〉，《海遺叢稿》，初編，頁226。

20 牟潤孫：〈論治目錄之學與書籍供應──從梁任公《國學入門書要目》說起〉，《海遺叢稿》，初編，頁226。

21 牟潤孫：〈論治目錄之學與書籍供應──從梁任公《國學入門書要目》說起〉，《海遺叢稿》，初編，頁229。

22 牟潤孫：〈敬悼陳寅恪先生〉，《海遺叢稿》，二編，頁124。

弟子自居。[23]在他心目中，陳寅恪的地位是無比崇高巨大的，除了他的授業恩師柯劭忞和陳援庵之外，就當推陳寅恪了。他嘗自謂：

> 陳寅老發表什麼東西，我全都細念。甚至，陳寅老給清華大學出對子後，寫的那封給劉文典的信，我都能背下來。寅老審查馮友蘭《中國哲學史》報告，我也念得很熟。的確，我對寅老十分崇拜。[24]

他對陳寅恪學術的崇拜表現在治中古學術與政治的領域上，逯耀東也注意到了牟氏〈論魏晉以來之崇尚談辯及其影響〉、〈唐初南北學人論學之異趣及其影響〉與〈從唐代初期的政治制度論中國文人政治之形成〉這一系列作品，皆是陳寅恪所謂「不古不今」之學的魏晉隋唐之史的範疇。不僅寫作的形式與方法，十分類似陳寅恪，且其中某些論點也是對陳說的擴充補正。[25]

　　啟蒙、私淑之外，牟氏又有其欽敬友善的師友，對其學問皆有相當程度的影響，如經史兼擅，精通古書體例及錄略之學的余嘉錫（1884-1955）、啟發其文化人類學知識的李宗侗（玄伯，1895-1974）、精研中西交通史的向達（1900-1966）和方豪（1910-1980）等。他跟

---

23 牟潤孫：〈發展學術與延攬人才——陳援庵先生的學人丰度〉，《海遺叢稿》，二編，頁120-121。

24 牟潤孫：〈談談我的治學經歷〉，《海遺叢稿》，二編，頁299。

25 逯耀東：〈心送千里——憶牟潤孫師〉，《海遺叢稿》，二編，頁332-333。逯耀東舉牟氏在〈唐初南北學人論學之異趣及其影響〉文中評論陳寅恪所謂唐代統治階層為關隴胡漢集團之說實較偏重統治實權一事，而忽略了文化上仍有南北歧見，而此又關乎延攬人才以佐政之事。牟氏以此致憾於陳寅恪對隋唐制度淵源僅論及南朝前半期之文化制度，而未語及於思想學術，思欲有所補充修正。此外，牟氏〈從唐代初期的政治制度論中國文人政治之形成〉一文也是在陳寅恪未論及唐代文人政治的形成之情況下，而為文進一步申述此問題。

余嘉錫同為柯劭忞門下，所不同者，余嘉錫是柯劭忞光緒二十七年
（1901）典試湖南所取的得意門生，而牟潤孫則直至一九三一年才受
業於柯劭忞。另外一方面，他又與余嘉錫的哲嗣余遜（1905-1974）
同列陳垣勵耘書屋門牆，又同為輔仁大學同事，他視其為畏友，事之
如兄。他說在晉謁余嘉錫之前，已間接得聞教誨，其後摳衣登堂，親
受啟示。雖非「讀已見書齋」弟子，但實際上無異於立雪執贄。[26]余
嘉錫的《四庫提要辨證》、《目錄學發微》、《世說新語箋疏》、《余嘉錫
論學雜著》等書都是他在平日談論中常常提及的。[27]但他對余嘉錫的
欽敬卻非僅止於純粹學術的一面，他嘗感歎世人徒知余嘉錫是經史考
據大家，但卻很少人知道他深於義理之學，真正是朱子的信徒。他以
為一個真正儒家學人，必須兼「尊德性」與「道問學」而一之，而他
認為余嘉錫真正做到了這一點。[28]

　　牟氏接觸李宗侗的學問亦是透過陳垣。據其自述，李宗侗在故宮
盜寶案發後，蟄居上海租界，翻譯法國文化人類學談古代希臘祭祀祖
先禮俗的書（謹案：當為古朗士〔Numa Denis Fustel De Coulanges,
1830-1889〕的《希臘羅馬古代社會研究》[29]），陳垣讀後傾倒備至，

26　牟潤孫：〈學兼漢宋的余季豫先生〉，《海遺叢稿》，二編，頁219。
27　李學銘：〈烏臺正學兼有的牟潤孫教授〉，《海遺叢稿》，二編，頁310。
28　牟潤孫：〈學兼漢宋的余季豫先生〉，《海遺叢稿》，二編，頁229。
29　此書原名《古代城邦》（La Cité Antique），李宗侗於一九三四年譯成，遲至一九三八
　　年抗戰初方由長沙商務印書館發行，原題作《希臘羅馬古代社會研究》。李氏來臺
　　後，由中華文化出版事業委員會重新出版，改題作《希臘羅馬古代社會史》。李氏
　　自謂：「將其中文句生澀的地方略有改譯，名詞亦略有修改。」（見氏撰：〈譯者
　　序〉，《希臘羅馬古代社會史》〔臺北市：中華文化出版事業委員會，1955年〕，頁
　　1。）陳垣推薦牟潤孫讀的，正是商務印書館的《希臘羅馬古代社會研究》。不過劉
　　小楓在此書新譯本的序言中卻批評李氏的譯本：「並非全譯本，原書中的注釋幾乎
　　全部刪去，譯者不乏古雅的譯筆，因語感的歷史變遷如今讀來則不大流暢，十分可
　　惜。」（見譚立鑄等譯：《古代城邦──古希臘羅馬祭祀、權利和政制研究》〔上海
　　市：華東師範大學出版社，2006年〕，頁3。）

廣為宣揚，教其讀此書。牟氏到臺大後，常向李宗侗請教母系社會問題[30]，而這也表現在他用文化人類學的觀點所寫的相關論著，如〈春秋時代母系遺俗《公羊》證義〉、〈宋人內婚〉、〈漢初公主及外戚在帝室中之地位試釋〉、〈呂雉奪權與母系遺俗〉等文。[31]

向達可說是牟潤孫在大陸時期極為親密的摯友，二人因天津《大公報》「圖書副刊」而結緣，當時他們時常為「圖書副刊」寫稿，署名「海遺」。牟氏後來定居香港，為《新晚報》寫稿時，為紀念他和向達的交誼而仍沿用此筆名。[32]向達專攻中西交通史和敦煌學，後者雖非牟氏所精擅之領域，然亦有〈敦煌唐寫姓氏錄殘卷考證〉一文，其中頗有與向達商榷是非者。[33]中西文通史則是牟氏早年治學的方向，而這也讓他與向達有了共同的愛好，他欲撰《徐光啟年譜》，向達就將他所知道的材料告訴了他。[34]除了向達之外，身為陳垣函授弟子的方豪也在中西交通史方面與牟氏有共同的語言。牟潤孫與方豪誼屬同門，對其學問知之甚深，會悟者亦多。在他看來，方豪最專精的當屬明清之際，基督教傳入中國後，中西文化交流的那一段歷史，這涉及明清史、宗教史與中西交流史的範圍，這在相當大的程度與陳垣的治學領域相重疊。事實上，出身於杭州天主教修道院的方豪，當年正是透過私下與陳垣通信的因緣，才走上治中國史學的路。故陳垣的著作，方豪無一不取而讀之，而所治之學與治學法門亦悉出自陳垣的

---

30 牟潤孫：〈發展學術與延攬人才——陳援庵先生的學人丰度〉，《海遺叢稿》，二編，頁121；又參〈漢初公主及外戚在帝室中之地位試釋〉，《注史齋叢稿》，上冊，頁247。相關討論又參逯耀東：〈心送千里——憶牟潤孫師〉，《海遺叢稿》，二編，頁331。

31 此四文均收入《注史齋叢稿》，上冊，頁3-56、246-284。

32 以上俱參牟潤孫：〈悼念向達〉，《海遺叢稿》，二編，頁194。

33 此文收入《注史齋叢稿》，上冊，頁350-366。

34 牟潤孫：〈悼念向達〉，《海遺叢稿》，二編，頁195；〈發展學術與延攬人才〉，《海遺叢稿》，二編，頁119。

啟迪。[35]不過牟氏後來還是沒能完全走向中西交通史這條路，他自歎《徐光啟年譜》始終未完成，且也因資料難取得的原因放棄了研究中西交通史。但即使如此，他與方豪共同受業於勵耘書屋的因緣及與向達真摯的友誼也確實在他的學術發展歷程中留下了重要的痕跡。[36]此所以在其文集中仍留存了中西交流史，以及宗教史與明清之際史的相關論著。

　　除此之外，據李學銘教授回憶，還有一些當代學人也是牟潤孫所佩服的，如錢鍾書（1910-1998）、吳晗（1909-1969）和朱東潤（1896-1988）等。錢氏的《談藝錄》、《宋詩選注》、《七綴集》、《管錐篇》；吳晗的《朱元璋傳》、朱東潤的《張居正大傳》等書，都是牟氏認為有考證、有文筆，能深入淺出的史學佳作。[37]對牟氏的學問，當亦能有一定程度的啟迪。

第三節　牟潤孫與顧頡剛、陳援庵的師門關係與學術聯結

　　牟潤孫既自負於經學、史學兼具，其經學傳承自柯紹忞，史學則師承於陳垣，柯劭忞、陳垣固為其授業師，二人對其學術可說具有最直接、最重要的摶塑力量。然而其在燕京大學國學研究所的另一導師顧頡剛，於其學術影響又如何呢？

　　如果說何定生為顧頡剛門下大弟子，為顧頡剛在廣州中山大學時

35　以上俱參牟潤孫：〈跋《方豪六十自定稿》〉，《海遺叢稿》，初編，頁287；〈方杰人司鐸六十壽序〉，《海遺叢稿》，二編，頁230；〈悼亡友方杰人——陳援庵先生與方豪〉，《海遺叢稿》，二編，頁211。

36　牟潤孫：〈跋《方豪六十自定稿》〉，《海遺叢稿》，初編，頁288；又參〈崇禎帝之撤像及其信仰〉，《注史齋叢稿》，下冊，頁717。

37　李學銘：〈烏臺正學兼有的牟潤孫教授〉，《海遺叢稿》，二編，頁310。

期所親炙的學生，退學跟隨他一路北返北平。牟潤孫則是顧頡剛回到
北平後所開始收的正式學生，且為級別較高的研究生，於顧門中自有
其地位。但牟潤孫進入顧頡剛的門下卻不是他主動選擇投入的，而是
考入燕大國學研究所後，由所裡分派給顧頡剛的。據他自己的回憶，
當時顧頡剛雖很賞識他，但他對顧頡剛的《古史辨》卻並不十分贊
同，反而喜歡陳垣的治學方法。[38]學問的不契似乎也影響了師生二人
的相處，再加上個性的不同與做事態度的差異，最終發展至二人師生
關係的不諧，因而使牟潤孫陷入「身在顧門，心在勵耘書屋」的尷尬
處境。

　　牟潤孫在顧頡剛門下與其相處的狀況，在顧頡剛日記和書信中仍
可略見其梗概。牟潤孫最先出現在顧頡剛的日記中是一九二九年十月
七日星期一，顧頡剛當時記的就是：「我的學生：……國學研究所學
生：班書閣、牟傳楷。」[39]在十月十六日的日記中他又記道：「班書閣
偕牟傳楷來，此二人皆派與予之研究生也。」[40]又據他同月二十三日
所記，燕京大學國學研究所共招收五位研究生，牟潤孫和班書閣是歸
他指導的史學領域的兩名學生。[41]從此之後顧頡剛與牟潤孫師徒二人
來往日趨密切，時有一日兩見的情形。[42]顧頡剛所寫的日記完整地呈
現了二人當時相處的實況，包含實際的接觸，如晤面、談話、吃飯
等；以及非實際的接觸，如通信記錄、日記中對其相關活動之間接記

38　牟潤孫：〈談談我的治學經歷〉，《海遺叢稿》，二編，頁296-297。

39　顧頡剛：《顧頡剛日記》（臺北市：聯經出版事業公司，2007年），第2卷，頁330。
　　案：牟潤孫在〈敬悼顧頡剛先生——兼談顧先生的疑古辨偽與提攜後進〉一文中聲
　　稱他是顧頡剛在燕京大學國學研究所收的第一個研究生。（見《海遺叢稿》，二編，
　　頁217。）然而當時分給顧頡剛指導的研究生還有班書閣，且據《顧頡剛日記》所
　　記，排名似還在牟潤孫前面，則此「第一」似乎還不易遽下判斷。

40　顧頡剛：《顧頡剛日記》，第2卷，頁333。

41　顧頡剛：《顧頡剛日記》，第2卷，頁336。

42　如1929年11月5、12日；12月4日；1930年3月22日；4月18日；5月28日等。

載和載錄他人轉述牟氏話語等。從一九二九年十月直至一九三六年八月，共有一四八天的日記提到牟潤孫，其中一九三〇年的五十八天為最多，平均每個月有 4.8 天會與他有所接觸。一九三一年的二十六天次之，一九三二年的十七天又次之。直到一九三四年後才有明顯的減少，一九三六年甚至只有兩天。[43]且從一九三二年後，顧頡剛與牟潤孫的來往漸漸由實際的接觸轉變為非實際的接觸，這明顯反映在顧頡剛在日記中記錄他寫信給牟潤孫的次數上。牟潤孫一九三二年從燕京大學國學研究所畢業後有四年的時間在中學教書[44]，因此也就自然地從顧頡剛的視界中淡出，《顧頡剛日記》對二人關係的記載也就正好反映了這樣一個由往來熱絡密切到逐漸疏遠的過程。

　　但此時顧頡剛與牟潤孫的師徒關係卻絕非僅是牟潤孫離校教書而自然的疏離冷淡這麼單純，橫亙在二人之間的似乎是更多的緊張矛盾，如顧頡剛在一九三四年四月二十六日的日記中記載道：

---

43 顧頡剛在日記中所記載的具體日期如下：1929年10月7、16、23、24、27日；11月2、4、5、12、27日；12月4、9、11、18、23、26日。1930年1月13日；2月2、17、18、27、28日；3月1、10、12、14、21、22、25日；4月3、18、25、27、29日；5月6、9、12、22、28日；6月4、15、18、21、24、28、29日；7月5、17、21（未晚）、28日；8月8、12、19、28日；9月1、5、12、13、16、22、25、29日；10月8、9、14、16、29日；11月5、19、28日；12月3、11、15（非實際接觸）、31日（非實際接觸）。1931年1月21日；2月6、11、16、24日；3月6、18日；4月1日；6月2、4、8、24日；7月6日；8月24日；9月4、16、25、28日；10月19日；11月1（寫信）、9、17、23日；12月6（寫信）、10（寫信）、12日。1932年1月11、17日；2月13日（寫信）；3月18日（寫信）；4月27日（寫信）；5月10日（寫信）；6月13、14、18、21日；7月2、4、7日；8月16日（寫信）；9月1日；11月12日；12月31日。1933年1月3日；2月5、10日；3月31日；4月2、7、11、15、16、26日；5月21日；6月28日；7月7日。1934年2月11日；3月10、18日；4月3、26日（非實際接觸）；7月3日。1935年2月23日（寫信）；5月6日；7月9（未晚）、16、17（寫信）、23（寫信）、25、26日；8月9（寫信）、13日。1936年4月22日；8月24日。

44 李學銘：〈牟潤孫教授編年事略〉，《注史齋叢稿》，下冊，頁788。

煨蓮（謹案：即洪業〔1893-1980〕）告我，牟潤孫在城內大罵
我，謂我「野心太大，想做學閥，是一政客」。噫，看我太淺
者謂我是書呆，看我過深者謂我是政客。某蓋處於材不材之
間，似是而非也。[45]

更嚴重者，在隔年的七月十七日的日記中，顧頡剛又記道：「寫牟潤
孫信，申誡之。」[46]為何事申誡牟潤孫？日記未言，但此信連同牟潤
孫的答書卻一併收錄在《顧頡剛全集》中的《書信集》，原信是如此
寫的：

數度枉過，歉仄奚似。兩函均讀到，敬悉。此間局面過小，添
員綦難。今欲為兄告者，只要兄努力以成其學，弟總有法子解
決兄之困難。弟年來頗對兄不滿，所以然者，以兄天稟之高，
根底之善，而因循玩忽，六年來未有一事成功。在研究所時，
集蕃姓材料頗多，弟累勸成書，曾未見許。其後編《歐陽修辨
偽書語》，請作一序，亦至今未成。稍後，弟編《禹貢》，地理
沿革史者，兄有志專研之學也，初計宜有文來，而迄今兩載，
曾無隻字投下。禹貢學會初辦時，即承填入會書，而至今會費
分文未繳。精神如此散漫，安能作事！弟愛兄之才至矣，而兄
之使我失望乃如此，兄亦知弟心痛否耶？為今之計，亟宜挺起
脊梁，力自振作，每日必讀若干書，必寫若干字，有精神固
做，無精神亦做，勿肆意於酬應，勿費時於閒談，如此數月，
當能使兄之研究工作上軌道，夫然後弟有勞兄作事之可能。弟

---

45 顧頡剛：《顧頡剛日記》，第3卷，頁182。
46 顧頡剛：《顧頡剛日記》，第3卷，頁367。

　　本性喜苦幹，喜獨闢道路，喜認清了路徑，不厭不倦的向前
　　走，因之我亦希望人家如此，因之凡不能如此者，弟不願輕認
　　為同志也。率直布臆，諸希鑒諒。如兄接此函後，對弟說表同
　　情，則請從今日起，每日記日記，記筆記，每一星期送弟處覽
　　之。如覺得如此嚴正生活不堪其苦，則弟亦不敢相強，但望兄
　　知弟非優閒生活中之人物而已。[47]

從顧頡剛的信中可知，牟潤孫當是託顧頡剛謀職求事，但所謀何事，
信中未明言，日記也未詳記。考顧頡剛於該年三月獲北平研究院史學
研究會聘為該院歷史組主任，七月一日正式上任，聘了不少故舊與門
生，或任會員，或司編輯，或做助理，但牟潤孫不與焉。[48]牟潤孫兩
度致函顧頡剛謀事者，或即北平研究院歷史組之職務。

---

47 顧頡剛：〈致牟潤孫〉，《書信集》卷3，收入《顧頡剛全集》（北京市：中華書局，
　　2010年），第41冊，頁42-43。
48 參顧潮：《顧頡剛年譜》（北京市：中華書局，2011年增訂本），頁260-262。案：顧
　　頡剛在一九三五年三月二十九日接獲北平研究院代理院長李書華（1889-1976）邀聘
　　的電訊後，即在日記中記下他個人的感想：「因為個人研究計，燕大環境已極好，
　　惟為提拔人才計，則殊不足以發展。如北平研究院能給我三千元一月，方有提倡文
　　化之具體辦法。」（顧頡剛：《顧頡剛日記》，第3卷，頁324。）在同年五月五日的
　　日記中，他列出了所欲提拔的人才名單：「預備介紹至北平研究院史學研究所之
　　人：馮家昇──〈四裔傳〉、《遼史》；孫海波──《史記》；鄧嗣禹──〈職官
　　志〉；連士升──〈食貨志〉；吳世昌──北平半月刊、藝術陳列所；陳懋恆──
　　《史記》；楊向奎──《史記》；王育伊；邵君樸──《儀禮》；楊效曾──〈食貨
　　志〉；李子魁；李素英──北平半月刊。」（顧頡剛：《顧頡剛日記》，第3卷，頁339-
　　340。）北平研究院史學研究會歷史組後來最終聘了吳豐培、張江裁、吳世昌、劉
　　厚滋等任編輯，常惠、許道齡、劉師儀、石兆原等任助理，孫海波、徐文珊、馮家
　　昇、白壽彝、王守真、鄺平章、楊向奎、顧廷龍、王振鐸、童書業、楊效曾、王育
　　伊等任名譽編輯，洪業、許地山、張星烺、陶希聖、聞宥、孟森、吳燕昭、錢穆、
　　呂思勉、聶崇岐任史學研究會會員。（顧潮：《顧頡剛年譜》，頁262。）在這些名單
　　中均不見牟潤孫之名。由此可知，自始至終，牟潤孫皆非顧頡剛屬意的人才。

　　牟潤孫接到如此嚴厲的申斥信，隨即在隔日寫了一封致歉的信函，承認自己「因循怠荒，一無成就」，如顧頡剛訓斥者，雖自知其非，卻沉溺不自拔，在顧頡剛當頭棒喝下，頗思立定腳根努力向上。因此決定自即日起，自定日程，埋首讀書，杜絕酬應，並照指示每日作日記、記筆記，每週送呈顧頡剛批閱。他反省自己的毛病在於怠荒、無恆與精神不集中，他認為得到其師的策勉，當能滌除舊習而走上自新之途。[49]

　　在顧門中得到顧頡剛如此愛之深責之切待遇的，牟潤孫顯然不是惟一的一個，他的同門「大師兄」何定生在隨顧頡剛北返後，也因與顧頡剛在生活上的摩擦，再加上個人情感的挫折，荒廢了學業，而遭致顧頡剛的責備，最後疏離了顧頡剛的門庭。[50]但與何定生不同的是，牟潤孫與顧頡剛的齟齬並非只是單純性格或生活作風上的問題，而有著更複雜的學問取捨與師承選擇的問題。

　　在治學的問題上，牟潤孫始終就與顧頡剛所專擅的疑古辨偽不契，他之入顧頡剛門下，也並非他主觀的意願。這使得他在接受顧頡剛指導的過程中，一直顯得格格不入。顧頡剛在書信中指責他在為《歐陽修辨偽書語》作序一事上，態度消極散漫，從牟潤孫的角度來看，則顯然並非如顧頡剛所認知的。他晚年提及此事是這麼說的：

　　　　頡剛先生要我編一本《歐陽修辨偽集語》，我鈔錄完了之後，

49　牟潤孫：〈答顧頡剛書〉，《書信集》卷3，收入《顧頡剛全集》，第41冊，頁43。

50　參車行健、徐其寧合撰：〈顧頡剛與何定生的師生情緣〉，《中國文哲研究通訊》第20卷第2期（2010年6月），頁53-66；又收入拙著：《現代學術視域中的民國經學——以課程、學風與機制為主要觀照點》（臺北市：萬卷樓圖書公司，2011年），頁191-212。

　　　始終沒交卷。頡剛先生問我為什麼？我回答說：「我興趣改變
　　　了。」[51]

其實牟潤孫從一開始就對辨偽之學不感興趣，梁啟超雖是啟蒙他的
人，但他卻對梁啟超所說的辨偽及某些今文說法不感興趣。[52]由此看
來，他對顧頡剛所說的「興趣改變了」，顯是託詞。真正的原因應是
他此時已為陳垣的治學方法所吸引，他的學術方向與興趣完全轉向了
勵耘學風。所以他對顧頡剛的指導表現出抗拒的心態，甚至連顧頡剛
開的《尚書研究》也在聽了兩次後，就不去上課了。[53]
　　牟潤孫在憶及顧頡剛指導他進行研究工作時是這樣說的：

　　　頡剛先生給我出了一個沒法兒作的題目《清代禁書考》。我去
　　　哪兒找這些禁書呢？很難，我沒法作，我也不習慣他的這種指
　　　導方法。他對于後學，經常是「你這篇文章好，我給你發
　　　表」。而陳垣老不同，陳垣教學生是：「你不要胡寫啊，小時候
　　　亂作，老了要後悔的。不能亂寫文章啊！」兩個老師完全不一
　　　樣。顧先生給我定這題目，陳垣老是所長，也對我說這材料很
　　　難辦，我領你到故宮看，故宮有人搞，……他們那兒有材料，
　　　但他們不肯給你，你去那兒看看得了。當然人家是不肯給我
　　　了，我也就沒有作。後來陳垣老說：「我給你出個題目。」就

51　牟潤孫：〈敬悼顧頡剛先生——兼談顧先生的疑古辨偽與提攜後進〉，《海遺叢稿》，
　　二編，頁216。類似的敘述又見於氏撰：〈談談我的治學經歷〉，《海遺叢稿》，二
　　編，頁297。
52　牟潤孫：〈論治目錄之學與書籍供應——從梁任公《國學入門書要目》說起〉，《海
　　遺叢稿》，初編，頁227。
53　牟潤孫：〈敬悼顧頡剛先生——兼談顧先生的疑古辨偽與提攜後進〉，《海遺叢稿》，
　　二編，頁214-215。

是研究入居中國的外國人的蕃姓。……讓我搜集這些，作《蕃
姓考》，結果我的論文是陳垣老指導的。現在回想起來覺得挺
荒唐的，因為人家有制度，有導師，怎麼能撇開導師而直接由
所長指導呢？[54]

語氣間對陳垣與顧頡剛的抑揚極其明顯，雖然說自己荒唐（連帶拒編
《歐陽修辨偽書語》一事也說自己荒唐），但從其口氣來看，還是不
免有自鳴得意的味道。而他一連用了兩次「沒法作」來表達顧頡剛給
他出的《清代禁書考》題目不合理，並藉著陳垣的權威及到故宮觀書
一事，來支持這個論點，更是對顧頡剛不留情面的嘲諷。但顧頡剛讓
牟潤孫作這個題目絕非天馬行空，毫無理由的神來一筆式的指導，而
是與顧頡剛自己的治學歷程息息相關的。因為早在一九一六年，顧頡
剛便藉著休學養病的空閒，利用家中的藏書，歷半年時間，寫成《清
代著述考》二十冊，編列五百餘人。通過這項工作，使其對清代學術
有了深入的領會。[55]因此從顧頡剛的角度來看，他不會認為這個題目
不能作。相反地，牟潤孫因為畏於資料蒐集之困難而放棄研究的，尚
不只此例，《徐光啟年譜》的未能完成，亦是出於同樣的原因，甚至
因此中斷了其中西交通史的研究。如此一來，豈不反而更加印證了顧
頡剛對其「因循玩忽」批判的鞭辟入裡。

　　畢業論文改由陳垣指導，對於顧頡剛來說，縱非破出師門，但想
必仍是極大的難堪。其實牟潤孫「出顧門」、「入陳室」的舉動也具體
而微地反映了當時顧頡剛與陳垣的緊張關係。《顧頡剛日記》保留了
陳、顧不合的一些蛛絲馬跡，如一九三○年十月一日記道：

---

54 牟潤孫：〈談談我的治學經歷〉，《海遺叢稿》，二編，頁296-297。
55 顧潮：〈前言〉，《清代著述考》卷1，收入《顧頡剛全集》，第56冊，頁1。

今日以《燕京學報》稿費單請援庵先生簽字，他正在挑剔（這是老例，非此不足以表示其所長之地位），希白（謹案：即容庚〔1894-1983〕）在旁插口道，「你看文章太寬，什麼人的文章都是好的」（這也是他的老話，今日又說一遍而已）。我被兩種氣夾攻，一時憤甚，即道，「我不編了！」因此之故，終日頭痛，夜且失眠。予之為人，在討論學問上極能容忍，而在辦事上竟不能容忍如此。《學報》事到年底必辭，記此勿忘。[56]

在同年十一月二十日更記道：

陳援庵先生近年太受人捧，日益驕傲，且遇事包而不辦，又不容人辦，故燕大研究所雖有巨款而無成績，且無計畫，其詫詫之聲音顏色，直拒人於千里之外。此間有吳雷川作校長，有陳援庵作所長，自應成官僚化矣。予現在編《燕京學報》，不能不與之接觸，每見輒感不快，決定明年擺脫矣。[57]

這中間固然有人事相處的矛盾，更有雙方對待學術態度的差異。就後者而言，其實就反映了嚴謹與寬容的兩種學風。陳垣告誡牟潤孫文章不要妄作，對顧頡剛所編的《燕京學報》諸多挑剔，這種態度與傅斯年如出一轍。當年顧頡剛在廣州中山大學出版《民俗學會叢書》，出到一、二冊時，傅斯年就說「這本無聊」、「那本淺薄」。傅斯年對學術出版抱持的態度是「大學出書應當是積年研究的結果」。蓋其在歐洲待了七年，甚欲步法國漢學後塵，與之爭勝，故旨在提高學術水平。但顧頡剛則以為欲與人爭勝，必先培育一批人，積疊材料加以整

---

56 顧頡剛：《顧頡剛日記》，第2卷，頁444。
57 顧頡剛：《顧頡剛日記》，第2卷，頁461。

理，所以較從「誘掖引導」的角度，來提倡學術。[58]

　　顧頡剛與牟潤孫的師生關係導入了「陳垣因素」後，無異雪上加霜。顧頡剛在一九三五年七月十七日寫給牟潤孫的那封嚴厲的申誡信應該就是這種複雜的關係所累積的負面能量的總爆發。而寫這封信的前一天，顧頡剛除在赴北平研究院途中遇到牟潤孫外，還耳聞了一件令他不開心的事：

> 肖甫（謹案：即趙貞信〔1902-1989〕）告我，援庵先生以其接近我，而我今任院事，疑必邀之，遂解其女中職務。又聞季龍（謹案：即譚其驤〔1911-1992〕）言，亦大致如是，輔仁功課已不能繼續。氣量之小如此，如何成事。此豈非「為淵驅魚」耶！[59]

或許這件事就是觸發他對牟潤孫不滿情緒的導火線也未可知。

　　從較嚴格的學術標準來看，如陳垣、傅斯年所持者，則不只顧頡剛所力主提倡普及的學術態度為輕率，就是顧頡剛本人所優而為之的疑古辨偽學風也不夠嚴謹。此所以服膺勵耘學術的牟潤孫終身持續不斷地批評顧頡剛所代表的疑古辨偽學風。如其在〈學兼漢宋的余季豫先生〉一文中評述余嘉錫深明古書體例，甚不以五四之後盛行的辨偽風氣為然，並引其《四庫提要辨證》對〈管子提要〉的評論，指出余氏在藉由抨擊《四庫提要》「往往以後世之見議論古人」的同時，其實是為當時瀰漫辨偽風氣下受過疑古學說薰陶的人，所說的一番補偏救弊的言論。其下又提及余氏在為〈六經奧論提要〉所作的辨證中指

58　以上俱參顧潮：《歷劫終教志不灰──我的父親顧頡剛》（上海市：華東師範大學出版社，1997年），頁124-125、128。

59　顧頡剛：《顧頡剛日記》，第3卷，頁367。

出顧頡剛撰《鄭樵著述考》疑《六經奧論》非鄭樵所著，譏諷其未讀全祖望（1705-1755）的集子。牟潤孫對余氏的評論語帶悻然地做了如此的小結：「對頡剛先生這篇未成熟之作，季老僅說『或者未考全氏集歟』，已是很客氣了。」[60]

又如他在評述陳寅恪〈元西域人華化考序〉一文裡對清代經學流弊所說的「以夸誕之人而治經學，則不甘以片段之論述為滿足，因其材料殘闕寡少及解釋無定之故，轉可利用一二細微疑似之單證，以附會其廣泛難徵之結論」這段話，做了一番演繹：

> 五四以後疑古史的人沿著清末今文派經學家的妄說，好作奇詭之論，寅恪先生此文確是針對著一般荒唐學人說的。[61]

豈其師顧頡剛亦其所謂「荒唐學人」歟？

牟潤孫不但不喜疑古辨偽學風，甚至覺得這種治學方式根本是謬誤的，他在一九七二年寫〈讀《陳寅恪先生論集》〉時嘗用充滿無比信心的口吻說道：

> 時代到了今日，疑古風氣雖不及五四之盛，而說到《左傳》還有人以為析自《國語》；對于《周禮》，還有人以為是出于劉歆之手。我指出寅恪先生對古書的看法，不僅要說明他的治學態度和遠見，更因為今日地下材料出土眾多，古書之不當亂疑，已成為治史學應有的常識，而執迷不悟的疑古之徒居然尚大有人在，不能不引為遺憾。[62]

60　以上俱見牟潤孫：〈學兼漢宋的余季豫先生〉，《海遺叢稿》，二編，頁220-221。

61　以上俱見牟潤孫：〈讀《陳寅恪先生論集》〉，《海遺叢稿》，二編，頁139-140。

62　牟潤孫：〈讀《陳寅恪先生論集》〉，《海遺叢稿》，二編，頁143。

論調一何似現今中國大陸學界所高倡的「走出疑古時代」！但他所指斥的「執迷不悟的疑古之徒」可能已不包括顧頡剛了。因為他所理解的晚年顧頡剛已從早期對古史古書無所不懷疑的態度中慢慢淡消下來。[63]

古書既不當亂疑，之前為學界所判定的偽書似也不能一概而論，他對所謂偽《古文尚書》也有別於以往的積極態度，其云：

> 我覺得對偽書不能一概而論，比如閻若璩費了老大力氣，辨偽《古文尚書》，差不多也可以成為定案吧！但是，能說偽《古文尚書》完全是王肅虛造嗎？其中有真材料，它是東晉不曉得甚麼人，對所見《古文尚書》的材料，不懂得采用像宋人那種輯佚書的辦法，一條一條輯，不連綴也不要緊。但他不，他想把它連起來，恐怕其中還有翻譯，于是「藝術加工」成為一個整篇的文章，所以別人認為這是假的。實際上《古文尚書》，現在有許多人發現其中有真的。所以，我覺得像歐陽修那樣的「辨偽」做得有些過分。[64]

又云：

> 筆者一直相信《尚書》古文部分，是東晉時，孔安國得到殘缺不完整的古文《尚書》，將它滙輯在一起。為了連綴成文，字句間可能有所添改，以致改變了本來面目，使人生疑（孔安國為東晉人，由他編成古文《尚書》，是陳夢家首先考證出來

---

63 牟潤孫：〈敬悼顧頡剛先生——兼談顧先生的疑古辨偽與提攜後進〉，《海遺叢稿》，二編，頁216。

64 牟潤孫：〈談談我的治學經歷〉，《海遺叢稿》，二編，頁297。

的）。其中有真史料是毫無疑問，如說它全部出于偽托，恐有些過分。[65]

其實從辨偽學的角度來看，偽書本來就有程度的不同，不論是全部偽或部分偽，都可稱為偽書，因此也就需要進行辨偽工作。更何況還有後人連綴成文，藝術加工的地方，若不加以考辨，冒然接受，豈非囫圇吞棗，全盤信以為真？而漢人基於利祿的動機，本就有炮製偽書，以獵取利益的事例。牟氏方之輯佚，亦恐未盡然也。

第四節　結語

　　牟潤孫與其師顧頡剛在對待疑古辨偽的態度上有極大的差異，自始至終，牟潤孫從來沒有接受顧頡剛所倡導的疑古辨偽的學風，從這個角度來說，牟潤孫並非顧頡剛的門徒，而只是名義上由他所指導的學生。因而也可以說，他從未真正進入「顧門」中，實非顧門弟子。但無論如何，名義還是存在的，而其在燕京大學國學研究所中也實實在在地接受過顧頡剛的實際指導，《顧頡剛日記》所留存的記錄已足可說明一切。無論如何，這份師生情誼還是存在的，此所以牟潤孫終其一生仍以師禮對待顧頡剛。

　　但牟潤孫卻對顧頡剛辨偽疑古學風有所悖離，他們之間的學術關聯與交集，可說幾乎不存在，只存在不相契合的學術聯結，而此就是其對顧頡剛疑古辨偽學風的批判。然而誠如顧頡剛另一位著名的弟子劉起釪（1917-2012）所認為的，顧頡剛最大的貢獻就在於「對歷史資料進行批判地審查的工作」，這個工作又正是現代史學必不可少的

65　牟潤孫：〈敬悼先師陳援庵先生〉，《海遺叢稿》，二編，頁83。

基礎。[66]因而即使如此反對疑古辨偽學風的牟潤孫，在從事相關學術研究工作時，也時有乞靈此術的時候。如他雖承認《春秋命曆序》所記載的帝王或氏族名號都是真實的，但對各帝王的世系年數以及次序傳承，他認為就現存的紙上材料，結合已出土的地下材料，仍尚不容易整理明白，作出清楚準確的斷定。[67]此豈非「對歷史資料進行批判地審查的工作」？又如其以為《漢書》〈高帝紀贊〉敘其先世由來諸語係出自附會，毫無足採。蓋班固所據者雖為《左傳》，《左傳》固非劉歆析自《國語》，然而文公十三年《傳》「其處者為劉氏」一語，無論是否為後人所加，然士會至高祖之世系孰能詳之？[68]此亦豈非疑古辨偽態度之展現？由此看來，古書豈不能疑、不當疑？

---

66 劉起釪：《顧頡剛先生學述》（北京市：中華書局，1986年），頁155、276。
67 牟潤孫：〈中國早期文字與古史研究〉，《注史齋叢稿》，上冊，頁234。
68 牟潤孫：〈漢初公主及外戚在帝室中之地位試釋〉，《注史齋叢稿》，上冊，頁246。

第九章
論楊向奎的經今古文學觀

第一節　前言

楊向奎，字拱辰，一九一○年一月十日生於河北省豐潤縣，二
○○○年七月二十三日逝世於北京。歷任青島山東大學教授及中文、
歷史二系系主任、文學院院長、中國科學院歷史研究所二所（現中國
社會科學院歷史研究所）研究員、清史研究室主任，被新華社、《人
民日報》、《光明日報》、《中國社會科學院院報》等報刊媒體譽為「史
學界一代宗師」。[1]

楊向奎固然以史學聞名於當代中國學界，他一生撰述甚豐，但其
所致力鑽研的學問及撰著的著作卻並不限於史學，亦包含經學、哲
學、學術史等方面，甚至還跨出了人文學術的領域，而涉及於自然科
學的範圍。在他晚年自編的《繹史齋學術文集》中就體現了他鑽研多
種學術領域的成果，在該書的〈前言〉中，他自述此文集共包含了四
組文章，第一組是關於中國古代社會性質及歷史分期問題的文章；第
二組是中國古代哲學與經學方面的文章；第三組文章則探究了墨子的
思想及其在自然科學方面的成就；第四組文章是關於小學與訓詁方面
的。[2]而在《楊向奎學術文選》一書中，他亦將所收的十六篇文章分
作中國哲學與中國經學、中國歷史問題的考證、師友回憶及自然科學

1　以上傳略敘述係根據吳銳：〈序〉，《中國古典學‧第二卷‧楊向奎先生百年誕辰紀
　　念文集》（長春市：吉林大學出版社，2009年），頁1。

2　楊向奎：〈前言〉，《繹史齋學術文集》（上海市：上海人民出版社，1983年），頁1-4。

等四組。[3]此外，在《楊向奎學述》的〈前言〉中，他在略述了他的學習歷程後，接著又羅列了在此歷程中主要的專著與論文，其中分為一、經學類；二、史學類；三、自然哲學類；四、道德哲學類；五、學案類；六、文集類。[4]除了文集類不能顯示一個明確的學術領域而不予考慮外，所謂的自然哲學又主要以探討自然科學中的理論物理學為主。由這些文章所歸屬的類別不難看出，楊向奎的治學大致涵蓋了經學、史學、哲學、學術史（或可包含在史學類）及自然科學等不同的類別，從中也清楚地呈現了楊向奎多元、豐富的治學興趣與研究領域。但儘管楊向奎有如此豐厚的學術成果，且據其遺稿整理者吳銳的敘述，其全部著作的字數共有八百多萬字[5]，數量亦頗為龐大。但目前行世的著作並不完整，無法較有系統地展現其學術成果的全部面向。或許惟有俟其全集出版，方能更全面地掌握楊向奎學術的全貌及其內涵。

雖然楊向奎的治學涵蓋了如此多的領域，但他最重要、影響最大，也最為人所熟知的學術表現應該在他對古史的研究方面，而這又是與他學術的源頭——以顧頡剛（1893-1980）為首的古史辨派——有著密不可分的關係。他嘗自述，顧頡剛是他上北京大學歷史系就讀後，對他影響最大的老師，是指導他走入研究歷史之門的第一位老師。[6]在楊向奎看來，顧頡剛領導的古史辨派在方法上是繼承晚清的

3　楊向奎：〈前言〉，《楊向奎學術文選》（北京市：人民出版社，2000年），頁1-2。

4　楊向奎述、李尚英整理：〈前言〉，《楊向奎學述》（杭州市：浙江人民出版社，2000年），頁4-5。

5　吳銳：〈序〉，《中國古典學‧第二卷‧楊向奎先生百年誕辰紀念文集》，頁20。

6　楊向奎述、李尚英整理：《楊向奎學述》，頁11。類似言論又見於楊向奎：〈五四時代的胡適、傅斯年、顧頡剛三位先生〉（《文史哲》1989年第3期），如謂：「我跟顧先生念過多年的書，他可算是我的啟蒙老師。我後來所以在歷史方面能有些入門知識，全靠顧先生的引導。」（頁49）又如其於〈回憶顧先生的幾件往事及對我的影響〉文中謂：「我是顧先生的老學生，我所以讀歷史，就因為看了《古史辨》。從大

今文學，認為古文經，尤其是《左傳》和《周禮》皆是由劉歆所偽造，目的就是為王莽的篡漢改制尋求經典的依據。所以他對顧頡剛一直有個極為獨特的判斷，即他認為顧頡剛既是古史大師，也是經學大師[7]，而顧頡剛的經學自然是屬於今文學派一脈。[8]顧頡剛的治學特色也深刻影響了楊向奎的治學興趣與研究領域，他在晚年對顧頡剛的回憶中就承認他之所以喜歡研究中國古代史和今文經學就是受到顧頡剛的影響。[9]而在這兩個領域中，後者可能還比前者在他學術事業的初起階段更占據著重要的地位。在他晚年有系統地追憶自己的治學歷程時，曾毫不猶豫地說其師從顧門，也把經學研究作為重點，雖然他早在大學時代，就對《左傳》、《周禮》、《尚書》等古文經書進行了研究。[10]而這正與顧頡剛早年對他的期待也是相一致的，在一九三九年年底時，顧頡剛嘗寫信給楊向奎，語重心長地勸勉他：

> 現在治文字學與歷史學者甚多，專治經學者殆無其人。經學到
> 將來固不成其為一學，但在其性質尚不十分明瞭時，則必須有

學一年級就選他的課，即『尚書研究』，第一篇是〈堯典〉，一直到四年級始終上他的課。」（見中國社會科學院歷史研究所、中山大學歷史系合編：《紀念顧頡剛先生誕辰110周年論文集》〔北京市：中華書局，2004年〕，頁280。）此外，在〈回憶《禹貢》〉一文中，他將自己因受顧頡剛影響而選擇攻讀歷史的情由敘述得更為詳盡，其謂：「一九三一年秋，我由北大文預科升入歷史系。當時決定我選擇歷史系的原因是這時我讀了摩爾根的《古代社會》，郭沫若先生的《中國古代社會研究》和顧頡剛先生的《古史辨》；後者和前兩者的內容和觀點都不一致，但它那華麗的文辭，辯才無礙的風采，使我為之心折而決定入歷史系，專攻中國古代史。」（見王煦華編：《顧頡剛先生學行錄》〔北京市：中華書局，2006年〕，頁122。）

7　楊向奎述、李尚英整理：《楊向奎學述》，頁108。在該書頁十五則稱顧頡剛為「中國現代的史學大學、經學大師」。

8　楊向奎述、李尚英整理：《楊向奎學述》，頁15。

9　楊向奎：〈回憶顧頡剛老師〉，《顧頡剛先生學行錄》，頁209。

10　楊向奎述、李尚英整理：《楊向奎學述》，頁108。

人專攻，加以分析，如廖平、皮錫瑞然。物希為貴，我甚望你
向這條路走。[11]

楊向奎後來的學術表現究竟有沒有符合顧頡剛的期望，這頗不易判
斷，但確定的是，楊向奎對經學領域的研究，不但是一直持續下去，
而且還甚至可以說是終生戮力以赴，並不只是集中在早年的階段。據
他自述，在一九六〇年以後，他在經學領域中又持續對《公羊》學和
宗周的禮樂文明兩個問題加以鑽研。[12]

　　雖然楊向奎的經學研究受到顧頡剛的強烈影響，但這不代表他在
經學問題上的態度和立場就和顧頡剛一致。相反地，他正是不同意顧
頡剛及古史辨派對待今古文經的態度，而屢屢與顧門唱反調。他不但
多次公開聲明自己絕不是古史辨派，更在晚年的自述中，明確地宣稱
他從大三後就不相信古史辨派的學術，認為是今文學派的偏見。[13]他

---

11 顧頡剛：〈浪口村隨筆・三〉，《顧頡剛讀書筆記》卷4，《顧頡剛全集》（北京市：中
　　華書局，2010年），第19冊，頁137。案：此函未收入《顧頡剛全集》之《書信
　　集》。

12 楊向奎述、李尚英整理：《楊向奎學述》，頁108。

13 在《楊向奎學述》中他自述：「我的確和顧頡剛先生有著學術上的淵源，但我決不
　　是『古史辨派』。……我過去就是受顧先生的影響才學歷史的。當時我非常相信這
　　種學術，到了大學三年級以後就不相信了，我認為這是今文學派的偏見。」（頁9）
　　楊向奎後來叛離師門的古史辨派誠然是事實，但是不是早在他大三的時候就開始有
　　強烈的懷疑意識，以至於全然不相信師門的學術，他的晚年追憶還是多少令人存疑
　　的。因為他在一九三六年五月十四日為顧頡剛的〈禪讓傳說起於墨家考〉寫了篇
　　〈書後〉，在這篇文章中他不但同意顧頡剛的觀點，而且他還對自疑古之說起後，
　　時人對古史觀念已由固守舊說轉為彌縫舊說的現象提出批判。因為在他看來，固守
　　的說法因魯莽裂滅，後世必有發其覆者，但彌縫的做法卻因其較為合理，反能堅人
　　之信。如此一來，其弊反而更大。（見呂思勉、童書業編：《古史辨》〔臺北市：藍
　　燈文化事業公司，1987年翻印〕，第7冊下編，頁107-109。）考楊向奎是在一九三一
　　年秋天進入北大歷史系就讀的，他大三時當在一九三四年左右，且據其自述，他從
　　一九三六年到一九四〇年工作一直是和顧頡剛在一起的。（見〈回憶顧先生的幾件

早年在經學領域撰著的論著幾乎都圍繞著今古文學的問題打轉，而且焦點都集中在對顧頡剛所抱持的今文學核心立場——古文經書為劉歆助莽篡漢所偽造的——之異議與辨駁。由此可知，若說經今古文問題是楊向奎經學研究，乃至整體學術研究的起點，這個判斷應該不會偏離事實太遠。但觀察楊向奎一生學術研究的足跡可知，不論是一九四九年以前的早年階段，或至一九五〇至一九六〇年代的中年階段，乃至一九七〇至一九八〇年代以後的晚年階段，他在各個階段中不但一直都有經學領域的研究成果，而且相關內容也都仍與今古文學脫離不了關係。（參本書「附錄六」）由此亦可知，今古文學問題是楊向奎一生致力研究的課題，他所謂經學類的論著也大都與此有關，因此欲了解楊向奎的經學，不從今古文學問題入手，將是難以得其體要的。

　　由於楊向奎早年的經學研究與顧頡剛及古史辨派有著千絲萬縷的關係，因此在探究楊向奎的今古文觀的問題時，勢必不能脫離這個學術背景與脈絡來入手。關於楊向奎與顧頡剛、古史辨派，及其在今古文學問題的關聯和相關議論，王學典教授已在其大作中作了極其詳盡的研究[14]，不過其重點仍是置放在人物及事件方面，而非完全在學術內容的探討，本文擬在王文的基礎上，將焦點集中在楊向奎對今古文經學相關議題的論辯上，儘可能地爬梳、整理楊向奎對此論題的論

往事及對我的影響〉，《紀念顧頡剛先生誕辰110周年論文集》，頁280。）由此可知，他在這個時期當中，雖然已開始對古史辨派疑古辨偽之說起疑，但思想意識仍應還是在一定程度上受到古史辨派疑古思維的影響，否則他不會寫出〈書後〉那樣的文章，也不會和顧頡剛一起合撰《三皇考》這篇收在《古史辨》第七冊的長文（雖然大部分仍是顧頡剛所寫），更不會和顧頡剛工作在一起。相關討論另參王學典主撰：《顧頡剛和他的弟子們》（北京市：中華書局，2011年增訂本），頁228-229。

14 王學典主撰：《顧頡剛和他的弟子們》，第六章，〈吾愛吾師，吾更愛真理——顧頡剛與楊向奎〉。本文在資料及觀點上多受惠於王教授此書，謹聲明於此，以示不敢掠美，並深致謝忱。他這本書為學界展示了一個很好研究顧頡剛及顧門學術的範例。

證，並對其研究成果、學術特色以及和顧頡剛的關係做一番公允客觀
的評估。

第二節　《左傳》、《周禮》真偽與今古文學之爭辯

　　楊向奎在一九八〇年時，曾寫過一篇題名〈論「古史辨派」〉具
有總結性質的著名文章，在文章的〈前言〉中他自述自己與古史辨派
的淵源時說道：

> 筆者在大學讀書時從顧剛先生學，選讀他的「尚書研究」，喜
> 今文家言，也參加古史討論，但在參加辨論的過程中，又懷疑
> 今文家言，對於康有為學風之粗枝大葉有所不滿，所謂劉歆編
> 偽《左傳》、《周禮》之說，不過是又一次的「託古改制」而
> 已，於是以當時的大部時間研究《左傳》、《周禮》，力圖為劉
> 歆翻案而說明兩書之不偽，如果兩書不偽，則「古史辨派」的
> 理論根據在許多方面將發生動搖。[15]

由此可知，楊向奎早年投注大量的精力研究《左傳》與《周禮》二
書，固然是與師門有關，但其方向和目的卻與古史辨派截然相反，他
要從根本上來動搖晚清今文學以來持論的根據，即此古文二經係劉歆
所偽篡的。此論證若能成立，則不啻對深受晚清今文學影響的古史辨
派的疑古主張「釜底抽薪」，影響所及，亦恐將造成古史辨派的「土
崩瓦解」。楊向奎此時的學術工作不但是入室操戈，更有火燒顧營的

---

15 楊向奎：〈論「古史辨派」〉，《中華學術論文集》（北京市：中華書局，1981年），頁
　　11；此文又收錄在氏撰：《清儒學案新編》卷4（濟南市：齊魯書社，1994年），改
　　題作〈受今文經學影響的「《古史辨》派」〉。

味道。楊向奎在這方面相關的論著，關於《左傳》者有〈略論五十凡〉、〈論左傳「君子曰」〉和〈論左傳之性質及其與國語之關係〉等三文。關於《周禮》者則主要集中在〈從周禮推論中國古代社會發展的不平衡性〉和〈周禮的內容分析及其成書時代〉二文，至於抗戰期間撰著的《西漢經學與政治》和一九六〇年代出版的《中國古代社會與古代思想研究》上冊，以及晚年所撰的《宗周社會與禮樂文明》等書亦有相關的章節討論到此二書之真偽問題。此外，其中、晚年所撰的零星文章亦有涉及於此者，如〈論「古史辨派」〉及《《周禮主體思想與成書年代研究》序言〉等。

　　楊向奎在《清儒學案新編》中嘗歸納今古文之爭約有為義理、篇目之不同及章句之不同等三端而產生的爭論。義理之爭就如《左氏》、《公羊》因義理不同，遂使古今兩派形同水火而視若仇讎。篇目之不同涉及偽作，於是有《公羊》學家指控《左氏》為偽之爭釁。章句不同係導源於隻辭片語，疏解不同，因之義理亦有歧義，孳蔓旁生，疑義無窮。[16]但更具體地來說，整個焦點還是集中在今古文派學者對《左傳》與《周禮》這二部古文經的爭辯上，他在晚年自己編選的《繹史齋學術文集》的〈前言〉中，藉由回顧他早年關於《左傳》與《周禮》的相關研究，將此二書所牽引關涉的今古文學問題做了一番概括的敘述：

　　　　經學分為今古文，今文經以《公羊》為主，古文經的重點是
　　　　《左傳》和《周禮》。自西漢哀帝建平元年宗室劉歆請建立
　　　　《春秋左氏傳》及王莽取法《周禮》後，乃若靜水投物，水波
　　　　經久不息。我的〈論左傳之性質及其與國語之關係〉一文，就
　　　　是要解決《左傳》一書的性質問題，而〈周禮的內容分析及其

---

16 楊向奎：《清儒學案新編》卷2（濟南市：齊魯書社，1988年），頁662-663。

成書時代〉是要解決《周禮》的問題。……今文經學雖然給王
莽奪取政權以許多幫助，但今文經缺少典章制度，所以王莽也
取法《周禮》，于是表彰《周禮》，「以明因監」。因為政治問題
而影響到學術問題，今古文之爭是中國經學史以及學術思想史
上最突出的問題，所以我也曾用很大的力量來研究它。[17]

但為何其他古文經書沒有像《左傳》與《周禮》二書引起那麼大的爭
論呢？楊向奎在發表於《山東大學學報》一九五四年第四期的〈周禮
的內容分析及其成書時代〉一文中，曾針對古文經的性質做了一番釐
清，認為不能一概而論，將其大體上分作三類：

一、整部全是古文經，它本身并沒有今古文的分別，如《周
禮》、《左傳》；

二、部分的古文經，如《逸書》十六篇，《逸禮》三十九篇等；

三、傳授上的今古之別，如《詩經》齊、魯、韓《詩》是今
文，《毛詩》是古文；《論語》、《魯論》是今文，《古論》
是古文等。[18]

在他看來，其中的第二類古文經現在已不可見，故真偽可以不說，而
第三類的古文經與今文經也只有章句或講解上的不同，不是有什麼根
本上的歧異，只有第一類的古文經是非常突出的兩部。[19]為何突出？

---

17 楊向奎：〈前言〉，《繹史齋學術文集》，頁2。

18 此文收入《繹史齋學術文集》，引文見頁229。此段話又見於楊向奎：《中國古代社
會與古代思想研究》（上海市：上海人民出版社，1962年），上冊，頁297-298，文字
略有不同。

19 楊向奎：〈周禮的內容分析及其成書時代〉，《繹史齋學術文集》，頁229；又見於楊
向奎：《中國古代社會與古代思想研究》，上冊，頁298。

自然跟這兩部書在漢代以後引起極大的反響與爭論有關。所謂的今古
文之爭的核心就在於對《左傳》、《周禮》二書性質的認定，而欲對今
古文之爭有徹底地了解亦勢必得從對此二書的研究入手，這也是楊向
奎早年花費大量精力研究此二書的原因所在，或許也可以說這就是楊
向奎研究此二書的「問題意識」。

　　然而在楊向奎看來，此二書雖然皆關涉乎劇烈的今古文之爭，但
還是有著程度上的不同，因為《周禮》「非周公之作，則無疑矣」，惟
獨《左傳》問題，「乃愈久而愈棼，今文家攻之愈急，古文家守之亦
愈堅，一似永無解決之希望者」，所以他認為《左傳》問題實較他書
為複雜。[20]就《左傳》一書的性質問題而言，最主要的解決方法就是
證明不是偽書。楊向奎在一九三〇年代大學時期曾對此問題撰寫了
〈略論五十凡〉、〈論左傳「君子曰」〉、〈論左傳之性質及其與國語之
關係〉等三篇論文，其中尤以〈論左傳之性質及其與國語之關係〉最
為重要，此文亦大致含括了〈略論五十凡〉及〈論左傳「君子曰」〉
二文要旨。該文分為導言、上篇「論《左傳》之性質」及下篇「論
《左傳》與《國語》之關係」三個部分。上篇分別從《左傳》書法及
解經語、《左傳》凡例、《左傳》「君子曰」和《左傳》古本說等議題
來論述《左傳》的性質。其中《左傳》古本說較無與於真偽問題，可
以暫且不論。楊向奎對這些議題的論述主要皆是針對今文家的質疑所
發，其謂今文家既謂《左傳》不傳《春秋》，於是書法、凡例、「君子
曰」及緣經立說之語，皆為後人所竄加。但他則從《國策》、《禮
記》、《史記》、《說苑》等西漢或稍前之典籍中，找到四十六條徵引
《左傳》書法及緣經立說之語的證據，由此他認為僅憑「竄入」二

---

20 以上敘述見楊向奎：〈論左傳之性質及其與國語之關係〉，《繹史齋學術文集》，頁
　174。

字，實不足以服人之口而饜人之心。[21]而就凡例而言，他將《左傳》
中之「凡」分為三類：一、史官修史時之法則，若言「書」、「不書」
者，其謂之「史法」，此類凡例共九條；二、修史時之屬辭，若言
「曰」、言「為」者，其謂之「書法」，此類凡例共二十二條；三、言
禮言常者，乃通行禮論，其謂之「禮經」，凡例屬於此者共十九條。
他認為史法與書法，不過一字之詁，何以能當於國事？故若謂周公垂
法者，則此說不待攻而自破；若謂創自孔子者，則又與《春秋》記事
多所乖牾。因此他的結論是：「《左氏》之凡例與書法同一來源，皆為
《左傳》原編者所隨意加入者也。」[22]至於《左傳》中的「君子曰」，
他也透過先秦書籍多有「君子曰」的狀況做了番考察，認為《左傳》
中的「君子曰」之性質與諸子、《國策》等書同，都是作者對於某事
某人所下的論斷，且通過詳細的比對，判明《左傳》中的「君子曰」
均無後人所偽竄的痕跡，為《左傳》所原有。[23]

　　至於下篇「論《左傳》與《國語》之關係」，他先對當時研究此問
題的中外學者的研究成果做了番評介，如高本漢（Bernhard Karlgren,
1889-1978）、衛聚賢（1899-1989）、馮沅君（1900-1974）、孫海波
（1911-1972）、卜德（Derk Bodde, 1909-2003）、童書業（1908-

21　見楊向奎：〈論左傳之性質及其與國語之關係〉，《繹史齋學術文集》，頁178-188；又
　　見楊向奎述、李尚英整理：《楊向奎學述》，頁17。

22　見楊向奎：〈論左傳之性質及其與國語之關係〉，《繹史齋學術文集》，頁189-193；
　　〈略論五十凡〉，《繹史齋學術文集》，頁215-223；又見楊向奎述、李尚英整理：《楊
　　向奎學述》，頁17。

23　楊向奎：〈論左傳之性質及其與國語之關係〉，《繹史齋學術文集》，頁193-200；〈論
　　左傳「君子曰」〉，《文瀾學報》第2卷第1期（1936年3月），頁1-8；又見楊向奎述、
　　李尚英整理：《楊向奎學述》，頁18。案：楊向奎自謂其由《國語》、《韓非子》、《史
　　記》等書證《左傳》「君子曰」非出後人竄入，此義實發自劉師培（1884-1919），他
　　的論述不過加詳而已。（〈論左傳之性質及其與國語之關係〉，《繹史齋學術文集》，
　　頁194。）

1968）及錢玄同（1887-1939），認為上述諸人除錢玄同仍堅守康有為
（1858-1927）所持《左傳》、《國語》為一書分化之說外，其餘諸人
雖立證取材不同，但結論皆不約而同地指出兩書本非一書。楊向奎在
上述諸論證之外，再從《左傳》、《國語》體裁不同及西漢以前《左
傳》、《國語》名稱不同兩個角度加以補充，進一步證成二書非一書
分化之說。[24]結合上篇的論證，由此他得到如下的結論：

> 書法、凡例、解《經》語及「君子曰」等為《左傳》所原有，
> 非出後人之竄加，故《左傳》本為傳《經》之書。《國語》之
> 文法、體裁、記事、名稱等皆與《左傳》不同，故二者決非一
> 書之割裂也。[25]

由此結論可以證明《左傳》並不是如晚清今文學以及顧頡剛所說的，
是一部「假書」。他當時之所以有這樣的學術作為，據他晚年追述，
就是因為不同意今文學派的說法，所以「要翻這個案」。[26]

相較於《左傳》，誠如上所言，《周禮》一書的性質及真偽問題的
爭辯劇烈程度，並沒有像《左傳》如此紛囂騰辨。雖然如此，此書仍
在今古文之爭中，引發極大的討論。在發表於《文史哲》一九五一年

---

24 見楊向奎：〈論左傳之性質及其與國語之關係〉，《繹史齋學術文集》，頁203-213；又
　見楊向奎述、李尚英整理：《楊向奎學述》，頁19-20。案：關於對中外學者對此問題
　研究成果之評述，又見於楊向奎：《西漢經學與政治》（重慶市：獨立出版社，1945
　年，收入林慶彰編：《民國時期經學叢書》第2輯第7冊，臺中市：文听閣圖書公
　司，2008年），頁115-123。此書所論大致與〈論左傳之性質及其與國語之關係〉重
　複，但所評述之論著略多於前文，其中又增孫次舟（?-2000）發表於《責善》半月
　刊第1卷第4、6、7期中的〈左傳國語原非一書證〉。

25 楊向奎：〈論左傳之性質及其與國語之關係〉，《繹史齋學術文集》，頁214；又見楊
　向奎述、李尚英整理：《楊向奎學述》，頁20。

26 楊向奎述、李尚英整理：《楊向奎學述》，頁15。

第一卷第三期的〈從周禮推論中國古代社會發展的不平衡性〉論文中，楊向奎對《周禮》遭受今文學派猛烈攻訐的情況做出了如此的評論：

> 自從王莽表彰《周禮》而遭到今文學派的抨擊以後，一直到現在，《周禮》還沒有得到應有的評價。今文學派以至于疑古派的史學家，固然把《周禮》看得一文不值，就是一般的史學工作者也沒有、甚至也不準備給《周禮》一個適當的地位。[27]

楊向奎由此感歎道：「就這一點說，《周禮》的遭遇不如《左傳》。」[28]他為《周禮》受到如此的待遇而耿耿於懷，一直到在他一九九二年出版的《宗周社會與禮樂文明》一書中，他還是如此說道：

> 《周禮》今文家視為偽書，乃不足道者。康有為出，此說大盛；疑古派出，《周禮》遂無人齒及。實則此乃冤案，冤案不解，將使中國失去一資料豐富的文化寶庫。……我以為就《周禮》所載的典章制度言，不可能偽造，沒人能夠憑空撰出合乎社會發展規律的政治經濟社會各方面的著作。[29]

在評述他的老師顧頡剛帶有「今文家法」仍持《周禮》有劉歆竄入的說法時，楊向奎除批判這種說法「沒有證據，不足服人」外，他還積極地提出他的論點：

---

27 此文收入《繹史齋學術文集》，引文見頁18。

28 楊向奎：〈從周禮推論中國古代社會發展的不平衡性〉，《繹史齋學術文集》，頁18。

29 楊向奎：《宗周社會與禮樂文明》（北京市：人民出版社，1997年修訂本），頁291。
  案：本書原版1992年，本文所徵引者悉以1997年修訂本為主。

> 《周禮》中的社會制度，階級關係，土地規劃，都是根據西周
> 的經濟基礎而制作出來，這些基礎，春秋以後逐漸消失，沒有
> 人能夠偽造。[30]

在替《周禮》申冤辯護的同時，可以發現，楊向奎不知是有意或無意，自覺或不自覺地，已完全從史學的角度與眼光來看待《周禮》，這個態度在〈周禮的內容分析及其成書時代〉一文的「引言」中表現得最明顯，其謂：

> 假使《周禮》真出于周公而是西周政典的話，也只有史料上的
> 價值，作為我們研究西周歷史的一種材料。假使它不是一部西
> 周的作品，出于後人的偽托，我們當它是一部假古董，分析
> 它、批判它，看它還有沒有一些史料上的價值。其實，無論真
> 偽，《周禮》本身不應負責任，從〈天官冢宰〉以至于〈秋官〉
> （《考工記》暫除外），沒有一句話說到它是西周的政典，也沒
> 有說到它是周公的書。[31]

此文分別從社會經濟制度、政法制度、學術思想等方面對《周禮》進行了詳細的考察，由此他得到了《周禮》可能成書於戰國中葉前後及出於齊地的結論[32]，他對這本書的性質做了如下的觀察：

> 《周禮》雖然不是一部實錄，然而它反映了春秋時代齊國的現

---

30 以上俱見楊向奎：《宗周社會與禮樂文明》，頁296。
31 楊向奎：〈周禮的內容分析及其成書時代〉，《繹史齋學術文集》，頁228。
32 楊向奎：〈周禮的內容分析及其成書時代〉，《繹史齋學術文集》，頁271-274；又見於楊向奎：《中國古代社會與古代思想研究》，上冊，頁357；及楊向奎述、李尚英整理：《楊向奎學述》，頁70。

實。當然也有大部分是空想的，不切合實際的，要我們分析批
判，使其中真實部分，化為有用史料。[33]

在他晚年時，他仍持續著從史學的角度來看待《周禮》，結果不
但發現《周禮》不僅不偽，而且認為《周禮》是足以反映周公思想及
政治設施的「實錄」，其云：

> 周公是西周開國後的主要當政者，他又是一位偉大的思想家和
> 政治家，因襲商法，比如根據「脅田制」改造成井田，加以周
> 族本身的傳統而制造出種種典章制度，有偉大的氣魄，足以
> 「建立起這個龐大王朝的大系統來」！因此我們說《周禮》中
> 的記載，主要方面，是當時實錄，雖然有後人的理想，有誇大
> 而無歪曲，基本可以信賴。據《周禮》以研究周公的思想及其
> 設施，不會離題太遠。[34]

又云：

> 晚近幾十年的研究，始知《周禮》所記，實多實錄，如井田制
> 度……這種制度不是後人能夠想像得來的。……《儀禮》、《周
> 禮》及《禮記》中的部分篇章反映了宗周的典章制度、風俗人
> 情；而其中重要的制度與禮樂是和周公分不開的。當然不是說
> 周公是《三禮》的作者，但禮的具體內容及其實施，某些樂章
> 的制定，肯定是周初統治者所為，而主要是周公。因為「非天

---

33 楊向奎：〈周禮的內容分析及其成書時代〉，《繹史齋學術文集》，頁274。

34 楊向奎：《宗周社會與禮樂文明》，頁296-297。

子不議禮，不制度，不考文」。（〈中庸〉）周公曾攝周政，而且
是偉大的思想家。[35]

但這個說法明顯與中年時所持《周禮》係反映春秋時代齊國現實的論
點不同，在寫於一九八〇年年底的《繹史齋學術文集》的〈前言〉
裡，他坦承在寫〈周禮的內容分析及其成書時代〉時，「對《周禮》
的評價可能偏低」[36]，可見他應是對他說法的轉變有相當程度的自
覺。[37]他對《周禮》的考辨雖然純粹是用史學的角度和眼光來進行
的，但卻將此書的年代愈辨愈早，真實性也愈辨愈高，而最後的結論
亦與傳統古文家所持的觀點殊塗同歸，這樣的學思發展歷程，確實令
人好奇。

---

35 楊向奎：《宗周社會與禮樂文明》，頁360-361。

36 楊向奎：〈前言〉，《繹史齋學術文集》，頁2。

37 不過令人疑惑的是，楊向奎似乎對他在《宗周社會與禮樂文明》中的觀點也持之不
　堅，如其於一九九〇年十二月為彭林的《周禮主體思想與成書年代研究》一書所作
　的序就又如此說：「宗周初年，對禮樂的改造工作可能是長期的集體的工作，而後
　人多推之于周公，因此謂《周禮》、《儀禮》出自周公。個人著述事業，就現在我們
　能看到的材料說，春秋以前還不存在，雖然史官秉筆可以記錄，但不能說是著作。
　若《三禮》之有體系的大著作，在宗周時代還沒有這種體裁，也沒有人有這種才
　能；為文而作系統著作，戰國時才開始大盛。《周禮》、《儀禮》只能根據宗周的禮
　樂制度而系統化及理想化。《周禮》有理想化的部分，因為我們看不出宗周有整齊
　的六官制度及五等爵封制；但《儀禮》中許多條文，我們可以得到實證，而不是後
　人的理想。」（楊向奎：〈序言〉，《周禮主體思想與成書年代研究》〔北京市：中國
　人民大學出版社，2009年增訂本〕，頁3）此外，在出版於二〇〇〇年七月的《楊向
　奎學述》一書中，他在提到《周禮》成書的時間問題上，仍持出於先秦齊國（頁
　70、188），且非實錄的觀點（頁70），而完全不及於《宗周社會與禮樂文明》的論
　點，只不過特別強調此書對研究宗周歷史具有不可缺少的價值。（頁188）

第三節　今古文學和漢代經學與政治的關係

　　楊向奎在成書於一九四三年的《西漢經學與政治》一書的開頭曾簡要地將他研究此論題的問題意識做了交代：

> 西漢政治受當時經學的影響，而當時經學以五行學說為骨幹，
> 所以十餘年來治西漢之經學與政治者，莫不以五行說為研討的
> 中心。顧頡剛先生編著的《古史辨》第五冊就〔是〕以此為中
> 心的代表著作。但五行說的本身問題實多，如果弄不清五行說
> 的起源，則相生相勝兩說的先後問題，將無法解決；解決不了
> 此兩說的先後，則所謂「五德終始說下的政治與歷史」也者，
> 將無從談起。[38]

從外人的角度來看，誠如王學典所說的，楊向奎此書的觀點「與顧先
生針鋒相對，幾乎完全『對著幹』」。[39]但畢竟在當時楊向奎與顧頡剛
仍維持著親密的師生關係，所以有些話說得還較含蓄些，但他在晚年
所撰述的《楊向奎學述》中，對當年這段學思歷程做出回顧時，就很
明白地說，他撰寫《西漢經學與政治》一書即從五行說的起源談起，
「并以此請教我的老師顧頡剛先生」。[40]看來楊向奎治經學一直都受到
顧頡剛的極大影響，甚至誇張一些來說，一直籠罩在顧頡剛的權威之
下。只是楊向奎的表現方式不是順從與推衍師說，而是抗拒與批判師
說。楊向奎對於西漢經學與政治的論說，有兩種呈現方式，一是採用
直陳其說的正面論述，一是藉由批判顧頡剛及古史辨派的觀點來表陳

---

38 楊向奎：《西漢經學與政治》，頁1。
39 王學典主撰：《顧頡剛和他的弟子們》，頁239。
40 楊向奎述、李尚英整理：《楊向奎學述》，頁37。

己說的反面論述。但無論是那一種論述方式，都脫離不了顧頡剛及
《古史辨》第五冊中的相關論說。以下先敘述楊向奎的正面論述，然
後再檢討其反面論述。

　　楊向奎在〈周禮的內容分析及其成書時代〉一文的第六節「小
結」中有一段綜述今文經學與五行說的關係，以及五行說與西漢政治
結合的論述，可以視做是他對此論題的正面論述的代表，其云：

> 原來的經學雖然不分今古，但子思、孟子一派的學說成為今文
> 經學的不祧之宗，他們提倡五行，荀子所謂「子思唱之，孟軻
> 和之」，即指此。稍後鄒衍更是五行說的大師，他受有孟子一
> 派的影響，所以他的五行學說是先講相生而後講相勝的。相生
> 說的政治主張是儒家的王道政治，這不被時王所重視，于是鄒
> 衍改變主義而提倡相勝說，主張暴力，這合乎一般統治者的要
> 求，于是這種學說時興起來。劉邦自從起事以來就利用了它，
> 他的子孫也一直利用它作為鞏固政權的工具。但當某一些人取
> 得了政權而宣稱取得「一德」後，他要防備沒有得到政權的人
> 正在設法取得另外「一德」而推翻他。西漢自昭、宣以後，人
> 民生活越來越痛苦，要推翻漢家統治者越來越多，沒有取得政
> 權的地主階級也希望混水摸魚，于是「漢曆將終」的流言越來
> 越盛行。王莽是一個注視著漢家天下的人，他利用著自己的社
> 會地位、政治條件以及漢家天子的幼弱，并且鼓吹著五行學
> 說，從而奪取了政權。[41]

至於王莽篡漢與今古文經學的關係，楊向奎在此文中是如此闡述的：

---

41 楊向奎：〈周禮的內容分析及其成書時代〉，《繹史齋學術文集》，頁274-275。

> 王莽雖然利用今文經學作為奪取政權的工具，但古文經學可以
> 供給他采用的制度，他要以復古作維新，恢復領主封建社會，
> 于是他重視《周禮》。……古文經學尤其是《周禮》，是在這種
> 情形下興起來的。[42]

這兩段話可謂正面地呈現了楊向奎對此問題的整體觀點，其中的不少
論點卻與顧頡剛及古史辨派大相徑庭，但畢竟是出之以表面措詞平
和，沒有批判既有學人及學說的論述方式，所以其中的針鋒相對之感
還不易察覺出來。然而在其反面論述中，則語氣之激烈、態度之尖
刻，「對著幹」的煙硝之味躍然紙上。其中焦點主要就集中在反駁劉
歆造作《世經》，將五行相勝說改為相生說以助王莽篡漢，以及王
莽、劉歆篡漢與今古文經的關係上。

就第一點而言，誠如楊向奎在寫作《西漢經學與政治》時所自覺
的：「如果弄不清五行說的起源，則相生相勝兩說的先後問題，將無
法解決；解絕不了此兩說的先後，則所謂『五德終始說下的政治與歷
史』也者，將無從談起。」其中的關鍵就在於顧頡剛〈五德終始說下
的政治與歷史〉一文立論的核心就是認為劉歆造作《世經》[43]，將五
行相勝說改為相生說，並利用五行相生說改造古史系統，以為王莽篡

---

42 楊向奎：〈周禮的內容分析及其成書時代〉，《繹史齋學術文集》，頁275。案：此文
　　「引言」的一段話也可補充這段話：「今文經學雖然給王莽奪得政權許多幫助，但
　　那裏面缺少典章制度，少有可供王莽取法的地方，所以他重視《周禮》，也曾經取
　　法《周禮》。王莽要以復古作維新，他要恢復領主封建制度，消滅和他爭奪土地的
　　地主階級，《周禮》正好供給他一些材料。」（頁230）

43 關於《世經》與劉歆的關係，顧頡剛在〈五德終始說下的政治與歷史〉是如此主張
　　的：「《世經》這部書，在別的地方從沒有引用過，只見於劉歆的《三統曆》。以那
　　時的學風而論，偽書是大批地出現，劉歆又是造偽書的宗師（俱見康長素先生《新
　　學偽經考》），則此書頗有亦出於劉歆的可能。話說得寬一點，此書也有出於劉歆的
　　學派的可能。」（《古史辨》，第5冊下編，頁451。相關論述又見頁595-597。）

漢提供理論依據。根據顧頡剛的看法，歷史上的朝代遞嬗有兩種公式，一是革命，一是禪讓。五行相勝說的原理可適用於商周的革命，但卻不能適用於虞夏的禪讓，且五行相勝的系統也不能和歷史系統合拍，於是五行相生說正好可以濟其窮。顧頡剛就認為是劉歆把五行相勝說改變為五行相生說。《世經》一書是劉歆造作出來，用五行相生說來解釋古史的書，而其中的古史系統就從王莽的《自本》出發，其基礎則是建築在王氏代劉氏上。在《世經》中，將漢定為火德堯之後裔，而堯禪位舜，舜承堯後為土德，王莽是舜後，所以王莽也應為土德。舜既受堯禪，其後人也應當如此，於是身為堯後的漢天子便不得不禪讓於舜後的王莽了。[44]但楊向奎在晚年寫的〈論「古史辨派」〉卻明言他不同意顧頡剛〈五德終始說下的政治與歷史〉一文中的某些論點，他的理由如下：

> 劉歆並沒有創造五行相生說……以五行相生說解釋歷史始自鄒衍，而漢朝是火德也不是後來的事；這些都是不同於頡剛先生理論的主要事實。劉歆為王莽製造奪取天下的理論根據，既然是在「製造」，這裏面的任意性很大，他可以利用任何一德為基本，不管是火德是土德。說西漢是火德，堯後，王莽的《自本》是舜後，土德；反正是五德循環，反正是根據王莽的《自本》，誰敢說他的《自本》是偽造？他自造堯後、舜後、禹後都方便的很，何必去變動古史系統，改變五行次序以自造破綻？王莽是狡猾的人，劉歆更是當時的大學者，他們不會這樣笨拙，自找麻煩。[45]

---

44 以上敘述係根據楊向奎：〈論「古史辨派」〉，頁19。

45 楊向奎：〈論「古史辨派」〉，頁20。案：楊向奎對此問題更詳細的辨駁另參〈論劉歆與班固〉，《繹史齋學術文集》，頁142-145。

如果劉歆並沒有創造五行相生說可以成立的話，如此一來，顧頡剛
〈五德終始說下的政治與歷史〉的基礎也可說在相當程度上就動搖
了。[46]

再就第二點來說，楊向奎更是多次為文提出他的反駁論點，如駁
斥晚清今文家以來所主張的王莽利用古文經以助其篡漢的說法，其云：

> 王莽利用著當時的學術潮流，利用著當時的民間迷信，以欺騙
> 漢家的孤兒寡婦，並欲以一掩盡天下人的耳目；這種便利，是
> 西漢經今文學派賜給他的……王莽篡漢和經古文學派關係很
> 少。然而晚清的今文學派，尤其是康有為先生，勁說是莽
> （漢）〔篡〕和古文經有關，幾幾乎說是古文學派一手所包
> 辦。[47]

而協助王莽篡漢的劉歆在其中所扮演的角色及其與今古文的關係，也
一直深受晚清今文家乃至古史辨派的質疑與指斥，他也為此做了系統
的回應：

> 劉歆所受的教育是今文經學，在思想體系上他屬于今文學派，
> 但在經學上他又提倡古文經，不過當時還不存在古文經學學派
> 的思想體系。晚清的今文學派，為了政治上的原因，他們鼓吹
> 說，王莽之所以取得政權，在思想領域制造輿論方面，和古文
> 經學分不開。康有為以斥責的口吻說，王莽以偽行篡漢朝，劉
> 歆以偽經篡孔學，二者同篡，二者同偽。他們說劉歆曾經編偽

---

46 王學典主撰：《顧頡剛和他的弟子們》，頁240。

47 楊向奎：《西漢經學與政治》，頁102-103。相關論述又參同書頁141；以及《中國古
代社會與古代思想研究》上冊，頁297。

群經而以《左氏》及《周禮》為主，然後偽諸經以作佐證。……其實，劉歆、王莽所利用的都是今文經學，他們予取予求，不假旁索。[48]

在〈論「「古史辨派」〉一文的結尾，他對顧頡剛〈五德終始說下的政治與歷史〉用今文學派的方法，「一切委過於劉歆」的做法深感不滿，他為此寫了好幾篇文章為劉歆辯護，認為劉歆並沒有偽造五行相生說，也沒有偽造古史系統，更沒有偽造所謂記載偽史的《左傳》和《周禮》。[49]

平情而論，王莽、劉歆等人篡漢，所利用的學術憑藉或資源，當然不會僅有古文經學，當時仍蔚為顯學的今文經學無論如何也不會被莽、歆們束之高閣的，畢竟他們都是受今文經學的教育，楊向奎這個反駁是相當強而有力的。[50]但若要全盤地為劉歆平反、辨誣，認為他不像晚清今文家及顧頡剛等疑古派人士所聲稱的如此不堪，所謂「心壞叵測的陰謀家」[51]，似乎亦失之偏頗，楊向奎在〈論劉歆與班固〉

---

48 楊向奎：〈論劉歆與班固〉，《繹史齋學術文集》，頁139。

49 楊向奎：〈論「古史辨派」〉，頁32。

50 莽、歆篡漢同時利用今古文經的情況也為當代研究漢代經學者所予以正視，如湯志鈞等人所撰著的《西漢經學與政治》第八章〈西漢的終結和今古文學的消替〉（由湯志鈞執筆）就如此說道：「王莽的提倡古文經學，相對地壓抑了今文經學，但並不意味他排斥今文經學。對今文經典中認為有利的東西，也予汲取；今文經說中認為可取的地方，也要利用。……今文經學家是相信讖緯、用以解釋災異祥瑞、進行迷信宣傳的。王莽就大加提倡，藉以證明自己得天命，該做皇帝。……王莽儘管尊重《周禮》，但對其他西漢過去立於學官的儒家經典，並不是絕對排斥的，他認為有用的東西且曾汲取。」（湯志鈞等：《西漢經學與政治》〔上海市：上海古籍出版社，1994年〕，頁360-361。）

51 楊向奎：〈論「古史辨派」〉，頁16-17。楊向奎在此文中闡發顧頡剛的論點，說：「在（顧）先生理論中的劉歆不是學者而是一個政客。」（頁16）同樣的意思，甚至同樣的語句也出現在楊向奎於一九八五年二月十六日寫給同門史念海（1912-2001）的

一文中的評論頗為平實，其云：

> 我們不同意劉歆偽造古文經以助王莽取得政權的說法，但并不
> 反對劉歆曾為新莽政權作輿論鼓吹的說法，這種鼓吹是他先利
> 用了今文學派的理論，後來又抬出古文經「以明因監」。今文
> 經學為他提供了五行相生說，這種學說正好是為禪讓說作輿論
> 準備：歷史是按五行相生說作循環的，因此王莽可以作漢代合
> 法的繼承者。這裏用不著偽造，現成的說法俯仰即是，他只是
> 需要《周禮》提供具體的政治措施了。[52]

由此可見，楊向奎也是承認劉歆既利用今文經學，也同時利用古文經
學來幫助王莽取得政權的事實，只是他認為劉歆用不著偽造，現成的
說法，無論是今文經學或古文經學，都隨他用，愛怎麼用就怎麼用，
套用楊向奎所謂無人敢說王莽《自本》是偽造的說法，同樣的，在當
時也應該無人敢對劉歆隨意運用今古文經來為新莽政權鼓吹輿論的做
法表示異議，因為他是當權者。[53]

第四節　今古文學綜論

在楊向奎許多與經學有關的學術論著中，還有不少涉及經今古文
學相關議題的論述，以下區分為（一）論今古文學的產生背景、發展

信中。（見〈致史念海教授書論晚近公羊學三變〉，《繡經室學術文集》〔濟南市：齊
魯書社，1989年〕，頁20-21。）

52 楊向奎：〈論劉歆與班固〉，《繹史齋學術文集》，頁149。

53 撇開與政治的瓜葛，單從學術來論，楊向奎也給予劉歆極高的評價，讚揚他是「第
一個正式溝通今古經學的人。」（楊向奎：《大一統與儒家思想》〔長春市：中國友
誼出版公司，1989年〕，頁92。）

及二者特點之比較；（二）論《公羊》學與大一統；（三）論今文學與
古史辨派的關係，茲分述如下：

（一）論今古文學的產生背景、發展及二者特點之比較

關於今古文學產生的背景或社會基礎，楊向奎是如此認識的：

> 經學今古文之爭基本上還是因為統治階級本身的矛盾，造成思
> 想上的糾紛。如果說孔子一派的儒家思想是封建領主階級的反
> 映，今文經學的產生反映著封建地主階級的要求。在地主階級
> 起來以後，他們要求變，要求變更那已經腐朽了的封建領主制
> 度，今文經學也正好代表這種要求。[54]

西漢的今文經學是為適應所謂封建地主階級的要求，那麼古文經學
呢？在他的解釋架構中，一樣是為因應當權的地主階級而興起的，
其云：

> 東漢以後，取得政權的地主階級，希望社會能夠安定，而古文
> 經學是古代的歷史與典章制度，這種學風至多只能造成講章句
> 的儒生，對于統治者會有幫助的。[55]

既然都是因應或適應封建地主階級而興起的學說，如果社會基礎沒有
太大的改變的話，但為何忽而今文經學，忽而古文經學？只單憑機械
的階級反映論的解釋架構似乎並未能完全說明問題。因為問題的關鍵
顯然還是在於封建地主階級的想法或現實需要，西漢承戰國秦漢之際

---

54 楊向奎：〈周禮的內容分析及其成書時代〉，《繹史齋學術文集》，頁228。
55 楊向奎：〈周禮的內容分析及其成書時代〉，《繹史齋學術文集》，頁230。

的社會政治大動盪，所以新興的封建地主階級需要求變，今文經學因
此應時而起。反之，東漢取得政權的封建地主階級，在歷經戰亂之
後，卻需要安定，專講古代歷史與典章制度的古文經學因對統治者有
助，所以便取得優勢的地位。楊向奎從這個角度做出的補充性解釋顯
然比階級反映論的解釋架構更能解決問題。

今古文經不但產生的背景不同，他們彼此的學問性格也大不相
同，楊向奎對此也做了一番比較，如其在談到東漢古文經學的發展時
說道：

> 在東漢章帝建初八年，《周官》與《古文尚書》、《毛詩》等經
> 同置弟子員。此後經師多是咕嗶小儒，埋頭于章句的鑽研。[56]

在評論何休（129-182）和鄭玄（127-200）這兩位東漢今古文學大師
的學術爭論時，楊向奎也比較了他們所代表的學問特色：

> 因他們的學派不同，理論各異，彼此之間缺乏共同語言，因而
> 爭論側重于考辨史實。《公羊》學雖富于理想，長于歷史哲學
> 的發揮，但有時未免曲解史實以附會他們的理論。鄭玄則是一
> 位淵博的學者，因為學識淵博，所以在史實爭辨中可以左右逢
> 源。[57]

由包含鄭玄在內的東漢古文經師所建立的漢學傳統，被清代樸學繼承
了下來，楊向奎給予清代樸學很高的評價，認為其「一反明末浮誇不

---

56 楊向奎：〈周禮的內容分析及其成書時代〉，《繹史齋學術文集》，頁230。

57 楊向奎：《大一統與儒家思想》，頁106-107，相關敍述又見頁108。

實作風，走向平實，使漢學水平達到一個新高峰」。[58]但今文經學的進
一步發展卻是道教的真正起源，楊向奎對此有如下的觀察：

> 東漢以後的今文經學變成道教的主流……思、孟一派的儒家本
> 來有宗教的意味，到董仲舒而越發宗教化。東漢時代的今文經
> 師更是注重方伎術數，拋棄了經學本身，于是和民間的宗教信
> 仰結合而變成道教。[59]

這個觀點隱約有顧頡剛在《秦漢的方士與儒生》中所述，方士大批跑
進儒家的隊伍而形成所謂「方士化的儒生」的味道[60]，而由方術演進
到道教，似乎也不過是數步之遙。

　　整體而言，他對今古文學有這樣的評判：

> 古文經模拙，絀於義理，非今文經敵。[61]

怎麼說呢？他解釋道：

> 古文學派多章句儒，泥于章句，少有發揮，更無「非常異義可
> 怪之論」。以《左傳》方之于《公羊》，在義理方面，《左傳》

---

58 楊向奎：《大一統與儒家思想》，頁106。
59 楊向奎：《中國古代社會與古代思想研究》，上冊，頁469；又見於楊向奎述、李尚
　英整理：《楊向奎學述》，頁88。案：楊向奎在〈白虎通義的思想體系〉中亦有論及
　此問題，其云：「（東漢）今文經學只能與讖緯結合而走向宗教化，但儒家與經學本
　身并不具備宗教化的條件，于是讖緯與民間迷信結合而形成道教。」（見《繹史齋
　學術文集》，頁161。）
60 顧頡剛：〈序〉，《秦漢的方士與儒生》，《顧頡剛全集》，第2冊，頁469。
61 楊向奎：〈序言〉，《繙經室學術文集》，頁1。

是「賣餅家」，而《公羊》是「大官」。[62]

在楊向奎看來，古文經不但在義理上非今文經學之敵，甚至論影響也遠遜今文經，如其於〈康有為與今文學〉一文中謂：

> 今文經學是一個偏重義理的學派，繁瑣考據本非所長，東漢何休與鄭玄之爭即淵源于此……今文經學之閎肆的思想內容，枝葉扶疏的風貌，論影響遠遠超過古文經。[63]

在他看來，這個特點在清末古文經學大師章太炎（1869-1936）身上展現得尤其明顯：

> 太炎先生是有名的古文經學家，但古文經短于義理，長于訓詁，奪席談經固非其所長。……太炎先生治古文經，尊《左氏》而祖劉歆。[64]

在關於所謂劉歆竄偽《左傳》的問題上，楊向奎感慨道：

> 今文學派對之妄加攻擊固然草率魯莽，而古文學派之保衛亦無力，太炎先生的言論亦如此。[65]

從楊向奎的角度來看，除了有出於政治立場不同而徒逞意氣之爭的原

---

62 楊向奎：〈試論章太炎的經學和小學〉，《繹經室學術文集》，頁27。
63 楊向奎：〈康有為與今文經學〉，《繹經室學術文集》，頁15。
64 楊向奎：〈試論章太炎的經學和小學〉，《繹經室學術文集》，頁26-27。
65 楊向奎：〈試論章太炎的經學和小學〉，《繹經室學術文集》，頁41。

因之外，歸根結柢，還是因為「太炎先生畢竟是章句儒，經學義理非其所長」。[66]而他又不善於用其所長而喜用其所短，當晚清今文家以《公羊》結合《禮運》等書，遂以大同說《公羊》之太平世，但古文家卻未能使《左傳》與《周禮》結合，以致在政治上喪失發言權。且其在《左氏》之書法、凡例等方面對今文學派之抨擊反擊無力，而於古代譜牒及天文曆法又無所得[67]，所以終究在與今文學的爭辯中「蒼白無力」。[68]

（二）論《公羊》學與大一統

楊向奎在對待經書真偽與時代的問題上是持墨守的態度，即所謂「楊守」[69]，但他在對待《公羊》學的態度，卻積極、正面地闡揚與表彰《公羊》學的大一統之義，在精神上反而更接近今文經學重視致用的特質，而遠離古文學，甚至是與古文學關係密切的樸學之學問性格。他在晚年回顧其治經書的歷程，云其少喜《左傳》，喜其言辭富麗而記事詳備。及長聞《公羊》義，然因清代今文家群斥《左氏》，以為偽自劉歆，遂有為《左傳》辨誣之文。然而「其實喜《公羊》，尤喜『大一統』義」。[70]可見《公羊》才是他的摯愛，這也可以解釋為什麼從上世紀六十年代以後，《公羊》學一直是他經學研究的兩個重

---

66 楊向奎：〈試論章太炎的經學和小學〉，《繹經室學術文集》，頁41；又見於楊向奎：《清儒學案新編》卷6（濟南市：齊魯書社，1994年），頁549。

67 楊向奎：《清儒學案新編》，卷6，頁556。

68 楊向奎：〈試論章太炎的經學和小學〉，《繹經室學術文集》，頁41。

69 楊守是他早年的筆名，「守」即保守，在疑古問題上，他的態度是保守的，為此，他當時也常與顧頡剛另一號稱「童疑」的弟子童書業打筆仗，童書業文章的署名正是「童疑」。（楊向奎述、李尚英整理：《楊向奎學述》，頁10。）

70 楊向奎述、李尚英整理：《楊向奎學述》，頁217。

點之一。[71]

楊向奎會喜愛《公羊》學,當然是跟《公羊傳》所提倡的「大一統」觀念分不開的,為此,他反覆地讚揚「《公羊》義頗不俗」。[72]在楊向奎看來,《公羊》所倡的大一統義,千百年來深入人心,變成中國民族間之凝聚力。即使魏晉以後,政權分崩,實不一統,但任何一族之當道者,皆以一統為己任而以炎黃之後自負,無任何民族隔閡,都是大一統之負荷者。[73]《公羊》的大一統義超越了狹隘的種族觀念,促成中國實質的統一,不只是軍事武力或政治制度的統一,更是民族間凝聚的動力。他強調《公羊》中的「中國」、「夷」、「夏」,不是種族或民族上的概念,而是政治、文化或者倫理的分野。所以「夷狄」可以進為「中國」,「諸夏」也可退為「夷狄」[74],其云:

> 「中國」、「夷狄」之別在乎「尊尊」,尊尊是倫理概念,也是政治概念。時王室已亂,而左右上下莫能正,敗壞無行,是「中國」而有夷狄行,亦新夷狄也,夷狄不能主中國,是「中國」不能主中國。反之,如「夷狄」能匡王室而尊尊,「夷狄」亦新中國,中國當然可以入主中國。[75]

---

71 另一個重點是宗周禮樂文明。(參楊向奎述、李尚英整理:《楊向奎學述》,頁108。) 宗周的禮樂文明與《周禮》有關,根據《楊向奎學述》,他於一九五〇年代在山東大學的十年中,關於中國經學方面的研究重點就已是《公羊》學和《周禮》了。(參頁66)

72 楊向奎:《大一統與儒家思想》,頁87、95、101、111、132;〈致史念海教授書論晚近公羊學三變〉,《繙經室學術文集》,頁21;楊向奎述、李尚英整理:《楊向奎學述》,頁111、113。

73 楊向奎:〈序言〉,《大一統與儒家思想》,頁1。

74 楊向奎:《清儒學案新編》,卷2,頁422。

75 楊向奎:《大一統與儒家思想》,頁49。

他認為這種動態的夷夏觀是《公羊》之「最勝義」，而他也因為何休
對此義發揮得當，所以特別讚揚何休為兩千年來「《公羊》之第一解
人，其功在董仲舒上」。[76]

從大一統義出發，楊向奎發現了今古文經學有相通之處，他說：

> 《公羊》和《周禮》雖然在經學上分為今、古，也只是經學上
> 的問題，在政治主張上，兩書都有「大一統」的要求，《公
> 羊》在理論上闡述，而《周禮》在制度上說明，一文一質，正
> 好是相輔相成。[77]

但楊向奎也看到了《公羊》學理論的矛盾之處，他認為《公羊》學派
發生的歷史背景是由宗周的宗法領主逐漸過渡到地主封建社會，因此
他們的思想體系中既有新興階級的思想意識，但舊的宗法領主制度又
仍在他們腦海中縈回，所以他們時常在徘徊、在反顧。東漢時代，《白
虎通》的出現，就代表了《公羊》學派發展過程中的倒退狀態，為何
如此？他在〈白虎通義的思想體系〉一文中做了清楚的闡述：

> 《白虎通義》無疑反映了當時豪門大族的意識形態，而豪門大
> 族的存在也就是地方割據勢力的存在，于是《白虎通義》中也
> 有「天下非一家之有」的說法。……這說明《白虎通義》不遵
> 循《公羊》古義大一統的理論，而提倡諸侯對于天子有「不純
> 臣」的關係。[78]

---

76 楊向奎：《大一統與儒家思想》，頁49-50。
77 楊向奎：《大一統與儒家思想》，頁54。
78 楊向奎：〈白虎通義的思想體系〉，《繹史齋學術文集》，頁156。

在〈論劉歆與班固〉文中他也說道：

> 班固是《白虎通義》的撰集者。《白虎通義》雖然是今古文經
> 雜糅，但以今文經為主，它代表了今文經學思想的衰退時期，
> 放棄了今文經的某些優良傳統，例如它宣稱「明天下非一家之
> 有」（《白虎通義·三正》），這是公然鼓吹封建割據，與大一統
> 的思想背道而馳。[79]

而這一切要到東漢末年的何休那裡才得以改觀，楊向奎讚揚他保存了
前期《公羊》學派的傳統，這也是後來《公羊》學終於能夠發皇起來
的根源之一。[80]

（三）論今文學與古史辨派的關係

楊向奎不只認為古史辨派係受晚清今文學的影響，還甚至主張古
史辨派是由晚清《公羊》學「演變」而成的，他屢發其義，可說在他
中、晚年的著作中俯拾即是，這個「演變」的過程是怎麼形成的，在
〈致史念海教授書論晚近公羊學三變〉一文中闡述得比較完整具體：

> 康有為變法失敗後，《公羊》學亦偃旗息鼓，在政治上消聲匿
> 跡，其學遂潛流于學府中。蔡元培先生長北大後，收羅百家，
> 今、古文經師，群聚于北大文學院，章太炎弟子滿紅樓宗古文
> 經，而崔適獨樹異幟，錢玄同亦背古面今，于是有今、古文的
> 學院之爭，是為脫離政治的《公羊》學。根據《公羊》學派的

79　楊向奎：〈論劉歆與班固〉，《繹史齋學術文集》，頁153；相關論述又參楊向奎：《大
　　一統與儒家思想》，頁103-104。

80　楊向奎：〈白虎通義的思想體系〉，《繹史齋學術文集》，頁161。

　　精神，不走通經治世的道路而治史，遂有以顧頡剛先生為首的
「古史辨派」。[81]

楊向奎不但認為古史辨派係由晚清今文學演變來的，「一線相傳」[82]，
甚至乾脆指稱其師顧頡剛為「今文學派的學者」。[83]但他自己雖和顧頡
剛有師生關係，早年也與古史辨派過從甚密，甚至承認受學顧門，受
有今文經學的影響。[84]但他一直都很明確且堅決地否認自己非古史辨
派，亦非「顧頡剛學派」中的一員。[85]不但否認學派隸屬的關係，更
聲稱自己「並不相信古史辨派的學說」。[86]撇清、劃清界限的味道很
濃厚。

　　除了撇清、劃清界限等較消極的方式外，楊向奎還兩度公開為文

81　楊向奎：〈致史念海教授書論晚近公羊學三變〉，《繹經室學術文集》，頁19。此義又
　　略見於此書〈序言〉，頁1，及收入此書的〈康有為與今文經學〉，頁15；又見於楊
　　向奎：〈論「古史辨派」〉，頁29；楊向奎：《大一統與儒家思想》，頁157、169、
　　185、207；楊向奎：《清儒學案新編》卷3（濟南市：齊魯書社，1994年），頁33；
　　卷7，頁321；楊向奎述、李尚英整理《楊向奎學述》，頁9、118等。

82　楊向奎：《清儒學案新編》卷7（濟南市：齊魯書社，1994年），頁321。案：關於顧
　　頡剛與古史辨派和晚清今文學的關係，錢穆（1895-1990）的觀察就較楊向奎持平得
　　多，他在〈評顧頡剛五德終始說下的政治和歷史〉一文說道：「顧先生在此上，對
　　晚清今文學家那種辨偽疑古的態度和精神，自不免要引為知己同調。所以《古史
　　辨》和今文學，雖則儘不妨分為兩事，而在一般的見解，常認其為一流，而顧先生
　　也時時不免根據今文學派的態度和議論來為自己的古史觀張目。這一點，似乎在
　　《古史辨》發展的途程上，要橫添許多無謂的不必的迂迴和歧途。」（《古史辨》，
　　第5冊下編，頁621。）可見即使雖為親炙學生，楊向奎對其師與晚清今文學的認識
　　亦只是「一般的見解」。

83　楊向奎述、李尚英整理：《楊向奎學述》，頁15。

84　楊向奎：〈致史念海教授書論晚近公羊學三變〉，《繹經室學術文集》，頁25。

85　楊向奎述、李尚英整理：《楊向奎學述》，頁5、9。

86　楊向奎：〈五四時代的胡適、傅斯年、顧頡剛三位先生〉，《文史哲》1989年第3期，
　　頁49。關於楊向奎與古史辨派的曲折關係，王學典在《顧頡剛和他的弟子們》一書
　　中的〈顧頡剛與楊向奎〉一章有精彩的論述，可參看。

批判古史辨派，企圖用這種積極的手法來徹底斬斷他跟古史辨派的關係。先是他在一九五二年三月於山東大學甫創刊不久的《文史哲》上與童書業一同刊登了批判顧頡剛及古史辨派的文章，童文是〈「古史辨派」的階級本質〉，楊文則是〈「古史辨派」的學術思想批判〉，文中先給顧頡剛摘下史學家的冠冕，而另給他安上「經師」的稱號，他是如此批判他的老師的：

> 顧頡剛教授治學的方面相當廣泛……最主要的還是古史學和經學。他不願意人家稱道他是「經師」，而喜歡說自己是史學家，事實上他是「通經治史」，走的是「《公羊》學派」的老路，並不是乾乾脆脆的史學家。[87]

但他也看到顧頡剛古史辨派的學術淵源並不單純，除了接受《公羊》學派的學說而有推翻古史的計畫外，也接受了所謂買辦資產階級的實驗主義的方法（主要指胡適〔1891-1962〕）而有古史演變的主張，又接受了清代的考據學派的方法而對於古經古書發生懷疑。在他看來，這三派學術思想的混合運用才造成了顧頡剛的懷疑古書、懷疑古史、推翻古史的疑古運動。[88]

楊向奎此文還對顧頡剛《古史辨》時期的兩個主要學說——層累地造成古史說和五德終始說下的政治和歷史——予以徹底地否定，認為其所運用的治學方法是徹頭徹尾的唯心論，不了解社會發展的規律，且顧頡剛又繼承了康有為的衣缽，使用著「今文學派的主觀唯心

---

87 楊向奎：〈「古史辨派」的學術思想批判〉，原刊於《文史哲》1952年第2期，收入文史哲編輯部編：《「疑古」與「走出疑古」》（北京市：商務印書館，2010年），本文以收入此書者為徵引依據，引文見頁490-491。

88 楊向奎：〈「古史辨派」的學術思想批判〉，頁493。

論的方法」，說劉歆偽造了古文經和古史。在楊向奎看來，康有為不在研究歷史，而是在「托古改制」，以歷史作為他變法的工具。因此，顧頡剛運用不正確的方法所得出的結論，無論是層累地造成的古史說，或是五德終始說下的政治和歷史，都同樣是沒有而且也不能解決任何問題。[89]楊向奎和童書業的文章刊登出來之後，引起不小的震盪，顧頡剛在讀到這兩篇由其親密學生所寫的文章後，在日記上如此寫道：「均給予無情之打擊。」[90]

楊向奎在隔了將近三十年後，於一九八〇年又再度為文批判古史辨派，在題名〈論「古史辨」〉的文章中，他批判的對象除了顧頡剛外，還包括童書業。不同於充滿肅殺氣氛，而使得語氣顯得激烈尖刻的前篇批判文章，這篇文章的口氣明顯溫和多了，論述也多客觀冷靜，對古史辨派取得的客觀成就也能予以承認，如其云：

> 不僅在辨論古代傳統的不可靠的古史方面「古史辨派」作出了貢獻，而且在辨偽書方面，也就是在古代史料之準確性方面也作出了積極的貢獻。以此我們說《古史辨》發揮過積極的作用，而且發揮過許多方面的積極作用。[91]

但整體來看，他對顧頡剛和古史辨派的某些基本觀點並沒有太大的改變，如他還是認為古史辨派在方法論上受到清代經今文學派的影響，反對古文經，也不同意顧頡剛師法康有為，將一切委過於劉歆。[92]楊

---

89 楊向奎：〈「古史辨派」的學術思想批判〉，頁493-499。

90 顧頡剛：《顧頡剛日記》（臺北市：聯經出版事業公司，2007年），第7卷，頁198，「1952年3月12日」記。

91 楊向奎：〈論「古史辨派」〉，頁32。

92 楊向奎：〈論「古史辨派」〉，《中華學術論文集》，頁22、32。

向奎在此文還特意強調顧頡剛（童書業亦然）「後來都是歷史唯物主義者」，所以也作了「許多有價值的工作」。[93]而且他也喜愛提及顧頡剛晚年對古文經書《周禮》看法的改變，不但說他承認《周禮》是先秦時代齊國的作品[94]，而且也改變了「今文家法」，已經不談《周禮》出於歆、莽偽造了。[95]

第五節　結語

　　綜觀楊向奎對經今古文問題的相關研究，不能不說他對此「經學中的首要問題」[96]，有相當深入的把握與認識。但楊向奎的心態畢竟是史學的，在經學與史學、經師與史家之間，他很堅決地拋棄了經學的面向，拒絕當一名經師，而積極地朝向史學的面向前進，選擇當一名史學家。在《楊向奎學述》中，他雖承認《左傳》、《公羊》、《周禮》、《儀禮》、《尚書》、《詩經》、《易經》等經書「為中國文化之重要載體」，但他卻認為「作為二十世紀之經師」，「殊無味」。[97]其實他這種「重史輕經」的態度早在他年輕時考辨《左傳》性質及真偽問題時，就已很明顯了，如他當時讚賞那些「纇能拋棄經師見解，從事《左傳》本身之考證」的當代研究者之研究態度。[98]不過他那時至少還有討論《左傳》傳不傳經的問題，但當他於一九五〇年代對《周禮》問題進行考辨時，傳統經學中的羈絆已完全不見，純從史料與史

93　楊向奎：〈論「古史辨派」〉，《中華學術論文集》，頁32。

94　楊向奎：〈論「古史辨派」〉，《中華學術論文集》，頁32；又見於楊向奎述、李尚英整理：《楊向奎學述》，頁188。

95　楊向奎：《宗周社會與禮樂文明》，頁294-296。

96　楊向奎語，見楊向奎：《清儒學案新編》，卷2，頁662。

97　楊向奎述、李尚英整理：《楊向奎學述》，頁217。

98　楊向奎：〈論左傳之性質及其與國語之關係〉，《繹史齋學術文集》，頁177。

學的角度來討論該書的價值。可以說，楊向奎青年時期對《左傳》傳經問題的關注猶徘徊依違在經學與史學之間，一方面肯定其本為傳《經》之書[99]，另一方面又認為《春秋》與孔子無關。[100]但若從傳統經學的角度來看，《春秋》若與孔子無關，則《春秋》如何取得經的地位？《左氏》又為何要傳《經》呢？如此一來，楊向奎又為何需大費周章地順著傳統經學的問題脈絡來考辨《左傳》傳不傳《經》的問題？此外，他對《周禮》的考辨雖大多從史料與史學的進路來切入，雖非站在經學立場，晚年卻又承認《周禮》與周公的關係，似乎反而回到古文學的傳統立場。再加上他屢屢自言「喜今文家言」[101]，「其實喜《公羊》，尤喜『大一統』義」[102]，甚至亦不諱言「受有今文經學影響」。[103]在晚年寫給同門史念海的信中，他坦言自己「獨斤斤於《公羊》三世說，蓋亦有所為者」。[104]諷刺的是，他當年在批判他的老師顧頡剛時說：「他是『通經治史』，走的是『《公羊》學派』的老路，並不是乾乾脆脆的史學家。」[105]但對照他晚年向老友的自陳心跡，他對顧頡剛的上述指控似乎也完全可以套用在他自己身上。但令人感到不解的是，他自許自己為史學家，卻不認可他老師為史學家，不但判定顧頡剛為「經師」[106]，而且還是一名「今文學派的學者」。[107]楊向

99　楊向奎：〈論左傳之性質及其與國語之關係〉，《繹史齋學術文集》，頁214。

100　楊向奎：〈略論五十凡〉，《繹史齋學術文集》，頁216；〈論左傳之性質及其與國語之關係〉，《繹史齋學術文集》，頁189、193。

101　楊向奎：〈論「古史辨派」〉，頁11。

102　楊向奎述、李尚英整理：《楊向奎學述》，頁217。

103　楊向奎：〈致史念海教授書論晚近公羊學三變〉，《繙經室學術文集》，頁25。

104　楊向奎：〈致史念海教授書論晚近公羊學三變〉，《繙經室學術文集》，頁16。

105　楊向奎：〈「古史辨派」的學術思想批判〉，頁490-491。

106　吳銳：〈疑古時代是怎樣大膽走出的〉，《古史考》（海口市：海南出版社，2003年），第5卷，頁467。

107　楊向奎述、李尚英整理：《楊向奎學述》，頁15。

奎這種心態，殊堪玩味。

楊向奎這種徘徊依違於經學的經世致用與史學的實事求是的矛盾情結，亦可從他對清末經師孫詒讓（1848-1908）試圖用《周禮》「治亂」的兩極評價中看出。他先用充滿同情共鳴的語氣讚揚道：

> 詒讓以為發揚「周禮」中之政教精神而可以振興祖國，一如今文經師之以《公羊》致太平者。當清代末世，瀕于危亡，非僅亡國且亡天下之際，有志之士倡通經致用，無論今古文經師，都能竭盡中國古代經典之光輝，為挽救危亡之大計，經典雖舊，其命維新。清末經師之用心亦良苦也。[108]

但他在〈籀廎學案〉的結尾，卻又用出自以理性冷峻的口吻評論道：
> 今文經師求太平于《公羊》，而古文經師求富強于《周禮》。《周禮》、《公羊》乃兩千年前古籍，古籍與金石甲骨乃我們的歷史踪跡。歷史不再現，踪跡不復活，考究歷史而求今日之富強，亦南轅北轍。「祖先雖聖，何有于子孫之童昏哉！」[109]

既然如此，又如何用《公羊》之三世義或大一統義，「有所為者」呢？甚哉！楊向奎持論之反覆矛盾，其猶疑依違於經、史二端，蓋亦使人惑矣。

---

108 楊向奎：《清儒學案新編》卷5（濟南市：齊魯書社，1994年），頁538。
109 楊向奎：《清儒學案新編》，卷5，頁570。

第十章
結論

　　在眾多有被遺忘之虞的民國經學家中，僅選取羅倬漢、陳延傑和蘇維嶽三家來研究，從方法論的角度來看，首先就會面臨難以窺見民國經學全貌的窘境，即使用案例研究的方式來辯解，仍避免不了研究對象是否具有代表性的質疑。不過最大的困難還是來自對研究價值與意義的挑戰。不可否認的，在針對這些所謂被遺忘的經學學者與罕傳的經學論著進行探究時，最常困擾的就是研究他與它們的意義與價值何在的問題？雖然現代學術看似追求客觀，強調價值中立，但與人類其他現實事務一樣，學術研究也常充滿了功利的態度，對學者、論著與學說衡量評價的標準不就是價值的高低、意義的多寡與影響的大小？因而「偉大的」學者，「經典的」論著與「重要的」學說，才能堂而皇之的寫在教科書中，進入學者的視野，形成學界的共識與常識。與傳統史學恆以帝王將相為主的情況類似，學術的建構過程亦正有賴那些在各別領域呼風喚雨，稱王稱霸的「大師」、「經典」與「主流學術」的貢獻方能完成。誠然，人與人不同，各人的成就也端視其秉賦、努力與際遇而有所不同，難以一律。但學術史也應和人類社會的整體狀況一樣，固然有成就傑出，影響鉅大的學人、論著和其創造的學說，吸引人們的目光，爭相以他們為研究對象，衍生出不計其數的研究成果，猶如浮出水面的冰山一角，在學術史的大海中一直被學者群體所關注著。不過，學界若只研究此部分，卻忽略水面下更廣大的存在，則勢必無法對冰山有一整體全面的認識。水面上和水面下的冰山皆是學術史的組成部分，二者形成了完整的學術生態，只從傑

出、菁英、卓越、主流、一流、重要的角度來研究水面上的冰山之學
術，或許符合某學科或專業領域的學術要求，但這卻是非歷史的眼
光。因為偉大的學者、經典的論著與引領風潮的學說，都不是憑空冒
出來的，皆是前有所承，且植基於當時的學術土壤中。因此，對那些
未能浮出水面的冰山中下層加以留意關注，不但可對水面上的冰山有
更清楚的理解，而且也更能對冰山整體有一全面的把握。誠如黃進興
研究李紱（1673-1750）所得到的體會：

> 李紱是清代陸王學派最重要的代表人物，但罕有人注意，相對
> 隱晦。他是一個次要的思想家，因為是次要的，反而更能反映
> 一個大時代的氣候。[1]

雖然民國被遺忘的經學家，若羅倬漢、陳延傑、蘇維嶽等人的情況，
不盡與清代學者李紱相同，但他們所具有的研究價值和意義，並不能
純用主流與非主流、一流與二三流、主要與次要、重要與不重要的角
度而予以否定和漠視，在這點上應是與李紱和各時代同樣有著類似處
境的學者相一致的。

　　再就顧門弟子經學的窺探而言，僅集中於何定生、牟潤孫和楊向
奎三家，亦不能說全面周到，因而目前所為也僅是初步嘗試。這樣嘗
試性的研究是以所謂「經學中的首要問題」的今古文爭辯為主軸來貫
串對顧門學術的窺探，而其中最根本的關懷則是考察顧門師徒對古書
與古史的疑、信態度。以疑古聞名的顧頡剛，其門生弟子並不全然追
隨他開創的學風，其中呈現著或懷疑或信守兩種截然不同的研究路

1　黃進興：〈師門六年記：1977-1983〉，收入氏撰：《學人側影》（臺北市：允晨文化實
　業公司，2020年），頁16。

數，自稱「童疑」的童書業和「楊守」的楊向奎就是典型的例子。
（參第九章）這種「疑」與「守」的學風差異也表現在顧頡剛和其同
輩學人身上，如羅倬漢在《左傳》真偽和錢穆在今古文問題上所表現
的信守態度，就和顧頡剛所堅持的疑古立場，呈現出極為明顯的對比
效應。對古書古史疑與守的爭辯貫穿了二十世紀的中國人文學術，直
至二十世紀下半葉，李學勤高呼「走出疑古時代」而達到高峯，其後
座力至今未歇。[2]但令人遺憾的是，這種具有高度張力的學術爭辯議
題，很容易因為學術立場和治學方式的不同，而跟學術之外的人事是
非糾纏在一起，最終導致學人情感間的摩擦嫌隙，這點表現在個性強
烈且學術自主性極高的顧門師徒間尤其明顯，這也正是牟潤孫之所以
悖離出顧頡剛門庭的主要原因。此外，經史徘徊的問題則是本書探討
的另外一個主軸，此即顧門師生所顯露出對經學與史學的傾向性和對
二者軒輊的態度。總的來看，無論從主觀的心態和客觀的表現來看，
他們當中大多數的人在學科領域方面皆是傾向史學，以史家自居的。
但微妙的是，顧門師徒的研究卻始終與經學和經書脫離不了關係，如
顧頡剛和劉起釪終身戮力以赴的《尚書》研究，何定生的《詩經》研
究，童書業的《左傳》研究和楊向奎對《左傳》、《周禮》及西漢經學
的研究，以及牟潤孫廣泛涉及經書和經學史的相關研究。雖然顧頡剛
主張將經學「變化為古史學」[3]，牟潤孫也有「經學史是史學的輔助
科學」的說法[4]，楊向奎更不甘以經師自居。但不可否認的是，經學

2　相關討論參閱楊春梅：〈去向堪憂的中國古典學——「走出疑古時代」述評〉，收入
　　文史哲編輯部編：《「疑古」與「走出疑古」》（北京市：商務印書館，2010年），頁
　　17-70。該書亦有多文著墨於此，可一併參考。

3　顧潮：《歷劫終教志不灰——我的父親顧頡剛》（上海市：華東師範大學出版社，
　　1997年），頁264。

4　牟潤孫：〈王夫之顧炎武解《易》之說舉隅——經學史是史學的輔助科學例證〉，
　　《注史齋叢稿》（北京市：中華書局，2009年增訂本），下冊，頁571-578。

已在他們的學問當中烙下深刻且明顯的印記，無論他們的主觀想法為何，主張經學是他們學問中的一部分，甚至指稱他們是經師、經學家，乃至今古文學家，都並非無的放矢的突兀之舉。當然，從經學的角度來反省這個問題，其中亦有喜有憂。喜的是，經學的內涵及其影響之巨大深遠，凡進行中國傳統學術研究者，很難不涉及到經學，即使在主觀態度上並不認同經學的人，也無法從經學的迷魂陣中脫圍而出。然而憂的是，經學的主體性和學科的尊嚴在現代學術體系中並無法被充分建立起來，得到學者們的普徧認同，顧門師徒對經學的態度就是一個明顯的例子。對關心經學的前途和未來發展的人來說，這個問題的嚴重性不亞於經學家的被遺忘和經學論著的罕傳。這些都昭示著經學在民國以來所面臨的危機與挑戰，值得警惕。

進入民國之後的經學，失去帝制王朝和科舉體制的庇蔭和保障，在其他強勢學科（如西學）和社會文化思潮（如新文化運動）的夾擊下，顯得奄奄一息。不但光環盡失，而且也失去在學術文化中的話語權，甚至常被視為舊學的代表，與古典詩文一塊淪為遺老們緬懷昔日傳統文化時，賞玩自珍的學問和技藝。但即使如此，學術界和知識界對經學的研究仍尚稱蓬勃，留下大量的經學論著。面對這樣的學術資產，吾人當該如何看待他們，用什麼樣的方式去把握他們，並進而對其內容和成果有一合理且客觀的評判？這對當代經學研究者來說，確實構成極大的挑戰。從學術史的角度來檢視，不論是從民國的視域，或用現當代的框架來看，這百年的經學已經具體成形，有其自己的範圍、屬性與特色，是該得到學界的正視和積極對待的時候了。

吾人以為對治民國經學，除了基本文獻資料的保存、蒐集與整理，和對經學相關的學人、經學論著和學術進行基礎性的研究之外，還應該更進一步地從經學自身的發展，將其納入整體經學史的視野中，考察經學在進入「後帝制」和「後科舉」時代所面臨的處境和遭

遇的挑戰；以及從民國文化和學術的角度，探究民國經學的總體特性，並評估其在學術、教育和社會文化的場域中所扮演的角色及發揮的作用。此外，亦應借鑑其他學科領域的研究，如民國文學研究者對民國文化特性所提出的「民國機制」、「民國性」等頗具啟發性的觀點[5]，或有助於思考民國經學的特性。又如近現代史研究者，對民國以來的各種相關面向的研究，如政治、軍事、經濟、社會、學術、教育和文化等領域所取得的豐碩成果，實是民國研究的主幹，具有不可或缺的參考價值，尤其他們所擅長的以議題為導向的研究方式和所具備的廣潤歷史視野，皆頗值得學習。又如近年盛行的數位人文研究，不但便利龐大報刊資料的蒐尋與利用，而且亦有助於圖像的處理。總之，多元方法的採用與學科間的相互整合，皆有助於對民國經學的深入把握。

　　民國經學園地的開墾，雖看似艱辛，但只要辛勤耕耘，將來必能繁花似錦，滿園生香！

5　「民國機制」由李怡提出，其在〈民國機制：中國現代文學的一種闡釋框架〉中有完整的闡述。此文首刊於《廣東社會科學》2010年第6期，頁132-135，後又收入李怡、羅維斯、李俊杰編：《民國文學討論集》（北京市：中國社會科學出版社，2014年），頁245-250；和氏撰：《問題與方法：民國文學研究》（臺北市：文史哲出版社，2016年），頁69-77。「民國性」則由張堂錡在〈從「民國文學的現代性」到「現代文學的民國性」〉提出，原刊於《文藝爭鳴》2012年9月號，頁49-51，收入《民國文學討論集》，頁164-168。

附錄一
羅倬漢與《史記十二諸侯年表考證》相關資料

一　羅倬漢致胡適書函（一九四六年十月二十一日）[1]

適之先生道右　廿六年，先生在香港待機往美時，生適從日本回來，曾一謁道右，不知還記得否？當時談話，頗及拙著《史記十二諸侯年表考證》，先生頗為讚許。此書厄於國難，曾在篋中甚久，三十年，生在成都，適逢教育部學術獎勵開辦，即以拙著寄去，幸蒙列錄。嗣尚待本子之研究，錢賓四兄序文未道及此點，顧頡剛兄來書則頗為提及，二文俱刊在書首，如能仗先生精密之筆，再作一序，以結百餘年來之疑案，是則學術界之福音，非徒生一人蒙幸而已。

又生於教部第二屆學術獎勵時，曾送去《詩樂論》，亦獲獎，此書以葉聖陶兄之介，在桂林開明書店排印，甫及一半，而敵兵至，全部燼去，原稿幸蒙書局早疏散到重慶，尚得無恙，惟該書局復立後，將託諸王雲五先生，在商務館出版，今特備一冊寄上，望為評正。當時教部以提倡學術故，曾囑得獎者於己著，作一提要，刊諸教部《高等教育季刊》。此文一時覓不得，不能寫上。大體拙著以數百證證明

1　此函收錄於北京大學圖書館編：《北京大學圖書館藏胡適未刊書信日記》（北京市：清華大學出版社，2003年），頁136。該書將此函寫作時間誤訂為一九三六年十月二十一日。案：此函文字釋讀承蒙臺灣師範大學國文系賴貴三教授、黃明理教授及政治大學中文系研究生徐偉軒同學之協助，方能順利完成。謹識於此，聊表謝忱，併示不敢掠美之意。

〈年表〉根據《左傳》之可靠，以反劉逢祿以至輓〔晚〕近日本學者之議論。實則諸人論正〔證〕粗疏，惟劉逢祿為巧，故拙著極重左，稿運至上海，而以資本缺短，不能排。今聞朱經農先生主商務館，與先生最稔，甚望鼎力介紹，請朱先生格外設法，使拙著得在商務館，早日問世。倘事克諧，生即將請聖陶兄，將拙稿轉至商務館。稿凡二十萬字，於此時，必須有書局肯特為辦理者，始能付排。極仰先生提倡學術，並世無兩，用敢特函前來，儻可念疇昔依附門牆之誼，以副區區之願乎！

　　生自日本歸後，在中山大學教授二年，在成都金大五年，以雙親愛念，數年來，又回到故鄉省立文理學院，主持史地系。此校圖書儀器幸得保存，差足告慰，匆匆，即頌

道安。

生羅倬漢敬上。卅五年十月廿一日

（右下小字）
羅倬漢作《史記十二諸侯年表攷証》請作序，并請介紹給商務印書館出版。

二　學術審議委員會相關評論意見

　　案：《高等教育季刊》第 3 卷第 2 期（1943 年 6 月）刊有朱師逤所撰〈兩屆學術獎勵的比較觀與綜合觀〉及楚安所撰〈教育部舉辦民國三十一年度著作發明及美術獎勵之經過〉二文，其中亦有涉及羅倬漢著作者，文章中的觀點當反映了當時教育部學術審議委員會對得獎作品的評審意見。

　　朱師逤文涉及羅著者為：「以科學方法整理國故是五四運動時代

高唱入雲的口號，但在二十年以後的今天纔著有成效，纔有果實收穫，獎勵古代經籍研究一類，不祇是包括經書的研究而已，所有關於諸子百家以及古代專書的研究都列在其內。……至《史記十二諸侯年表考證》與《方志今議》二書，一據《春秋左氏傳》立言，糾正一般人認《左》書為晚出之誤；一據我國方志的體旨，提供現代修志之原則；於學術於實用，兩有貢獻。」（頁 109）

　　楚安文涉及羅著者為：「羅倬漢之《詩樂論》，為古代經籍研究類中之佳構。研究《詩經》，發明古學在於經世致用，脫去前人章句訓詁窠臼，就全經要旨及其相關問題詳加考訂，頗多創見；且記問淵博，能貫通群經諸子，實屬冥心孤詣，慘淡經營之作。苟能芟截浮辭，規範本體，使義据不誣，大旨昭明，則更臻盡美盡善之境矣。」（頁 118）

三　書評

1. 《圖書季刊》，新第 4 卷第 3、4 期合刊（1943 年 9、12 月，國立北平圖書館編印），「圖書介紹」欄目，頁 86-87。

史記十二諸侯年表考證

　　羅倬漢著。三十二年六月重慶商務印書館出版。八加一六二頁。粉報紙本定價二元。

　　有清道咸以後，今文之學盛行。自劉逢祿撰《左氏春秋考證》，致疑《左傳》，至康有為撰《新學偽經考》，斥劉歆偽造經書，竄改古史，學者風從，幾成定讞。近時日人津田左右吉撰《左傳思想史研究》，以為《左傳》成書，在西漢之末，且多竊《史記》之文。羅君

倬漢撰《左氏私學論考》，非難津田之說。又以《史記》〈十二諸侯年表〉明言《左氏春秋》，於是校讀〈史表〉，得〈表〉之據《左》者數百條，知史遷明見今本《春秋》。是此書雖名「史記十二諸侯年表考證」，實亦《左氏春秋》時代考證也。

全書八章。首章〈序文疏證〉闡明〈年表〉稱道《春秋》及效法《春秋》之意義，並駁康有為、崔適（《史記探源》撰者）之先具成見與曲解史書。末章〈史書故事之所據及《左》、《史》前後之意義〉列舉古史傳說數事以明《左傳》、《史記》之關係。其餘各章，全為條證。茲錄各章章名並記其條數於後，以見大概。

（二）年事全據《左氏》者　　　　　　　　　　七七則
（三）敘述多據《左氏》者　　　　　　　　　　七三則
（四）年數有差而仍據《左氏》者　　　　　　　三五則
（五）〈史表〉特著其年仍有據《左氏》者　　　一四則
（六）〈史表〉述事與《左》相違而有據《左》者　四五則
（七）〈史表〉亦略有不據《左氏》者　　　　　　七則

本書所考論不在今古文問題，亦不在史實之真偽，僅發《左傳》與《史記》之關係，證明《左傳》成書在史遷之□〔前〕，為《史記》〈十二諸侯年表〉所依據。（毓）

2. 《圖書月刊》，第 3 卷第 2 期（1944 年 2 月），「新書介紹」欄目，頁 48-50。

史記十二諸侯年表考證

羅倬漢撰　三十二年六月初版
商務印書館印行　平裝一冊　一六二面

　　此書研究之對象殊小，即考證《史記》〈十二諸侯年表〉之作，根據《春秋左氏傳》。凡八章；除第一章〈序文疏證〉及第八章〈史書故事之所據及《左》、《史》前後之意義〉，內容較廣遠外，如第二章〈年事全據《左氏》者〉，第三章〈敘述多據《左氏》者〉，第四章〈年數有差而仍據《左氏》者〉，第五章〈〈史表〉特著其年仍有據《左氏》者〉，第六章〈〈史表〉述事與《左》相違而有據《左》者〉，第七章〈〈史表〉亦略有不據《左氏》者〉，皆列舉例證而已。然而比勘《三傳》，深入細微，斯書之作，實有足多者。爰附數意，以供讀者參考。

　　〈史表〉之作，《史通》嘗譏其煩費，謂「必曲為詮擇，強加引進，則列國年表，或可存焉，何者，當春秋戰國之時，天下無主，群雄錯峙，各自年世，申之於表，以統其時，則諸國分年，一時盡見」，亦殊未完全否認〈史表〉之價值。本書末章謂：「〈史表〉之第一義，在於包舉天下，獨見其大。……徒觀各國世家，只能得各國之系統，徒觀本紀，只能想像荒遠難憑之世代，必參之〈史表〉，而後確切之年數，整個之活動，由斯而朗若列眉焉。」其言允當。而史公總論曰：「儒者斷其義，馳說者騁其辭，不務綜其終始；歷人取其年月，數家隆於神運，譜諜獨記世諡，其辭略。欲一觀諸要，難，於是譜十二諸侯，自共和訖孔子，表見《春秋》、《國語》，學者所譏盛衰大指著於篇，為成學治古文者要刪焉。」是史公之刪述此表，其作用與原意，亦頗瞭然。

　　今讀〈年表〉，諸侯十二，數為十三。自來說者，以為賤夷狄不數吳，以其霸在後。或疑舊譜十二不及吳，史公以吳通中國會盟，故敘之而數仍其舊。其說皆牽強。本書（七四面）謂：「魯雖為諸侯，而所以尊在諸國之上，僅次於周王者，此即其以《春秋》為本據之故，《左氏》傳《春秋》，《春秋》本魯史，尊《春秋》不得不尊魯史

也。故十二諸侯者，『據魯』而不數魯，無他義也。」其說亦自圓成，但殊非確切不移之論。或者最後之吳為後人所增益，猶之其上庚申甲子之類，亦非史公之舊歟！

〈孔子世家〉固有「據魯、親周、故殷」之文，以此多牽涉《春秋繁露》「王魯，尚黑，絀夏，親周，故宋」之文，甚至牽涉《公羊》成周宣榭災「新周」之文。由是「親周」、「新周」之義，頗相淆混。孔巽軒謂新周乃敬王遷成周，作傳謂之者新周，猶晉徙於新田，謂之新絳，鄭居郭鄶之地，謂之新鄭云云，固可以解《公羊》「新周」義，然與《繁露》親周故宋不同。亦與〈世家〉之親周故殷不同。三者不牽合，論諍皆息。近人有謂「援魯」與「王魯」同，音近；「主魯」與「王魯」訛，形近，由西漢初年鈔胥之誤，以成董氏「王魯」之說，正坐此弊。因推及猶可以假遷史以是正董書，正所謂厚誣古人。然史遷實本董氏天人性命之說而為經世之書。（章實齋說）而「厥協六經異傳，整齊百家雜語」，方式自不能墨守董氏家法。史遷自有其太史公之傳統家法，明甚。〈序文疏證〉中於此檢討頗詳。蓋具現代歷史學識之論也。

〈疏證〉中更非難康（長素）、崔（觶甫），以其以《公羊》家範圍史遷，「意謂在史公以前，古文經學未興，即不容有異議。然《左氏》未立學，不能為《左氏》不存在之證；《左氏》書以古文，亦決不能為《左氏》不存在之證。當知古文經學未興，實非古文未興。如康氏已能證秦焚《六經》未嘗亡缺，則豈能禁漢初無古文字書寫之書耶」？以現代史學眼光觀之，史遷之不能為《公羊》家所範圍，實甚自然之事。此之詰難，正足以祇〔抵〕康、崔之隙。又謂：「〈十二諸侯年表〉以『表見《春秋》、《國語》』為『成學治古文者要刪』，即以《左氏春秋》原書以古文，欲挈其綱要以餉學者，義最明白。」此處「《春秋》、《國語》」即《左氏春秋》，亦由史遷自序「左丘失明，厥

有《國語》」二句，推衍上下文義而得。（一七面）可以見康氏以為
《左傳》由《國語》分出，失之癰疏。（按：康氏以左丘及左丘明為
一人，崔氏以左丘及左丘明非一人，近人有以為左者，佐也；傳者，
授也，以今義釋之，即輔佐教科書之參考書也，則以左丘明原無其
人。劉光蕡《前漢書藝文志註》中，亦嘗有此說。甚哉其疑古也。）

以下六章，無非證明斯〈表〉與《左傳》之關係，然而未能出其
新見，以檢討此〈表〉之內容，如書孔子生卒及其去留，蓋尊聖人之
意，而宋武公十八年書「生魯桓公母」，（八八面亦及之）鄭莊公元年
書「祭仲生」，他如「同母弟夷仲生」，「生敬仲完」之類，亦尊聖人
耶？他人不書獨此數人何以書？如魯孝公在位二十七年，〈表〉紀三
十八年，豈非誤處？周靈王十七年諸侯同圍齊，齊侯敗走入臨淄，晏
嬰止公公弗從，晉焚郭中而去。〈齊表〉云：晉圍臨淄，晏嬰大破
之，孰非誤者？若細加檢討，則知此〈表〉亦有筆削未盡之處，編年
雖極矜慎，事實亦復多歧。（一二一至一二四之例，殊為未盡。）而
何以書何以不書，可瞭然於史公筆法之嚴，亦可窺見所謂「《春秋》
經世先王之志」。全書中於此亦往往間述，然似不可少一專篇為之
統，以便明義朗然。而此類材料，又俯拾即是，以撰者之博達，固易
為也。

書端有錢穆〈序〉、〈自序〉與顧頡剛〈來書〉，又錄本書第一章
注云云，可略見撰者之原旨。撰者尚有《詩樂論》、《左氏私學論考》
二書，惜未之見。（師玄）

四 錢穆回憶

時南京金陵女子文理學院亦借華西大學校舍上課，其教授羅倬
漢，每逢余到齊魯上課，彼必在圖書館相候。余課畢，即相偕赴江邊

茶館品茗閒談。彼告余：「君近治兩宋理學家言，但時代不同，生活
相異，惟當變通，不能墨守。雖兩宋理學家不求富貴利達，但吾儕今
日生活之清苦則已遠超彼輩當年之上，而工作勤勞又遠倍之。姑不論
其它，即每日閱報章一份，字數之多，已為從來讀書人日常勤讀所未
有。論理學家之勤讀生涯，已遠遜清代乾嘉諸儒。而君今日讀書，又
勤奮逾清儒。生活清苦，營養短缺，此何可久。今日吾儕得此江邊閑
坐，亦正是一小休息。」華西壩近在成都西門外，西門內有八號花生
最所著名。倬漢必購取兩包，告余：「花生富營養，惟恐消化不易，
以濃茶輔之，俾可相濟。吾儕此刻一壺濃茶，一包花生，庶於營養有
小助。」

　　倬漢方治《左傳》，成《史記十二諸侯年表考證》一書，餘為之
〈序〉。其論清代今古文經學，時有所見。亦為余在蜀所交益友之
一。後余避赤禍過廣州至香港，聞倬漢亦在廣州，而未獲晤面。及創
辦新亞，曾貽書邀其來港，惜未獲同意，後遂不復得其消息矣。(《師
友雜憶》〔收入《錢賓四先生全集》第 51 冊，與《八十憶雙親》合
刊，臺北市：聯經出版事業公司，1998 年〕，十二章十二節，頁 257-
258。)

五　李學勤評論

　　下面我說第二點，剛才說了，如果沒有《左傳》，那麼我們很難
有清晰的、準確的對古代歷史的研究。當然，有很多人不贊成。大家
都知道，從漢代，特別是公羊學者何休，他是公羊學的重要代表，是
反對《左傳》的，可是，大家知道正如前代學者所說的，何休或者是
其他《公羊》或《穀梁》的學者，他們反對《左傳》，並不是說《左
傳》這部書是不可信的，只是說《左傳》這部書不能代表孔子的「春

秋大義」，要找「春秋大義」的話，要找《公羊》、《穀梁》。我個人認
為，從一定意義上來說，這一點，今天還必須承認，因為《公羊》、
《穀梁》的研究肯定會提供我們對於儒家很多重要觀點的認識，這點
可能是《左傳》反而做不到的。後來，從清代的常州學派，從劉逢祿
《左氏春秋考證》以下，一直到康有為、崔適，他們對《左傳》都有
所懷疑，說《左傳》是經過劉歆的篡改。不過他們的觀點，正如有些
學者指出過的，並不是說《左傳》裡面講的歷史不可信，他們沒有這
個思想，他們只是認為《左傳》這部書不是《春秋》經的傳，而是割
裂《國語》而成，這是他們的基本觀點。

　　對於《左傳》從歷史真實性方面懷疑，說《左傳》不足據的是日
本學者津田左右吉，他一九三六年寫了一部書叫《左傳之思想史研
究》。我建議大家多研究學術史，要很好地看一看津田左右吉這本
書，他通過論證認為《左傳》從歷史上是不足據的，這個觀點是前所
未有的。

　　有兩位學者對康有為、崔適以至津田左右吉的著作進行研究，作
出了批評。我認為這對於《左傳》研究是非常重要的成果。

　　第一位是錢穆先生，錢賓四先生在一九二九年完成了一部書，就
是《劉向歆父子年譜》。這是名著了，現在不但是在臺灣有很多的版
本，在內地也是在不斷地翻印。可是，讀這本書一定要從學術史方面
來看，為什麼有這部書，這部書的目的是什麼？它就是針對康有為、
崔適的論點進行討論。這部書的出現在錢先生的一生歷史裡起著關鍵
作用，因為這部書首先是給顧頡剛先生看過，而顧頡剛先生在很多方
面是繼承康、崔的，可顧先生他的氣度過人。在顧頡剛先生的百年誕
辰紀念會上，我還特別提到這件事，因為他的子女保存下來的錢先生
的原稿現在還存在。大家可以看到原稿的題目叫《劉向、劉歆、王莽
年譜》，顧先生給他改為《劉向歆父子年譜》，這點就好得多。而且是

顧先生把這篇稿子發表在他當時主持編輯的《燕京學報》上，正因為如此，顧頡剛先生後來推薦錢穆先生到燕大當了教授，這是錢穆先生第一次跨進大學之門。所以顧先生的大度是我們一定要學習的。

實際上，在《劉向歆父子年譜》出版之後，康有為、崔適所談的那些問題基本上都已經解決了，因為有關的論證已經非常清楚了，在座的學者只要認真讀一下錢穆先生的這部書，他舉的二十八個例子，便會看出過去懷疑的論點均不足據。我想這是沒有辦法反駁的。

第二個重要貢獻比這個要晚，正好是針對津田左右吉的。一九三六年津田左右吉的《左傳之思想史研究》出版是在日本東京，當時在那裡有一位北大畢業的學者羅倬漢先生。上一次我在中央電視大學的那次會上也提到過，不過那時我介紹得不夠詳細。羅倬漢先生在看津田的書之後，就認為這書是完全沒有依據的。所以他就立志寫了一本書，名字叫《史記十二諸侯年表考證》。這本書是在三〇年代末，就是在抗日戰爭爆發前後寫的，當時沒有能夠出版。到了一九四一年以後，羅先生在重慶，有幾位先生看過他這個書。一個就是顧頡剛先生，一個是錢穆先生。剛才我們提到了，他們都對這個問題有興趣。在一九四三年，重慶商務印書館出版了這本書，印數也是極少的。這部書的紙叫「粉報紙」，我不知道這種東西怎麼能叫做「粉」或者「報紙」，可是在當時抗戰的情況下，這已經是很不差的了。這本書只有這一個版本，我藏的這本是珍本，是一定要保存的。

在這本書裡面，錢穆先生寫了序，顧頡剛先生寫了封信，這些對於我們《左傳》的研究都是很重要，值得特別推薦介紹。錢穆先生序裡面有一段話，我想在這裡念一下。這段話作於民國三十年，即一九四一年的秋天，下面寫著「錢穆寫於成都北郊」。他說了這本書怎麼怎麼地好，主要的特點就是通過《史記》內容的分析證明了一個問題，就是司馬遷當時看到的《左傳》和我們今天看到的《左傳》的本

子基本上相同，包括其中解經的部分，在《史記》〈十二諸侯年表〉與各個〈世家〉裡都有，可見司馬遷看到的《左傳》就是我們今天看到的《左傳》，並不是有什麼其他的情況，劉歆割裂《國語》或者是偽造這些東西的說法統統煙消雲散。書中有明確的證據，證據不是一條兩條，而是有幾百條之多，是整本的書。而且他也分析了，哪些《史記》全據《左傳》，哪些《史記》採的是其他的說法，很客觀，都一條一條擺出來了。這是前輩學者給我們遺留下來的很重要的成果。錢穆先生在序裡說了一段話，他說：「考證之業有新創，有舊守。」考證的工作，有的目的在於創新，有的目的在於保守。他說如果你拿著羅倬漢這本書給現在的學者看，一定有的會不高興，也有的會驚奇，也有的會讚揚。可是，如果你找一個古人來看，不用說更早的，就是一個清朝中葉的學者，你跟他說太史公的〈十二諸侯年表〉是根據《左傳》的，我已經把它搞清楚了，那些人聽了以後會覺得沒有意義，因為這是人人知道的事情，用不著討論，甚至有人聽了這話就要睡覺去了，根本就不會理他。錢先生又說，再過幾十年之後，風氣已經過去，所有人都知道《左傳》是真書，《史記》是根據《左傳》的，那些異說也就不存在了。再看羅倬漢的書，就同樣覺得沒意義了。錢先生說羅倬漢先生是喜好哲學的，他把這個道理與羅倬漢討論，羅先生就特別嘆息，說我做這個工作幹什麼呢？

我想，錢先生寫這篇序的時間是一九四一年，到現在已經過了六十八年，幾十年已經過去，今天我們來討論《左傳》與《國語》，當然仍會有不同看法，但是我相信絕大多數人會問，羅倬漢先生寫這部書幹什麼？錢先生的預言已經真的實現了。這是我今天談的第二點。（李學勤：《李學勤講演錄》〔長春市：長春出版社，2012 年〕，頁62-64。）

附錄二
陳延傑著作目錄

一　專書

1. 《周易程傳參正》，1943年，未刊，抄本藏於國立政治大學圖書館特藏室；臺中市：文听閣圖書公司，2013年，景印收入《民國時期經學叢書》第5輯。

   案：《金陵大學中國文學研究會會刊》第1卷第1期（1944年），曾刊載該書〈自序〉、〈蒙卦〉、〈需卦〉、〈師卦〉，共二頁，其中文句與抄本偶有出入。

2. 《詩序解》，上海市：開明書店，1932年；臺中市：文听閣圖書公司，2008年，景印收入《民國時期經學叢書》第2輯。

   案：據《詩序解》〈敘〉云：「《解》作於丙寅年，迄今歲庚午始成。」丙寅為1926年，庚午為1930年，則是書當成於1930年，遲至1932年方正式出版。

3. 《詩經類編》，1938年，未刊。

4. 《詩經集解》，年代不詳，未刊，稿本藏其家。

   案：疑即《詩經類編》，僅存《周南》〈關雎〉至《秦風》〈駟驖〉。

5. 《春秋類編》，1938年，未刊。

6. 《經學概論》，上海市：商務印書館，1930年初版、1933年1版；又於1934年、1935年、1944年三次再版；臺中市：文听閣圖書公司，2008年，景印收入《民國時期經學叢書》第2輯。

7. 《南京文獻書目提要（初稿）》，1955年3月，未刊，抄本藏其家。

8. 《詩品注》，

    a. 上海市：開明書店，1927年初版、1958年增訂版；臺北市：開明書店，1958年臺1版、1981年臺8版。

    b. 成都市：志古堂木版精刻本，1935年。

    c. 北京市：人民出版社重排印行，1961年1版，收入郭紹虞主編《中國古典文學理論批評專著選輯》；1998年1刷、2001年2刷；臺北市：里仁書局，1992年。

    案：1927年初版附有書前自序，1961年重排版將此序移至書末，改稱〈跋〉。

9. 《孟東野詩注》，上海市：商務印書館，1940年。

10. 《張籍詩注》，上海市：商務印書館，1938年；臺北市：臺灣商務印書館，1967年臺1版。

11. 《賈島詩注》，上海市：商務印書館，1937年。

12. 《陸放翁詩鈔注》，長沙市：商務印書館，1938年。

13. 《文文山詩注》，長沙市：商務印書館，1939年。

14. 《晞髮集注》，1944年。

    案：原書未見，待訪查。

15. 《晞陽詩》，1948年，未刊，抄本藏其家。

    案：詩集最後一首詩為作於一九四八年的〈丁亥除夕作〉，當結集於該年後。

二　單篇論文

1. 〈讀易管見〉，《斯文》，第3卷第8期，頁6-9，1943年4月。

2. 〈讀詩經的幾個方法〉，《金陵女子文理學院校刊》，第10期，頁9，1934年。

　　案：本文為陳氏應金陵女子大學國學系同學所組織之國學研究會邀
　　　　請之演講，由秀徵記錄。

3. 〈讀王風〉，《金陵學報》，第11卷第1期，1941年1月。
　　案：原文未見，待訪查。

4. 〈詩經鄘風載馳補證〉，《新中華》，復刊第3卷第2期（總8卷2期），
　　頁92-97，1945年12月。

5. 〈禮經釋服〉，《國學叢刊》，第1卷第1期，頁32-39，1923年3月；
　　第3卷第1期，頁42-57，1926年8月。

6. 〈讖緯考〉，《東方雜誌》，第21卷第6號，頁62-72，1924年3月。

7. 〈大學國文教材應注重讀經〉，《高等教育季刊》，第2卷第3期，頁
　　74-78，1942年9月。

8. 〈說文經字考疏證〉，《國學叢刊》，第3卷第1期，頁35-42，1926年
　　8月；又收錄於《說文解字研究文獻集成・現當代卷》第7冊，頁
　　353-356，北京市：作家出版社，2006年。

9. 〈釋圂〉，《新苗》，第2期，頁11-13，1936年5月。
　　案：署名仲子。

10.〈說卯丣酉丆〉，《新苗》，第5期，頁17，1936年7月。
　　案：署名仲子。

11.〈學詩之法〉，《國風》，第8卷第5期，頁194-195，1936年5月。
　　案：本文為陳氏應國立中央大學國文系同學會邀請之演講，由尤敦
　　　　誼記錄。彭鐸將其重點筆記整理下來，以〈學詩之法──陳
　　　　仲子先生在國文系同學會講〉為題刊於《國立中央大學日
　　　　刊》，1936年4月28日（第1669期，頁3482）和4月30日（第
　　　　1671期，頁3488-3490）。

12.〈論以一部論語入詩〉，《斯文》，第2卷第12期，頁2-5，1942年5
　　月。

13. 〈五言詩發生時期之疑問〉（鈴木虎雄撰、陳延傑譯），《小說月報》，第17卷第5號，頁1-12，1926年5月。

14. 〈蘇李詩考證〉，《學燈》，1924年4月30日-5月1日。

15. 〈漢代婦人詩辨偽〉，《東方雜誌》，第24卷第24號，頁85-89，1927年12月。

16. 〈魏晉詩研究〉，收入《中國文學研究》上冊，頁1-10，上海市：商務印書館，1926年。

　　案：《中國文學研究》為《小說月報》第17卷號外（即特刊），後又影印收入《中國文學研究叢編》第1輯，上冊，香港：龍門書店，1969年。

17. 〈讀文心雕龍〉，《東方雜誌》，第23卷第18號，頁67-78，1926年9月。

18. 〈讀詩品〉，《東方雜誌》，第23卷第23號，頁105-108，1926年12月。

19. 〈詩品補〉，《國立中央大學半月刊》，第1卷第9期，頁129-134，1930年。

20. 〈評詩品注語後語〉，《中外評論》，第16期，頁25-28，1930年1月。

21. 〈《詩品注》跋〉，收入江蘇省文史研究館編：《館員文存》，頁73-74，南京市：鳳凰出版社，2003年。

　　案：此文本收錄於北京人民出版社1961年重排本《詩品注》，見頁158。

22. 〈論唐人七絕〉，《東方雜誌》，第22卷第11號，頁67-85，1925年6月。

23. 〈論唐人七言歌行〉，《東方雜誌》，第23卷第5號，頁87-96，1926年3月。

24. 〈宋詩之派別〉，收入《中國文學研究》上冊，頁1-16，上海市：
　　商務印書館，1926年。

　　案：《中國文學研究》為《小說月報》第17卷號外（即特刊），後
　　　　又影印收入《中國文學研究叢編》第1輯，上冊，香港：龍門
　　　　書店，1969年。

25. 〈王荊公詩評〉，《斯文》，第2卷第16期，頁2-7，1942年7月。

26. 〈謝皋羽〈冬青樹引〉補注〉，《斯文》，第2卷第22期，頁2-5，
　　1942年11月。

27. 〈現代詩學之趨勢〉，收入東南大學、南京高師國學研究會編輯：
　　《國學研究會講演錄》，第1集，頁64-71，上海市：商務印書館，
　　1923年初版。

28. 〈讀書雜論〉，《湖大期刊》，第5期，頁51-57。

　　案：署名仲子。

29. 〈朗誦法之研究〉，《東方雜誌》，第21卷第24號，頁72-76，1924年
　　12月。

三　古典詩作（未加案語及未於案語中說明者，皆收錄《晞陽詩》集中。）

1. 〈雨晴過田舍〉，《學衡》，第14期，「文苑・詩錄一」，頁1，1923
　年。

　　案：此詩《晞陽詩》未收錄。

2. 〈於日本商店見瓦盆中栽有松竹梅梅花盛開頗得高逸之趣因賦〉，
　《學衡》，第15期，「文苑・詩錄」，頁1，1923年。

3. 〈晞陽詩鈔〉三首，《國學叢刊》，第1卷第1期，頁132-133，1923
　年。

案：其中〈飲錢茂萱宅座上有杜二胡三將之盧州茂萱亦將歸山陽
（宅與余家隔秦淮一水間）〉一詩，《晞陽詩》未收錄。

4. 〈晞陽詩鈔〉七首，《國學叢刊》，第1卷第2期，頁149-150，1923
年8月。

案：其中〈卻望觀音洞（在牛首東峰上）〉一詩，《晞陽詩》未收
錄。

5. 〈晞陽詩鈔〉四題七首，《國學叢刊》，第1卷第3期，頁142-143，
1923年9月。

案：其中〈訪陳斠玄南京高等師範晚飲菊廳〉、〈午飯罷過雞鳴寺至
則門前衛士荷槍森立拂衣而歸〉、〈雨中獨步溪畔望鍾山〉三
詩，《晞陽詩》未收錄。

6. 〈晞陽詩鈔〉五首，《國學叢刊》，第2卷第1期，頁149-150，1924
年3月。

案：其中〈濟南上人七十生日〉、〈題王東倍北窗祭詩圖〉、〈與仲蘇
小石遊龍華寺〉三詩，《晞陽詩》未收錄。

7. 〈詩選〉四首，《金陵光》，第14卷第1期，頁99-100，1925年。

8. 〈晞陽詩〉四首，《藝林》，第1期，頁117，1929年。

案：其中〈龍蟠里訪柳貢禾遂同登掃葉樓閒眺〉一詩，《晞陽詩》
未收錄。

9. 〈晞陽詩鈔〉十三首，《國立中央大學文藝叢刊》，第1卷第1期，頁
299-302，1933年。

案：其中〈潘魯庵過話留飯〉一詩，《晞陽詩》未收錄。

10. 〈梅庵秋望〉，《校風》，第189期，頁788，1934年10月29日。

11. 〈聞廣州武漢相繼淪陷感愴賦此〉，《大夏周報》，第15卷第8期，頁
11，1938年。

12. 〈哭胡翔冬〉，《斯文》，第1卷第8期，頁34-35，1941年1月。

13. 〈晞陽詩鈔〉四首，《斯文》，第1卷第17、18期合刊，頁36，1941

年6月。

　　案：其中〈雅舍宴集題實秋清悚錦江醇士花卉合景〉一詩，《晞陽詩》未收錄。

14.〈晞陽近稿〉六首，《斯文》，第2卷第11期，頁17-18，1942年4月。

15.〈晞陽近稿〉六首，《斯文》，第2卷第21期，頁19，1942年10月。

16.〈晞陽近稿〉七首，《斯文》，第3卷第5、6期合刊，頁27-28，1943年3月。

17.〈希陽近稿〉四首，《新中國報》，第4期，頁15，1947年。

18.〈晞陽近稿〉四首，《中央日報》（南京），第8版「泱泱」副刊（盧冀野主編），1947年2月2日。

19.〈晞陽近稿〉四首，《中央日報》（南京），第5版「泱泱」副刊（盧冀野主編），1947年4月17日。

20.〈晞陽近稿〉六首，《中央日報》（南京），第7版「泱泱」副刊（盧冀野主編），1948年9月9日。

　　案：此六詩（〈初夏感懷〉、〈錢茂萱自淮城至金陵見過遂偕游後湖〉、〈與茂萱登掃葉樓〉、〈梅雨〉、〈立秋夕圍居抒懷〉、〈李母陳太宜人七十壽詩〉）皆未收錄於《晞陽詩》中。

21.〈晞陽近稿〉二首，《中央日報》（南京），第7版「泱泱」副刊（盧冀野主編），1948年11月4日。

　　案：此二詩（〈中秋遣悶〉、〈九日閒居〉）皆未收錄於《晞陽詩》中。

22.〈陳恒安李獨清柴曉蓮三君招飲李宅集者凡十四人尹石公亦在座感賦奉呈〉、〈華仲麐陳恒安二君邀飲杏花村座中遇盧冀野參政愾然成詠〉、〈冀野以詩見酬次韵答之〉、〈寓居黔南七首〉，《貴州文獻彙刊》，第5期，頁131，1949年。

附錄三
蘇維嶽《詩箸》申請獎勵說明書及錢穆、汪東〈審查意見表〉

一　專門箸作申請獎勵說明書：中華民國三十四年九月

申請人

姓名：蘇維嶽。年齡六九。性別，男。籍貫，湖南省新化縣。

住址：湖南新化大成鄉毛易舖。通訊處：重慶財政部直接稅務署易宏正轉。

學歷：湖南駐省師範畢業，湖南省教育會歷屆暑校，研究教育、心理各科。東南大學第四屆暑校，研究國學、社會、心理等。

經歷：歷任新化縣立區立村立小學校長，湖南私立楚怡工業專科教員兼訓育，新化青峯鄉村師範校長兼教員，湖南私立中和國學專科《詩經》兼《公羊》、《穀梁》教授。

專門箸作

名稱：《詩經叢箸》（內《詩經研究上》、《詩經研究下》、《詩旨闡真》、《詩經正訓》）。

類別：古代經籍——詩經

出版年月或完成時間：箸作始於民國二十年，至二十四年大致完成，至三十年復有修改。內《詩學贅言》已於二十五年印刷若干本，為國學專科講義，迄本年復加修改，名《詩經研究上》，

兼箸論文數篇，名《詩經研究下》，於九月中完成。

箸作經過：研究《詩》學始於民國十二年，自二十年辭去鄉師校長後，杜門研究四年，箸《詩經正訓》百餘萬言及《釋例》、《釋詞》等書。迄二十三、二十四兩年，在金陵龍蟠里國學圖書館遍攷《詩》箸，撰《詩學贅言》等書。後在國學專科授課二年，及鄉居五年中，又將《正訓》改編成《正訓簡本》、《詩旨闡真》、《詩經教學參攷書》三種。在《簡編》擬撰之時，曾函呈陳前教育部長，承覆書讚許，並主融會（匯）姚（濟）〔際〕恆[1]、方玉潤兩家《詩》說，統一簡本，以利後生小子。但兩家《詩》說失多於得，故祇舍短取長，兼撰〈論方氏《詩》說之得失〉一文於三十一年夏。承前部長函索《詩箸》要點時附呈。本年復箸論金氏、顧氏說《詩》及康氏說經駁文，成《詩經研究下》。

內容要點：《詩經研究上》詳述《詩》之來源與定義、詩人與時代之關係，并毛氏《序》、《傳》之精，三家與《毛詩》異同得失之故，及朱子《詩》說之失與《詩》教真諦。《詩經研究下》重在說明不信《毛序》，或稍依《毛序》，及不信《毛序》所根據群書之失。餘如《詩旨闡真》逐篇說明毛義之精及古今詆《序》者之謬誤。《正訓簡本》每詩古音韻及訓詁攷據、大義章旨等均有最簡要之詮釋，餘如《釋例》，於經、《序》、《傳》、《箋》均詳其例，訓詁攷據，詳釋疑難。《詩經集評》詳言文章之美，以繁多，未及呈送。

本箸作在學術上之特殊貢獻：特殊貢獻有五，一、闡明近代今文家誤解四家《詩》說及「作」有「誦古」之義以溝通今古文。二、

---

1 原文明顯訛誤者加圓括號標識，正確的字用方括號標識，下文同此。

詳述朱子《詩》說失源十一內於誤解「詩無邪」之義，及不明聲與詩、俗樂與雅樂之別，頗為明澈，可知宋說不能在漢學外另樹一幟。三、於毛氏《序》、《傳》之精，總論分論敘述均明，使古今疑難悉為解釋。四、新說謂漢宋說、今古文說悉為牽強附會，欲一概推翻，祇認為歌謠總集者，即由未察異說紛紜之由來，并以衛宏所作《〔時〕〔詩〕序》誤為《毛序》之故也。上述《詩箋》於此等均窮源竟委，明辨以皙。五、《詩》教溫柔，足醫時下恣睢暴戾，涼薄詐欺之病，而以異說之多，致微婉忠厚之旨隱而不宣。今煙障既去，天日為昭，在此民主實施之時，正便推行，以資團結，而免障碍。（餘詳《正訓》編纂要旨）

曾否獲得何種獎勵：未曾獲得獎勵。

以往曾否向本會申請獎勵：未及申請獎勵，前祇摘錄數言呈請陳前部長審核予以刊印，因前部長原有如花費不多，准提國款出版之函示故也。但書交國立編譯館，審查呈覆，稱該書甄引廣博，數典辨物，彰明《傳》、《箋》之學，欲以《詩》教陶淑國人，誠有可取，惟專以毛、鄭言《詩》，未免失之過狹，所請以國款出版之處，似無庸議等語。前部長函轉此呈時，并囑加以董理，列成系統，以貢獻於學術界。因復整理〈論方氏《詩》說〉文，列表詳解，并附文詳論送呈。後值新舊部長交替延擱，未得覆示此項文表。鈞會曾覆稱已交國立編譯館，而親往查問，實未收到。故修改另鈔並附新箋，逕請鈞會澈底審議，以明是非，而便推行。

介紹人對於本箋作品之評語：按《詩》義可疑者一在今文與古文異，二在宋說與漢說異，三在《毛詩注疏》亦有拘泥之處。箋者於四家《詩》說之溝通，漢宋詩《詩》說之優劣，既列舉確證詳

言，且於毛義之微婉而與群書相合，群書之非虛偽而確可證
《序》，無不瞭如指掌，使孔子興觀群怨，邇事遠事，及從政
能言之旨，藉以顯明，今人疑難自可渙然冰釋，允為毛氏功
臣，有裨政教不小。

備註：一、前將方玉潤《詩》說及根據與毛氏《詩》說及根據列表比
較，並附著者意見外著論文，詳言表所未詳未及各要義。此表
及總論國立編譯館既未收到，當存鈞會。此次《詩經研究下》
所鈔論方說得失一文，總論內要義均已增入。

二、送呈《詩箋》原本鄉居時，因雇鈔困難，字多潦草。此次
在旅寓中加鈔一份，字尤潦草，款示亦有不合之處，且校對未
精，錯誤難免，但互校原本可明。

三、計呈《詩經研究上》二冊、《詩經研究下》二冊，《詩經闡
真》國風二冊，又雅頌二冊，《詩經正訓》國風上四冊，國風
下四冊，又小雅四冊，大雅二冊，三頌二冊。

申請人簽名蓋章：蘇維嶽
介紹人簽名蓋章：向楚
**　　簽名蓋章：**蒙文通
附記介紹人畧歷：

向楚，字仙喬，現任四川大學文學院院長。

蒙文通，曾任成都國學院講師，四川大學教（育）〔授〕，現
任華西大學教授兼四川省立圖書館館長。

二　錢穆〈審查意見表〉

　　本箸作共三種十冊，內《詩經研究》兩冊，《詩旨闡真》兩冊，《詩經正訓》六冊，卷帙浩繁，不克通體細讀。惟就大體論之，專據《毛詩》《序》、《傳》以說《詩》義，可以為《毛詩》之功臣，未必即《詩經》之正解。先就《詩序》言，胡承珙云：「作《詩》者即一事而形諸歌咏，故意盡於篇中。序《詩》者合眾作而備其推求，故事徵於篇外。」作《詩》者與序《詩》者既非一人，則本序《詩》之義而推作《詩》之旨，其間自可有出入之處。抑且《毛序》與齊、魯、韓三家互有不同，則何從而見《毛序》之必當？故作者既力主《毛序》傳自子夏，又必謂三家與毛本無異同，其立論根據則在《三家詩》「作」、「賦」二字通用。攷篇中（《詩經研究上》）惟「賦」訓誦古，亦可以訓造篇，此義盡人皆知。若謂「作」訓造篇，亦可以訓誦古，則於古無徵，殊難成立。《左》僖廿四年，富辰曰：召穆公作詩曰「常棣之華」云云，《鄭志》答趙商云：「凡賦詩者，或造篇，或誦古。」孔疏《毛詩》云：〈常棣〉所誦古「指此召穆公所作誦古之篇，非造之也」。今按：此自限於疏不破注之大例，然左氏明言召穆公作〈常棣〉，即《鄭箋》謂「周公弔二叔之不咸，而使兄弟之恩疏，召公為作此詩而歌之」，亦僅約會左氏原文，亦明謂召穆公作詩，非周公作詩也。而《毛序》則云閔管、蔡之失道，故作〈常棣〉屬此，本於《左傳》而文省義變，遂儼若以〈常棣〉詩歸之周公，正在此等處，亦可見《毛詩序》出《左傳》後，不得謂傳自子夏矣。（此處亦不謂《左傳》乃孔子同時左丘明作）此處《鄭箋》正可糾《序》文之失。乃後儒不善讀，轉因誤解《序》文，而強認〈常棣〉為周公詩，《孔疏》引《鄭志》已屬牽強，今本書作者乃本此而謂作賦通用，乃捨此一條亦復更無他據。至作者引《鹽鐵論》「此〈杕

杜〉、〈采薇〉所為作也」，此明謂漢代社會情狀有類於古昔，作為此詩之時期，此「作」字斷無「誦古」之義，可見「作」訓「誦古」乃作者之曲說。若此義不立，則《三家詩》與毛歧異之處，不得如作者謂多由後人之誤解，然則〈關雎〉之咏何以必知非刺庸主而作乎？一義不立，眾義皆碎，故曰專據《毛序》以說《詩》，只可為毛之功臣，未必即《詩》之正解也。至《毛傳》訓詁更屬有失有得，清代二百四十年治《詩》研訓詁紅《毛傳》，確有新得，為今所當采納者，指不勝屈。今作者《正訓》乃亦專從《毛傳》，未免更自遍狹矣。

總評：《詩序》自否盡可信為一大問題，《三家詩》與毛異同，孰得孰失，又為一大問題，本書於此兩事均未能有所創闢，惟謂《詩序》非衛宏作，又極論後儒不信《序》而說《詩》之差失處，則確為有見。今欲折衷古今諸家，為《詩經》撰一比較最合理之解說，此事甚難。若專據一家說之，雖不免有得有失，而為之較易，亦於治此一家言者有參攷之助。本書用力甚勤，立意亦平正，雖不免專守《毛傳》，要為有前儒榘矱，其根本差誤點已列詳如左。要之，整理諸家不失為治《詩》者一種參攷材料。網羅詳贍，而有別擇，似可給予第三等獎勵，是否有當，敬備公決。

審查人：錢穆　卅五年三月五日

三　汪東〈審查意見表〉

作者專治《詩經》數十年，於古今諸家異同得失之故，剖析詳明，著為專書，自非率爾操觚者可比。茲將所送審查三種，分別評論如下：

（一）《詩經研究》

此篇皆為單篇別論，而與他編主旨自成一貫，持論精審，足探本原，其駁斥朱子及近代諸家之說，尤多透闢。

（二）《詩旨闡真》

此編專釋《詩序》，以毛、鄭為主，一掃群咻。其於各家之說，或采或駁，亦多允當。惟魯齊韓三家，實有與毛乖異處，作者每欲強而同之，殊可不必。

（三）《詩經正訓》

大體尚可，惟聲音訓讀之學，非作者專長，故欠精覈。鈔胥錯誤，不一而足，必詳加校勘，然後可讀也。

總評：大醇小疵，擬請給予二等獎。

審查人：汪東　卅五年三月廿日

附錄四
何定生著作目錄增訂稿

車行健、徐其寧輯錄；車行健增訂

　　本目錄輯錄盡可能搜尋何定生教授所發表的所有文章，何教授除用本名發表外，尚有用「定生」及用筆名「更生」的方式發表文章。惟署名「更名」在報刊發表文章者甚多，為求謹慎，除何教授有在〈簡歷〉及《日記》中提及者外，一概暫不收錄。惟何教授來臺後，常在《中央日報》發表文章，雖有〈簡歷〉、《日記》所未提及者，亦仍收入。

　　何定生教授著作目錄之編製，約始於二〇〇八年，後與徐其寧合作，於二〇一〇年六月出刊之《中國文哲研究通訊》第二十卷第二期，正式登載〈何定生教授論著目錄〉，收錄於該期中之「何定生教授紀念專輯」中。之後，又屢經增補，復編製〈何定生教授論著目錄（增訂稿）〉，以附錄的形式，載於二〇一四年三月出刊之《中國文哲研究通訊》第二十四卷第一期中拙文〈何定生與古史辨的詩經研究〉之文末。此次增修，又添加若干筆資料，並將「論著目錄」改題為「著作目錄」。蓋何教授的著作，不只學術論著，又兼有文藝創作及翻譯，「著作」一詞較能完整體現他作品的豐富樣貌。此次增修，承顧潮老師、金周生老師、蔣秋華教授、史甄陶教授、徐偉軒學棣協助，或解答疑難（顧潮），或提供書信資料（顧潮、金周生），或利用資料庫檢索及下載文章（蔣秋華、史甄陶），或趁赴潮州開會之便，

幫忙查找資料（徐偉軒），謹在此一併致上最誠摯的謝忱。（2019 年 12 月 5 日）

一　專書

1. 《元雜劇選》，1929年8月，未刊，原稿已毀。

> 案：據顧頡剛一九五七年六月日記所述，此書為與何定生同編，但尚未付印。（《顧頡剛日記》〔臺北市：聯經出版事業公司，2007年〕，第8卷，頁274。）又據其一九二九年八月二十九日日記寫有「看《元雜劇選》，改正句讀」語（同上，第2卷，頁318），可知此時該書已大致完成。然同日日記又有：「六年前，王雲五先生交我《元曲選》一部，囑作曲選，久無暇為之。此次在平，請定生代為之，今日取其稿看，錯誤甚多，一一為之改正，終恐未盡也。此書共十二萬字，看商務中給我多少錢。如多，將來當再為他書售之。」（同上）可知《元雜劇選》係從《元曲選》中選編整理成書。又據顧潮《顧頡剛年譜》（北京市：中華書局，2011年增訂本）一九二九年「七至八月」條謂：「為商務印書館編《元雜劇選》十二萬字，此由何定生代編，為之校改。文佚。」（頁197）由此可知顧頡剛與何定生二人的實際分工情形，以及此書的存佚狀態。（此條案語係得到顧潮教授指點完成）

> 又案：據顧潮教授二〇二〇年八月十四日來訊告知，在其近年收集整理的顧頡剛書信中，有一九三二年致商務印書館王雲五函，詢問此前所交《元雜劇選》（與何定生同編）稿件在「一二八」日本轟炸上海時的情況，得覆知已燒毀了。此函未收入《顧頡剛全集》中之《書信集》，擬收入《顧頡剛全集補遺》中。

2. 《詩的聽入》，北平市：樸社，《的礫小叢書》之一，1929年8月。

3. 《治學的方法與材料及其它》，署名定生編，北平市：樸社，《的礫小叢書》之二，1929年9月。

案：此書原題作《關於胡適之與顧頡剛》，共收十篇文章，其中何教授撰寫的篇目如下：

（1）〈又來「罵」胡適之先生〉，頁9-23。

（2）〈願胡適之先生勿懺悔〉，頁25-46。

（3）〈再寫在槃的文後〉，頁77-89。

（4）〈「新」「舊」材料與治學方法問題〉，頁145-166。

4. 《詩經今論》，臺北市：臺灣商務印書館，《人人文庫》，1968年6月初版、1969年8月2版、1973年3版。

案：本書共收三篇論文，依次是：

（1）卷一〈從樂章到諫書看詩經〉，頁1-72。此文原題作〈從言教到諫書看詩經面貌〉，係何教授獲得國家長期科學發展委員會（簡稱長科會）一九六四年研究獎助論文，原刊於《孔孟學報》第11期（1966年4月），頁101-148，實際撰作時間為一九六五年六月。

（2）卷二〈詩經的復始問題〉，頁73-202。此文原題作〈詩經的復古解放問題〉，係何教授獲得長科會一九六五年研究獎助論文。

（3）卷三〈詩經的解釋發凡〉，頁203-291。此文原題作〈詩經的解釋問題〉，係何教授獲得長科會一九六六年研究獎助論文。其中「宋儒對於詩經的解釋」一節另以〈宋儒對於詩經的解釋態度〉為題收入林慶彰編：《詩經研究論集》（臺北市：臺灣學生書局，1983年），頁409-422；「清儒

對於詩經的見解」一節亦以原題收入林慶彰編：《詩經研究論集》，頁423-444。

5. 《定生論學集——詩經與孔學研究》，臺北市：幼獅文化事業公司，1978年7月。

案：此書共收四篇論文，依次是：

（1）〈讀詩綱領〉，頁3-13。

（2）〈詩經與樂歌的原始關係〉，頁17-94。此文原題作〈詩經的樂歌關係的檢討〉，係何教授獲得國家科學發展委員會（簡稱國科會）一九六七年研究獎助論文，原刊於《臺大文史哲學報》第18期（1969年5月），頁353-416。此文第二節「從詩經本身看樂歌關係」，又收入林慶彰編：《詩經研究論集》，頁1-18。

（3）〈孔子的傳記問題與六經〉，頁97-156。

（4）〈孔子言學篇〉，頁159-194。此文原刊於《孔孟學報》第6期（1963年9月），頁41-68。

二　單篇論著

1. 〈詩經的文學觀〉，1925年。此文似未刊，原文未見。

案：見〈詩經之在今日〉。

2. 〈「六二三」慘殺與帝國主義者之侵略政策〉，《政治訓育》，第16期，頁10-12，1927年。

案：此文撰於一九二七年六月十七日。

3. 〈民族主義與國家主義〉，《政治訓育》，第17期，頁33-37，1927年。

案：此文撰於一九二七年六月十三日。

4. 〈山海經成書之年代〉,《國立中山大學語言歷史學研究所週刊》,
第2集第20期,頁600-605,1928年3月13日。

　　案:此文撰於一九二七年六月二十四日。

5. 〈漢以前文法研究〉(一至三),《國立中山大學語言歷史學研究所
週刊》,第3集第31-33期,頁1025-1036,1928年5月30日;頁1059-
1067,1928年6月6日;頁1095-1112,1928年6月13日。

　　案:前二文撰於一九二八年四月二十八日,第三文未書撰作時間。

6. 〈譯詩的討論〉,署名定生,廣州《民國日報》,「晨鐘」副刊第25
期,1928年6月20日。

　　案:此文為回應李少白〈關於〈不屈〉〉(廣州《民國日報》「晨
　　　　鐘」副刊第20期,1928年6月14日)對其翻譯英國詩人 W. E.
　　　　Henley(1849-1903)〈不屈〉一詩之質疑所作,自署作於一九
　　　　二八年六月十四日。

7. 〈詩經之在今日〉,原載廣州《民國日報》,副刊,1928年7月17
日,後收入《古史辨》,第3冊下編,頁690-694,北平市:樸社,
1931年11月;臺北市:明倫出版社,1970年3月;臺北市:藍燈文
化事業公司,1987年11月。

8. 〈王充及其學說〉(一至六),廣州《民國日報》,「現代青年」副
刊,1928年10月6、8、9、10、16日。

　　案:此文文末作者自署一九二七年十月八日作於中山大學。又何教
　　　　授〈簡歷〉作〈讀論衡〉,且註明登載出處為廣州《民國日報》
　　　　「晨鐘」副刊,然未詳刊載時間。又案:此文(一)未見於人
　　　　民出版社一九八五年影印出版之《民國日報》當年當月份的合
　　　　訂本中,且此套《民國日報》亦缺一九二八年七至九月,疑即
　　　　在其中,當續訪查。

9. 〈尚書的文法及其年代〉,《國立中山大學語言歷史學研究所週

刊》，第5集第49-51期合刊，「尚書的文法及其年代專號」，頁1793-
1979；前有「作者的自白」，頁1783-1792，1928年10月17日。

　　案：此文撰於一九二八年十月。

10.〈中山大學語言歷史學研究所年報序〉，《國立中山大學語言歷史學
　　研究所週刊》，第6集第62-64合期，頁2381-2386，1929年1月16日。

　　案：顧頡剛於一九二八年十二月十六日的日記中記道：「託定生代
　　　　作〈研究所年報序〉。」（《顧頡剛日記》，第2卷，頁232。）然
　　　　又據顧頡剛一九二九年二月六日日記道：「作〈研究所年報
　　　　序〉粗畢，共五千二百言。」七日日記亦記道：「修改〈年報
　　　　序〉，訖，即送校付刊。」（《顧頡剛日記》，第2卷，頁250。）
　　　　明謂顧氏自作及修改該文。且顧潮編《顧頡剛年譜》，於「著
　　　　述目」中亦明列顧氏撰作此文。（見《顧頡剛年譜》〔北京市：
　　　　中國社會科學出版社，1993年〕，頁469。）則此文似仍主要是
　　　　顧氏自作。

11.〈本部所藏中國古器物書目〉，與何之合編，《中山大學圖書館周
　　刊》，1929年6月，頁101-117。

12.〈關於詩經通論與詩的起興〉，《國立中山大學語言歷史學研究所週
　　刊》，第9集第97期，頁3783-3794，1929年9月4日。

　　案：此文撰於一九二九年五月。「關於詩經通論」部分又收入《古
　　　　史辨》，第3冊下編，頁419-424，及林慶彰編：《詩經研究論
　　　　集・二》（臺北市：臺灣學生書局，1987年），頁541-545。關
　　　　於「詩的起興」部分，亦收入《古史辨》，第3冊下編，頁694-
　　　　705，改題作〈關於詩的起興〉。又此文撰於一九二九年五月。

13.〈宣統政紀考證〉，燕京大學《史學年報》，1941年。

　　案：此條目據何教授〈簡歷〉所記，然燕京大學歷史學會主編之
　　　　《史學年報》自一九二九年七月十日出版第一卷第一期，至一

九四○年十二月第三卷第二期出版後即中斷，共計發行三卷十二期。翻查其中篇目與作者，均無何定生撰作記錄。又據何教授〈簡歷〉云，此文曾獲哈佛燕京學社獎學金。

14.〈婦女在文化上的地位〉，《婦聲半月刊》，第1卷第7期，頁5，1947年1月。

案：此文作於一九四六年十二月十九日。

15.〈國際新刊介紹：第二次世界大戰的故事〉，署名更生，天津《益世報》，「國際周刊」第35期，1947年4月2日。

案：此文乃評介美國史學家 Henry Steele Commager（1902-1998）所撰之 *The Story of the Second War*。（Little, Brown and Company, Boston, 1945）

16.〈損失太大了〉，《傅故校長哀輓錄》，國立臺灣大學紀念傅故校長籌備委員會哀輓錄編印小組編，頁76，臺北市：國立臺灣大學，1951年6月15日。

案：此文作於一九五○年十二月二十七日，原刊《臺大校刊》第101期。

17.〈趙老闆〉，署名更生，《中央日報》，第6版，中央副刊，1953年2月5日。

18.〈評介詩經釋義〉，《學術季刊》，第2卷第1期，頁136-138，1953年9月30日。

19.〈原學篇〉，《中央日報》，第3版，「學人」專欄，1959年4月28日。

案：楊晉龍〈何定生教授年表初稿〉（《中國文哲研究通訊》第20卷第2期，2010年6月）根據何定生日記，稱此文為〈六經與孔子的關係〉。（頁15）

20.〈關於典故的翻譯〉，署名更生，《中央日報》，第6版，中央副刊，1962年7月24日。

21. 〈孔子言學篇〉,《孔孟學報》,第6期,頁41-68,1963年9月。

22. 〈從言教到諫書看詩經面貌〉,國家長期科學發展委員會1964年研究獎助論文,刊於《孔孟學報》,第11期,頁101-148,1966年4月。

23. 〈詩經的復古解放問題〉,國家長期科學發展委員會1965年研究獎助論文。

24. 〈詩經的解釋問題〉,國家長期科學發展委員會1966年研究獎助論文。

25. 〈關於論語的若干解釋〉,署名更生,《中央日報》,第9版,中央副刊,1966年8月18日。

26. 〈再論論語佛肸章的匏瓜問題〉,1966年8月。未刊,原文未見。

　　案:見楊晉龍:〈何定生教授年表初稿〉,頁19。楊氏資料來自何定生日記。

27. 〈詩經的樂歌關係的檢討〉,國家科學發展委員會1967年研究獎助論文,改題作〈詩經與樂歌的原始關係〉,刊於《臺大文史哲學報》,第18期,頁353-416,1969年5月。

　　案:據作者自述,此文為《詩經》論文之第四篇,題為「《詩經》今論卷四」。

28. 〈從儀禮的樂歌分類覘三百篇的原始解題〉,國家科學發展委員會1969年研究獎助論文。

　　案:此文為何教授於一九六九年五月申請五十八年度國家科學委員會研究補助所提出的專題計畫題目,於同年十一月收到核定通知,然不確知最終是否完成?

29. 〈寫在古史辨台灣版的編首〉,收入明倫版《古史辨》,第1冊,頁1-2,臺北市:明倫出版社,1970年3月臺初版。

　　案:此文撰於一九七○年一月五日。

三　文藝創作

1. 〈一朵美麗的青花〉,《文學週報》,第4卷第251-275期,頁610-622,1928年。

   案:此文撰於一九二八年三月八日。

2. 〈我的心〉,署名定生,廣州《民國日報》,「現代青年」副刊,1928年12月3日。

3. 〈母親的淚——心的創痕之一〉,署名定生,《一般》,第8卷第1至4期,頁311-312,1929年。

4. 〈到西泠橋畔〉(秋子的日記),1929年。此文似未刊,原文未見。

   案:據顧頡剛一九二九年四月十三日日記所述,此篇作品為小說。(見《顧頡剛日記》,第2卷,頁272)此文至遲在一九二九年四月上旬前完成。

5. 〈寂寞的旅途〉,此文似未刊,原文未見。

   案:同上。

四　譯著

1. 〈不屈〉,W. E. Henley 原作,署名定生譯,廣州《民國日報》,「晨鐘」副刊第7期,1928年5月30日。

2. 〈我何能離你〉,德國 Thuriogian 民族的民歌,廣州《民國日報》,「晨鐘」副刊第13期,1928年6月6日。

   案:譯於1928年5月31日。

3. 〈愛的祕密〉,William Blake 原作,廣州《民國日報》,「現代青年」副刊第107期,1928年9月11日。

4. 〈德芬的姑娘——寄給 B R. Haydon 的詩〉,John Keats 原作,署名

定生譯，《一般》，第9卷第1-4期，頁235-238，1929年10月。

5. 〈國際辭林〉（輯譯，共六篇），署名更生或編者，天津《益世報》「國際周刊」第30、31、34、38、39、42期，1947年2月26日、3月5日、3月26日、4月23日、4月30日、5月21日。

　　案：此條目據何教授〈簡歷〉所記，原作刊於民國三十五年天津《益世報》「國際周刊」之「國際新辭」，且未載期數及月日。

　　又案：天津《益世報》「國際周刊」之「國際辭林」欄目於一九四七年二月二十六日該周刊三十期時始創，何教授即為初始撰稿者，故次期（三十一期）「國際周刊」之「國際辭林」欄目僅署名「編者」，疑亦何教授所撰。

6. 〈英國的襲擊隊──大戰史話之一〉，署名更生，天津《益世報》，「國際周刊」第35期，1947年4月2日。

　　案：此條目據何教授〈簡歷〉所記，原作刊於民國三十五年天津《益世報》「國際周刊」之〈大戰故事〉（二次大戰史料輯譯），且未載期數及月日。又案：此文譯自 Henry Steele Commager 所撰之 *The Story of the Second War*。（Little, Brown and Company, Boston, 1945）

五　書信及個人傳記資料

1. 〈致顧頡剛〉（撰於1928年3月8日），《國立中山大學語言歷史學研究所週刊》，第2集第21期，頁640，1928年3月20日。

2. 〈致顧頡剛〉（撰於1928年5月1日），《國立中山大學語言歷史學研究所週刊》，第3集第30期，頁1011-1013，1928年5月23日。

3. 〈致顧頡剛〉（撰於1928年5月25日），《國立中山大學語言歷史學研究所週刊》，第3集第32期，頁1088-1089，1928年6月6日。

4. 〈致顧頡剛〉（撰於1928年6月1日），《國立中山大學語言歷史學研究所週刊》，第4集第40期，頁1447-1449，1928年8月1日。

5. 〈致顧頡剛〉（撰於1928年7月9日），《國立中山大學語言歷史學研究所週刊》，第4集第42期，頁1513-1514，1928年8月15日。

6. 〈致顧頡剛〉（撰於1928年7月31日），《國立中山大學語言歷史學研究所週刊》，第5集第49-51期合刊，頁1980-1981，1928年10月17日。

7. 〈致顧頡剛〉（撰於1946年5月1日），未刊，原件藏於顧潮處。

8. 〈致余永梁〉（撰於1928年5月25日），《國立中山大學語言歷史學研究所週刊》，第4集第39期，頁1415-1416，1928年7月25日。

9. 〈致余永梁〉（撰於1928年5月27日），《國立中山大學語言歷史學研究所週刊》，第3集第33期，頁1132-1133，1928年6月13日。

10.〈致余永梁〉（撰於1928年11月7日），《國立中山大學語言歷史學研究所週刊》，第5集第57-58期合刊，頁2266，1928年12月5日。

11.〈答衛聚賢先生〉（撰於1928年10月18日），《國立中山大學語言歷史學研究所週刊》，第5集第53、54期合刊，頁2087-2096，1928年11月7日。

12.〈致楊筠如〉（撰於1929年5月20日），《國立中山大學語言歷史學研究所週刊》，第8集第91期，頁3650，1929年7月24日。

13.〈致王叔岷〉（撰於1968年8月8日），原件影印收入王叔岷：《慕廬憶往》（臺北市：華正書局，1993年），附錄：保存信件，頁10；《慕廬憶往：王叔岷回憶錄》（北京市：中華書局，2007年），附錄，頁217。

　　案：原函未署年份，函中謂郵寄《詩經今論》予王叔岷。查何定生於該年八月十三日日記記述，以水路郵寄《詩經今論》致贈遠在新加坡的王叔岷（參見楊晉龍：〈何定生教授年表初稿〉，頁20），可知該函寫於一九六八年。

14. 〈致王叔岷〉（撰於1969年2月15日），《慕廬憶往》，頁11-13；《慕
    廬憶往：王叔岷回憶錄》，頁218-220。

15. 〈簡歷〉，國立臺灣大學人事檔案，1949年8月填寫。

16. 《日記》，未刊。

　　案：何教授遺存《日記》始於一九四九年十一月二日，止於一九七
　　　　〇年六月二十三日。

附錄五
牟潤孫經學論著目錄

　　牟潤孫生前出版之專著僅有《注史齋叢稿》，最早於一九五九年由香港新亞研究所出版，收錄牟氏五十歲以前作品十四篇。後又於一九八七年由北京中華書局出版新編本（臺灣商務印書館一九九〇年臺灣初版即為此版），新編本前半部即新亞研究所版所收之十四篇論文，後半部則為新增之十二篇論文，係牟氏五十歲後所作。[1]牟氏逝世後，其弟子李學銘、余汝豐等，復蒐羅輯補牟氏文章，加以增訂擴充，由原先的二十六篇，增補為收錄論文五十八篇，專書一部，及附錄五篇，二〇〇九年由北京中華書局出版增訂版，分為上下兩冊。牟氏另一部出版的專著則為《海遺雜著》，亦於其逝世後，由李學銘、余汝豐等人，依牟氏遺願，將其生前選定的七十篇文章合編為《海遺雜著》，一九九〇年由香港中文大學出版。二〇〇九年北京中華書局在原有的基礎擴充重編，並依牟氏原所擬定的書名，更名為《海遺叢稿》，分為初編和二編。[2]

　　牟氏手訂之兩版《注史齋叢稿》，皆未分類。牟氏逝世後，由弟子李學銘、余汝豐等編訂之增訂本《注史齋叢稿》（北京市：中華書局，2009 年），則依經學、史學、清史、清代學術、宗教、專書等類

1　參牟潤孫為北京中華書局一九八七年版之《注史齋叢稿》所撰之〈前言〉，收入《注史稿叢稿》（北京市：中華書局，2009年增訂本），下冊，相關引述見頁783；李學銘：〈牟潤孫教授編年事略〉，同前，頁794。

2　以上相關出版訊息俱參中華書局編輯部：〈出版說明〉，《注史稿叢稿》，上冊，頁1-2。

別重新分類編排。然除經學類外，牟氏與經學相關的論文又見於清代學術類。《海遺叢稿》亦間有數篇涉及經學者，今依兩書原有之順序，特製〈牟潤孫先生專著所收經學論著目錄〉，以觀其經學論著收錄於其專書之情況。再依傳統經學分類方式，製〈牟潤孫先生經學論著分類目錄〉，以呈現其經學論著之品類。復根據著述年次先後，編定〈牟潤孫先生經學論著編年目錄〉，藉此以明其經學研究之發展脈絡。

據二〇〇九年北京中華書局版〈出版說明〉所言，《注史齋叢稿》和《海遺叢稿》雖囊括了牟氏一生最重要的學術論文，但並非其全部著述。[3]本目錄所輯亦僅以見收於此二部專著之論著為主，至於完整的牟氏經學論著目錄，則仍江山有待。

一 〈牟潤孫先生專著所收經學論著目錄〉

甲 《注史齋叢稿》所收經學論著

（一）原「經學」類所收者

1. 〈春秋時代母系遺俗《公羊》證義〉，原載《新亞學報》，第1卷第1期，頁381-421，1955年8月。

2. 〈宋人內婚〉，原載《民主評論》，第6卷第17期，頁10-11、轉頁4，1955年9月。

3. 〈《春秋左傳》辨疑〉（原題〈左丘明傳春秋考〉），原載《民主評論》，第4卷第11、12期，頁12-15、頁22-23，1953年6月。

4. 〈兩宋《春秋》學之主流〉，原載《大陸雜誌》，第5卷第4、5期，頁1-9、頁18-20，1952年8、9月。

---

3 中華書局編輯部：〈出版說明〉，《注史稿叢稿》，上冊，頁1-2。

5. 〈論儒釋兩家之講經與義疏〉，原載《新亞學報》，第4卷第2期，頁353-415，1960年2月。

6. 〈論魏晉以來之崇尚談辯及其影響〉，香港中文大學中國歷史講座教授就職講演，1965年3月5日講於香港大會堂，11月6日改寫畢，香港：香港中文大學出版，1966年。

7. 〈釋《論語》狂簡義〉，原載《新亞學報》，第2卷第2期，頁79-86，1957年2月。

8. 〈「民可使由之，不可使知之」釋義——孔子理想中的德化政治〉，原載《明報月刊》，第15卷第8期（總第176期），頁9-11，1980年8月。

9. 〈說「格物致知」〉，原載《明報月刊》，第19卷第4期（總第220期），頁32-34，1984年4月。

（二）「清史」類所收者

1. 〈徐文定公與樸學〉，原載《大公報》，「圖書副刊」第5期，1933年11月23日。

（三）「清代學術」類所收者

1. 〈王夫之顧炎武解《易》之說舉隅——經學史是史學的輔助科學例證〉，原載《新晚報》，1981年6月8、19日。

2. 〈顧寧人學術之淵源——考據學之興起及其方法之由來〉，原載《民主評論》，第5卷第4期，頁10-14，1954年2月。

3. 〈論顧亭林學術與儒學之真精神〉，演講稿，李金鐘記錄，原載《新亞生活》，第4卷第11期，1961年12月21日。

4. 〈論朱熹顧炎武的注解《詩經》〉，原載《新晚報》，1981年8月21、28日。

5. 〈反理學的惠棟〉，署名杜舒，原載《新晚報》，1977年7月3日。

6. 〈胤禛與戴震〉，署名杜舒，原載《新晚報》，1979年，月日不詳。

7. 〈論弘曆的理學統治與錢人昕〉，收錄於氏撰《海遺雜著》，頁197-206，香港：香港中文大學出版社，1990年。

8. 〈錢大昕著述中論政微言〉，1980年4月2日初稿，1981年9月5日修訂，原載《明報月刊》，第16卷第12期（總第192期），頁85-88，1981年12月；第17卷第1期（總第193期），頁88-92，1982年1月。

9. 〈龔定庵與陳蘭甫——晚清思想轉變之關鍵〉，講演稿，竇道明筆記，原載《新亞生活》，第4卷第18期，1962年4月27日；又載《民主評論》，第15卷第15期，頁17-18，1964年8月。

10.〈清代考據學的來源〉，未詳出處。

11.〈從中國的經學看史學〉，講演稿，關彩華記錄，1971年，原載《新亞書院歷史學系系刊》，第2期，1972年9月。

乙　《海遺叢稿》所收經學論著

（一）初編「海遺讀書記」中所收者

1. 〈柯鳳蓀先生遺著三種〉，原載《大公報》，「圖書副刊」第107期，1935年11月27日《圖書季刊》，第2卷第4期，頁38-39，1935年12月。

（二）二編「學林舊話」中所收者

1. 〈蓼園問學記〉，原載《明報月刊》，第8卷第3期（總第207期），頁46-48，1983年3月，原題為〈紀念柯蓼園先生〉。

二　〈牟潤孫先生經學論著分類目錄〉

一　《易》類

1. 〈王夫之顧炎武解《易》之說舉隅——經學史是史學的輔助科學例證〉,《新晚報》,1981年6月8、19日。

（二）《詩經》類

2. 〈論朱熹顧炎武的注解《詩經》〉,《新晚報》,1981年8月21、28日。

（三）《春秋》類

3. 〈春秋時代母系遺俗《公羊》證義〉,《新亞學報》,第1卷第1期,頁381-421,1955年8月。

4. 〈宋人內婚〉,原載《民主評論》,第6卷第17期,頁10-11、轉頁4,1955年9月。

5. 〈《春秋左傳》辨疑〉（原題〈左丘明傳春秋考〉）,原載《民主評論》,第4卷第11、12期,頁12-15、頁22-23,1953年6月。

6. 〈兩宋《春秋》學之主流〉,《大陸雜誌》,第5卷第4、5期,頁1-9、頁18-20,1952年8、9月。

（四）《四書》類

7. 〈釋《論語》狂簡義〉,《新亞學報》,第2卷第2期,頁79-86,1957年2月。

8. 〈「民可使由之,不可使知之」釋義——孔子理想中的德化政治〉,1980年,《明報月刊》,第15卷第8期（總第176期）,頁9-11,1980年8月。

9. 〈說「格物致知」〉,《明報月刊》,第19卷第4期(總第220期),頁
   32-34,1984年4月。

(五)經學史類

10. 〈從中國的經學看史學〉,講演稿,關彩華記錄,1971年,《新亞書
    院歷史學系系刊》,第2期,1972年9月。

11. 〈論儒釋兩家之講經與義疏〉,《新亞學報》,第4卷第2期,頁353-
    415,1960年2月。

12. 〈論魏晉以來之崇尚談辯及其影響〉,香港中文大學中國歷史講座
    教授就職講演,1965年3月5日講於香港大會堂,11月6日改寫畢,
    香港:香港中文大學出版,1966年。

13. 〈徐文定公與樸學〉,原載《大公報》,「圖書副刊」第5期,1933年
    11月23日。

14. 〈清代考據學的來源〉,未詳出處。

15. 〈顧寧人學術之淵源——考據學之興起及其方法之由來〉,《民主評
    論》,第5卷第4期,頁10-14,1954年2月。

16. 〈論顧亭林學術與儒學之真精神〉,演講稿,李金鐘記錄,原載
    《新亞生活》,第4卷第11期,1961年12月21日。

17. 〈反理學的惠棟〉,署名杜舒,《新晚報》,1977年7月3日。

18. 〈胤禛與戴震〉,署名杜舒,《新晚報》,1979年,月日不詳。

19. 〈論弘曆的理學統治與錢大昕〉,收錄於氏撰《海遺雜著》,頁197-
    206,香港:香港中文大學出版社,1990年。

20. 〈錢大昕著述中論政微言〉,1980年4月2日初稿,1981年9月5日修
    訂,原載《明報月刊》,第16卷第12期(總第192期),頁85-88,
    1981年12月;第17卷第1期(總第193期),頁88-92,1982年1月。

21. 〈龔定庵與陳蘭甫——晚清思想轉變之關鍵〉,講演稿,竇道明筆
    記,《新亞生活》,第4卷第18期,1962年4月27日;又載《民主評

論》，第15卷第15期，頁17-18，1964年8月。

22.〈柯鳳蓀先生遺著三種〉，《大公報》，「圖書副刊」第107期，1935年11月27日；《圖書季刊》，第2卷第4期，頁38-39，1935年12月。

23.〈蓼園問學記〉，原載《明報月刊》，第18卷第3期（總第207期），頁46-48，1983年3月，原題為〈紀念柯蓼園先生〉。

三　〈牟潤孫先生經學論著編年目錄〉

1.〈徐文定公與樸學〉，原載《大公報》，「圖書副刊」第5期，1933年11月23日。

2.〈柯鳳蓀先生遺著三種〉，《大公報》，「圖書副刊」第107期，1935年11月27日；《圖書季刊》，第2卷第4期，頁38-39，1935年12月。

3.〈兩宋《春秋》學之主流〉，《大陸雜誌》，第5卷第4、5期，頁1-9、頁18-20，1952年8、9月。
案：此文作於1951年。

4.〈《春秋左傳》辨疑〉（原題〈左丘明傳春秋考〉），原載《民主評論》，第4卷第11、12期，頁12-15、頁22-23，1953年6月。
案：此文作於1952年。

5.〈顧寧人學術之淵源──考據學之興起及其方法之由來〉，《民主評論》，第5卷第4期，頁10-14，1954年2月。
案：此文作於1953年。

6.〈春秋時代母系遺俗《公羊》證義〉，《新亞學報》，第1卷第1期，頁381-421，1955年8月。

7.〈宋人內婚〉，《民主評論》，第6卷第17期，頁10-11、轉頁4，1955年9月。

8.〈釋《論語》狂簡義〉，《新亞學報》，第2卷第2期，頁79-86，1957年2月。

9. 〈論儒釋兩家之講經與義疏〉，《新亞學報》，第4卷第2期，頁353-415，1960年2月。

10. 〈論顧亭林學術與儒學之真精神〉，演講稿，李金鐘記錄，原載《新亞生活》，第4卷第11期，1961年12月21日。

11. 〈龔定庵與陳蘭甫——晚清思想轉變之關鍵〉，講演稿，竇道明筆記，《新亞生活》，第4卷第18期，1962年4月27日；又載《民主評論》，15卷15期，頁17-18，1964年8月。

12. 〈論魏晉以來之崇尚談辯及其影響〉，香港中文大學中國歷史講座教授就職講演，1965年3月5日講於香港大會堂，11月6日改寫畢，香港：香港中文大學出版，1966年。

13. 〈從中國的經學看史學〉，講演稿，關彩華記錄，1971年，《新亞書院歷史學系系刊》，第2期，1972年9月。

14. 〈反理學的惠棟〉，署名杜舒，《新晚報》，1977年7月3日。

15. 〈胤禛與戴震〉，署名杜舒，《新晚報》，1979年，月日不詳。

16. 〈「民可使由之，不可使知之」釋義——孔子理想中的德化政治〉，《明報月刊》，第15卷第8期（總第176期），頁9-11，1980年8月。

17. 〈錢大昕著述中論政微言〉，1980年4月2日初稿，1981年9月5日修訂，原載《明報月刊》，第16卷第12期（總第192期），頁85-88，1981年12月；第17卷第1期（總第193期），頁88-92，1982年1月。

18. 〈王夫之顧炎武解《易》之說舉隅——經學史是史學的輔助科學例證〉，《新晚報》，1981年6月8、19日。

19. 〈論朱熹顧炎武的注解《詩經》〉，《新晚報》，1981年8月21、28日。

20. 〈蓼園問學記〉，原載《明報月刊》，第18卷第3期（總第207期），頁46-48，1983年3月，原題為〈紀念柯蓼園先生〉。

21. 〈說「格物致知」〉，《明報月刊》，第19卷第4期（總第220期），頁32-34，1984年4月。

22.〈論弘曆的理學統治與錢大昕〉，收錄於氏撰《海遺雜著》，頁197-206，香港：香港中文大學出版社，1990年。

23.〈清代考據學的來源〉，未詳出處。

附錄六
楊向奎經學相關論著編年

一　1949年以前

1. 〈略論五十凡〉,《史學論叢》,第2冊,1935年11月;又收入《繹史齋學術文集》。

2. 〈論左傳「君子曰」〉,《文瀾學報》,第2卷第1期,1936年3月。

3. 〈論左傳之性質及其與國語之關係〉,《史學集刊》,1936年第2期;又收入《繹史齋學術文集》。

4. 〈禪讓傳說起於墨家考書後〉,收入呂思勉、童書業編:《古史辨》,第7冊下編,上海市:開明書店,1941年。

   案:此文寫成於1936年5月14日。

5. 《西漢經學與政治》,重慶市:獨立出版社,1945年。

二　1950-1969年

1. 〈從周禮推論中國古代社會發展的不平衡性〉,《文史哲》,1951年第3期。

2. 〈「古史辨派」的學術思想批判〉,《文史哲》,1952年第2期;又收入文史哲編輯部編:《「疑古」與「走出疑古」》,北京市:商務印書館,2010年。

3. 〈周禮的內容分析及其成書時代〉,《山東大學學報》,1954年第4期;又收入《繹史齋學術文集》。

4. 〈五行說的起源及其演變〉,《文史哲》,1955年第11期。

5. 〈論乾嘉學派〉,《新建設》,1964年第7期。

6. 《中國古代社會與古代思想研究》上下冊,上海市:上海人民出版社,1962年、1964年。

三 1970-1989年

1. 〈司馬遷的歷史哲學〉,《中國史研究》,1979年第1期;又收入《繹史齋學術文集》。

2. 〈論何休〉,《蘭州大學學報》(哲學社會科學版),1979年第1期;又收入《繹史齋學術文集》。

3. 〈清代的今文經學〉,《清史論叢》,1979年第1期;又收入《繹史齋學術文集》。

4. 〈試論章太炎的經學和小學〉,《歷史學》,1979年第3期;又收入《繙經室學術文集》。

5. 〈論「古史辨派」〉,《中華學術論文集》,北京市:中華書局,1981年;又收入楊向奎撰:《中國古代史論》,濟南市:齊魯書社,1983年;顧潮編:《顧頡剛學記》,北京市:三聯書店,2002年;楊向奎撰:《楊向奎集》,北京市:中國社會科學出版社,2006年。
   案:登在《中華學術論文集》者多了「後記」部分,餘皆無。

6. 〈康有為與今文經學〉,《中國哲學史研究》,1983年第1期;又收入《繙經室學術文集》。

7. 〈公羊傳中的歷史學說〉,收入《繹史齋學術文集》。

8. 〈漢武帝與董仲舒〉,收入《繹史齋學術文集》。

9. 〈論劉歆與班固〉,收入《繹史齋學術文集》。

10.〈白虎通義的思想體系〉,收入《繹史齋學術文集》,。

11. 《繹史齋學術文集》，上海市：上海人民出版社，1983年。

12. 〈致史念海教授書論晚近公羊學三變〉，1985年2月16日；又收入
　　《繙經室學術文集》。

13. 《清儒學案新編》卷1至卷8，濟南市：齊魯書社，1985-1994年。

14. 〈宋代理學家的《春秋》學〉，《史學史研究》，1989年第1期。

15. 《繙經室學術文集》，濟南市：齊魯書社，1989年。

16. 《大一統與儒家思想》，長春市：中國友誼出版公司，1989年6月。

17. 〈關於周公攝政稱王問題〉，《儒學國際學術研討會論文集》，上
　　冊，濟南市：齊魯書社，1989年。

四　1990年以後

1. 〈《周禮主體思想與成書年代研究》序言〉，收入彭林：《周禮主體
　　思想與成書年代研究》，北京市：中國人民大學出版社，2009年增
　　訂本。

　　案：此文作於1990年12月。

2. 〈論公羊學派〉，《管子學刊》，1991年第4期。

3. 〈《董仲舒與新儒學》序〉，《歷史教學》，1992年第6期。

4. 《宗周社會與禮樂文明》，北京市：人民出版社，1992年；1997年
　　修訂版。

5. 〈清末今文經學三大師對春秋經傳的議論得失〉，《管子學刊》，
　　1997年第2期；又收入《楊向奎學術文選》。

6. 《楊向奎學術文選》，北京市：人民出版社，2000年。

7. 《楊向奎學述》，楊向奎述、李尚英整理，杭州市：浙江人民出版
　　社，2000年。

各章發表出處及所屬研究計畫一覽

第一章　第一節　民國與民國經學

刊載於《華人文化研究》，第8卷第1期，2020年6月。

第二章　考《史》以證《左》
——廣東學人羅倬漢與《史記十二諸侯年表考證》

本文為國家科學委員會（現改為科技部，下同）專題研究計畫「民國時期罕傳經學論著之整理與研究：以羅倬漢、陳延傑與蘇維嶽三家之著作為中心」（優秀年輕學者研究計畫，計畫編號：NSC 100-2628-H-004-086-）之部分研究成果。初稿發表於國立政治大學中文系主辦之「第九屆漢代文學與思想學術研討會」，2013年11月24日；並收錄於《第九屆漢代文學與思想國際學術研討會論文集》，臺北市：國立政治大學中文系，2014年8月。後經修改，刊載於《中國典籍與文化論叢》，第18輯，南京市：鳳凰出版社，2017年6月。

第三章　南雍學人陳延傑及其經學論著之整理

本文為國家科學委員會專題研究計畫「民國時期罕傳經學論著之整理與研究：以羅倬漢、陳延傑與蘇維嶽三家之著作為中心（II）」（計畫編號：NSC 101-2410-H-004-109-）之部分研究成果。刊載於《中國文哲研究通訊》第28卷第2期，「南雍學人陳延傑研究專輯」，2018年6月。附錄二〈陳延傑著作目錄〉原附於文末。

第四章 陳延傑《詩序解》及其《詩》學觀探析

本文為國家科學委員會專題研究計畫「民國時期罕傳經學論著之整理與研究：以羅倬漢、陳延傑與蘇維嶽三家之著作為中心（Ⅱ）」（計畫編號：NSC 101-2410-H-004-109-）之部分研究成果。刊載於《中國文哲研究通訊》，第28卷第2期，「南雍學人陳延傑研究專輯」，2018年6月。

第五章 湖湘學人蘇維嶽的《詩經》撰述與《詩》教理想

本文為國家科學委員會專題研究計畫「民國時期罕傳經學論著之整理與研究：以羅倬漢、陳延傑與蘇維嶽三家之著作為中心（Ⅲ）」（計畫編號：NSC 102-2410-H-004-175-）之研究成果。發表於湖南大學嶽麓書院與清華大學中國經學研究院主辦之「第八屆中國經學國際學術研討會」，2019年9月7日。刊載於《經學研究論叢》，第25期，2020年3月。

第六章 何定生與古史辨的《詩經》研究

本文為國家科學委員會專題研究計畫「民國時期罕傳經學論著之整理與研究：以羅倬漢、陳延傑與蘇維嶽三家之著作為中心（Ⅱ）」（計畫編號：NSC 101-2410-H-004-109-）之部分研究成果。初稿發表於德國特里爾大學（University of Trier）漢學系主辦之「經學與社會應用」（Confucian Canon Studies and its Social Applications）國際學術研討會，2013年7月28日。後經修改，刊載於《中國文哲研究通訊》，第24卷第1期，2014年3月。附錄四〈何定生著作目錄增訂稿〉原附於文末。

第七章　何定生一九四六年致顧頡剛未刊書函述要

本文發表於中央研究院中國文哲研究所主辦之「戰後臺灣經學研究（1945-現在）第五次學術研討會」，2017年7月13日，原題作〈何定生致顧頡剛未刊書信概述〉。刊載於《中國文哲研究通訊》，第30卷第2期，2020年6月。

第八章　顧門中的勵耘弟子
——牟潤孫經史之學的面向及其所反映的師承關係

本文為國家科學委員會專題研究計畫「民國時期罕傳經學論著之整理與研究：以羅惇漢、陳延傑與蘇維嶽三家之著作為中心（III）」（計畫編號：NSC 102-2410-H-004-175）之部分研究成果。初稿發表於香港浸會大學中國語言文學系、新亞研究所主辦之「香港經學研究的回顧與前瞻」國際學術研討會，2015年5月7日。後經修訂，刊載於《林慶彰教授七秩華誕壽慶論文集》，臺北市：萬卷樓圖書公司，2018年9月。

第九章　楊向奎的經今古文學觀

本文為國家科學委員會專題研究計畫「民國時期罕傳經學論著之整理與研究：以羅惇漢、陳延傑與蘇維嶽三家之著作為中心」（計畫編號：NSC 100-2628-H-004-086-）之部分研究成果。初稿發表於中央研究院中國文哲研究所主辦之「新中國六十年的經學研究（1950-2010）」第四次學術研討會，2012年11月23日。後經修訂，刊登於《政大中文學報》，第21期，2014年6月。附錄六〈楊向奎經學相關論著編年〉原附於文末。

徵引文獻

　　本文獻目錄謹依下列原則排列：一、以書名項居首方式呈顯；
二、依著作內容性質，分類排列；三、同類著作中再略依著作涉及內
容之時代、成書先後及撰作者生年先後排列。

一　經學

《周易程傳參正》，陳延傑撰，鈔本，1943年，原件藏於國立政治大
　　　學圖書館特藏室；景印收入《民國時期經學叢書》，第5輯第9
　　　冊，臺中市：文听閣圖書有限公司，2013年。

《詩集傳》，朱熹撰，趙長征點校，北京市：中華書局，2017年。

《詩學贅言》，蘇維嶽撰，長沙市：彰文印刷局鉛印本，1936年。

《詩經正訓簡本》，蘇維嶽撰，鈔本，原件藏於國立政治大學圖書館
　　　特藏室。

《詩旨闡真》，蘇維嶽撰，鈔本，原件藏於國立政治大學圖書館特藏
　　　室。

《詩經研究下》，蘇維嶽撰，鈔本，原件藏國立政治大學圖書館特藏
　　　室。

〈詩經正訓序〉，柳詒徵撰，《國風》，第8卷第3期，1936年3月。

《詩序解》，陳延傑撰，上海市：開明書店，1932年。

〈讀詩經的幾個方法〉，陳延傑講，秀徵記，《金陵女子文理學院校
　　　刊》，第10期，1934年。

《詩經今論》，何定生撰，臺北市：臺灣商務印書館，1968年。

《定生論學集——詩經與孔學研究》，何定生撰，臺北市：幼獅文化
　　事業公司，1978年。

《詩經訓詁與史學》，洪國樑撰，臺北市：國家出版社，2015年。

《詩經名著評介》第二集，趙制陽撰，臺北市：五南圖書出版公司，
　　1993年。

《詩經研究史概要》，夏傳才撰，北京市：清華大學出版社，2007年。

《釋經以立論——漢代毛鄭詩經經解的思想探索》，車行健撰，臺北
　　市：里仁書局，2011年。

《清代獨立治詩三大家研究：姚際恆、崔述、方玉潤》，黃忠慎撰，
　　臺北市：五南圖書公司，2012年。

《清末民初詩經學史論》陳文采撰，臺北市：東吳大學中文系博士論
　　文，2002年；臺北市：花木蘭文化出版社，2007年。

《二十世紀詩經學》，夏傳才撰，北京市：學苑出版社，2005年。

《現代學術文化思潮與詩經研究——二十世紀詩經研究史》，趙沛霖
　　撰，北京市：學苑出版社，2006年。

〈從詩經中整理出歌謠的意見〉，顧頡剛撰，《古史辨》，第3冊下編，
　　臺北市：藍燈文化事業公司，1987年。

〈論詩經所錄全為樂歌〉，顧頡剛撰，《古史辨》，第3冊下編，同上。

〈關於詩的起興〉，何定生撰，《古史辨》，第3冊下編，同上。

〈關於詩經通論〉，何定生撰，《古史辨》，第3冊下編，同上。

〈朱熹詩序辨說述義〉，楊晉龍撰，《中國文哲研究集刊》，第12期，
　　1998年3月。

〈陳延傑及其詩序解〉，林慶彰撰，收入《王叔岷先生學術成就與薪傳
　　研討會論文集》，臺北市：臺灣大學中國文學系，2001年。

《周禮主體思想與成書年代研究》，彭林撰，北京市：中國人民大學
　　出版社，2009年增訂本。

《春秋三傳及國語之綜合研究》，顧頡剛講授，劉起釪筆記，成都市：巴蜀書社，1988年。

《春秋左氏傳舊注疏證續》，吳靜安撰，長春市：東北師範大學出版社，2005年。

《左傳導讀》，張高評撰，臺北市：文史哲出版社，1982年。

〈論左傳君子曰〉，楊向奎撰，《文瀾學報》，第2卷第1期，1936年3月。

〈從重建古史到重省學術史——徐仁甫（1902-1988）左傳疏證研究及其意義〉，宋惠如撰，《輔仁國文學報》，第36期，2013年4月。

《論語與孔子思想》，津田左右吉撰，曹景惠譯注，臺北市：聯經出版事業公司，2015年。

《考古編》，程大昌撰，《叢書集成新編》，第11冊，臺北市：新文豐出版公司，1985年。

《經學大要》，錢穆口述，胡美琦、何澤恆、張蓓蓓整理：《錢賓四先生全集》，第52冊，臺北市：聯經出版事業公司，1998年。

《中國經學研究的新視野》，林慶彰撰，臺北市：萬卷樓圖書公司，2012年。

《秦漢的方士與儒生》，顧頡剛撰，《顧頡剛全集》，第2冊，北京市：中華書局，2010年。

《西漢經學與政治》，楊向奎撰，重慶市：獨立出版社，1945年；又收入林慶彰編：《民國時期經學叢書》，第2輯第7冊，臺中市：文听閣圖書有限公司，2008年。

《西漢經學與政治》，湯志鈞等撰，上海市：上海古籍出版社，1994年。

〈讀經平議〉，胡適撰，原刊《天津大公報》星期論文，1937年4月18日，第2版；又載於《獨立評論》，第231號，1937年4月25日；此文收錄於潘光哲主編：《胡適全集》之《胡適時論集》，第5冊，臺北市：中央研究院近代史研究所胡適紀念館，2018年。

〈讀胡適之先生的讀經平議〉，蘇維嶽撰，《國學報》，第2卷第3期，
　　1937年7月。

〈大學國文教材應注重讀經〉，陳延傑撰，《高等教育季刊》，第2卷第
　　3期，1942年9月。

〈船山學社與三十年代湖南讀經運動〉，羅玉明撰，《船山學刊》，
　　2003年第2期。

〈合法性與何鍵在湖南倡導的尊孔讀經〉，羅玉明撰，《船山學刊》，
　　2005年第4期。

〈湖南紳士與三十年代湖南的讀經運動〉，羅玉明撰，《求索》，2005
　　年第9期。

〈20世紀30年代湖南尊孔祀孔活動述論〉，羅玉明撰，《湘潭大學學
　　報》（哲學社會科學版），第32卷第1期，2008年1月。

〈《民國時期經學叢書》編者序〉，林慶彰撰，收入林慶彰編：《民國
　　時期經學叢書》，第1輯第1冊，臺中市：文听閣圖書公司，
　　2008年。

〈《變動時代的經學與經學家——民國時期（1912-1949）經學研究》
　　總序〉，林慶彰撰，收入林慶彰、蔣秋華總策劃：《變動時代的
　　經學和經學家——民國時期（1912-1949）經學研究》，第1
　　冊，臺北市：萬卷樓圖書公司，2014年。

〈經學百年的發展〉，林慶彰撰，收入國立政治大學主編：《中華民國
　　發展史·學術發展》上冊，臺北市：國立政治大學、聯經出版
　　事業公司，2011年。

〈民國時期幾位被遺忘的經學家〉，林慶彰撰，《政大中文學報》，第
　　21期，2014年6月。

《民國時期軍閥之經學研究》，林彥廷撰，臺北市：東吳大學中國文
　　學系碩士論文，2011年6月。

《現代學術視域中的民國經學：以課程、學風與機制為主要觀照
　　點》，車行健撰，臺北市：萬卷樓圖書公司，2011年。

〈香港經學考察記〉，車行健、吳儀鳳撰，《經學研究論叢》，第17
　　輯，2009年12月。

〈林慶彰教授與香港經學研究〉，盧鳴東撰，《國文天地》，第31卷第6
　　期，2015年11月。

〈「香港經學研究的回顧與前瞻」國際學術研討會會議紀要〉，吳儀鳳
　　撰，《中國文哲研究通訊》，第27卷第3期，2017年9月。

〈「港臺經學研究的回顧與展望」座談會紀錄〉，車行健、倫凱琪整
　　理，《中國文哲研究通訊》，第27卷第3期，2017年9月。

《經學、教育與香港大學──二十世紀的足跡》，許振興撰，香港：
　　中華書局，2020年。

二　史學

《史記》，司馬遷撰，裴駰集解，司馬貞索隱，張守節正義，點校
　　本，北京市：中華書局，1959年。

《史記志疑》，梁玉繩撰，賀次君點校，北京市：中華書局，1981年。

《史記會注考證校補》，水澤利忠撰，臺北市：廣文書局，1972年。

〈《史記十二諸侯年表考證》自序〉，羅倬漢撰，《志學》，第7期，1942
　　年7月；又刊於《斯文》，第2卷第17、18期合刊，1942年8月。

《史記十二諸侯年表考證》，羅倬漢撰，重慶市：商務印書館，1943
　　年。

《史記十二諸侯年表考證》，羅倬漢撰，曬藍本，藏於中國社會科學
　　院歷史所顧頡剛文庫。

〈《史記十二諸侯年表考證》書評〉，署名毓撰，《圖書季刊》，新第4
　　卷第3、4期合刊，「圖書介紹」欄目，1943年9、12月。

〈《史記十二諸侯年表考證》書評〉，署名師玄撰，《圖書月刊》，第3
　　卷第2期，「新書介紹」欄目，1944年2月。

《史記春秋十二諸侯史事輯證》，劉操南撰，天津市：天津古籍出版
　　社，1992年。

《史記文獻學叢稿》，趙生群撰，南京市：江蘇古籍出版社，2000年。

《史記戰國史料研究》，藤田勝久撰，曹峰、廣瀨薰雄譯，上海市：
　　上海古籍出版社，2008年。

《漢書集注》，班固撰，顏師古集注，點校本，臺北市：鼎文書局，
　　1991年7版。

《後漢書》，范曄撰，李賢注，點校本，臺北市：鼎文書局，1991年
　　6版。

《古史考》第五卷，彭振坤編，海口市：海南出版社，2003年。

《中國古代社會與古代思想研究》上冊，楊向奎撰，上海市：上海人
　　民出版社，1962年。

《宗周社會與禮樂文明》，楊向奎撰，北京市：人民出版社，1992
　　年；1997年修訂本。

《東周與秦代文明》，李學勤撰，臺北市：駱駝出版社，1983年。

《簡帛‧經典‧古史》，陳致主編，上海市：上海古籍出版社，2013
　　年。

《王鍾翰清史論集》，王鍾翰撰，北京市：中華書局，2004年。

〈寫在古史辨台灣版的編首〉，何定生撰，《古史辨》，第1冊，臺北
　　市：明倫出版社，1970年。

〈古史辨派的學術思想批判〉，楊向奎撰，《文史哲》，1952年第2期；
　　又收入文史哲編輯部編：《疑古與走出疑古》，北京市：商務印
　　書館，2010年。

〈論古史辨派〉，楊向奎撰，《中華學術論文集》，北京市：中華書
　　局，1981年。

《古史辨運動的興起——一個思想史的分析》，王汎森撰，臺北市：
　　　允晨文化實業公司，1987年。

〈去向堪憂的中國古典學——「走出疑古時代」述評〉，楊春梅撰，
　　　收入文史哲編輯部編：《「疑古」與「走出疑古」》，同上。

〈禹貢派的人們〉，森鹿三撰，周一良譯，《禹貢》半月刊，第5卷第
　　　10期，1936年7月。

〈創建清真寺碑〉，桑原隲藏撰，牟潤孫譯，《禹貢》半月刊，第5卷
　　　第11期，1936年8月。

〈湖南船山學社大事記（下）〉，劉志盛撰，《船山學刊》，1991年第1
　　　期。

《顧頡剛和他的弟子們》，王學典、孫延杰撰，濟南市：山東畫報出
　　　版社，2000年。

《顧頡剛和他的弟子們》，王學典主撰，北京市：中華書局，2011年
　　　增訂本。

《讀史懷人存稿》，李學銘撰，臺北市：萬卷樓圖書公司，2014年。

《希臘羅馬古代社會研究》（*La Cité Antique*），古朗士（Numa Denis
　　　Fustel De Coulanges）撰，李宗侗譯，長沙市：商務印書館發
　　　行，1938年。

《希臘羅馬古代社會史》（*La Cité Antique*），古朗士（Numa Denis
　　　Fustel De Coulanges）撰，李宗侗譯，臺北市：中華文化出版
　　　事業委員會，1955年。

《古代城邦——古希臘羅馬祭祀、權利和政制研究》（*La Cité
　　　Antique*），庫朗熱（Numa Denis Fustel De Coulanges）撰，譚
　　　立鑄等譯，上海市：華東師範大學出版社，2006年。

三　學術思想史（含目錄學、文獻學）

《直齋書錄解題》，陳振孫撰，徐小蠻、顧美華點校，上海市：上海
　　古籍出版社，2015年。

《古書通例》，余嘉錫撰，上海市：上海古籍出版社，1985年。

《湘人著述表》，尋霖、龔篤清編著，長沙市：嶽麓書社，2010年。

〈羅倬漢著作目錄〉，林慶彰編，《經學研究論叢》，第18輯，2010年
　　9月。

〈禪讓傳說起於墨家考‧書後〉，楊向奎撰，《古史辨》，第7冊下編，
　　呂思勉、童書業編，同上。

〈五德終始說下的政治與歷史〉，顧頡剛撰，《古史辨》，第5冊下編，
　　顧頡剛編，同上。

〈評顧頡剛五德終始說下的政治和歷史〉，錢穆撰，《古史辨》，第5冊
　　下編，同上。

《大一統與儒家思想》，楊向奎撰，長春市：中國友誼出版公司，
　　1989年。

《簡帛佚籍與學術史》，李學勤撰，南昌市：江西教育出版社，2001
　　年。

《初識清華簡》，李學勤撰，上海市：中西書局，2013年。

《中國近三百年學術史》，梁啟超撰，臺北市：臺灣中華書局，1987
　　年臺11版。

《中國近三百年學術史》，錢穆撰，《錢賓四先生全集》，第16冊，同
　　上。

《論戴震與章學誠——清代中期學術思想史研究》，余英時撰，臺北
　　市：三民書局，2016年修訂2版。

《清儒學案新編》二至七卷，楊向奎撰，濟南市：齊魯書社，1988、
　　1994年。

〈陳鴻森教授演講「被遮蔽的學者——朱文藻其人其學述要」紀
　　要〉，鄭丹倫撰，《明清研究通訊》，第60期，2017年4月15日，
　　http://mingching.sinica.edu.tw/Communi_Detail/946674b2-7788-
　　4c0e-8f58-0f06ba61b53c。

《清代學術史叢考》，陳鴻森撰，臺北市；臺灣學生書局，2019年。

〈《清代學術史叢考》序〉，黃愛平撰，收入陳鴻森撰：《清代學術史
　　叢考》，同上。

《晚清民國的國學研究》，桑兵撰，上海市：上海古籍出版社，2001年。

《學術江湖：晚清民國的學人與學風》，桑兵撰，桂林市：廣西師範
　　大學出版社，2017年。

〈現代中國南方學術網絡的初始（1911-1945）〉，彭明輝撰，《國立政
　　治大學歷史學報》，第29期，2008年5月。

〈當前古籍整理諸問題芻議——兼談對《文獻》雜誌的小小建議〉，
　　漆永祥撰，《文獻》，2019年第5期。

《日本中國學史稿》，嚴紹璗撰，北京市：學苑出版社，2009年。

《日本漢學史》第二部，李慶撰，上海市：上海人民出版社，2010年。

《近代日本漢學家——東洋學的系譜》第一集，江上波夫編著，林慶
　　彰譯，臺北市：萬卷樓圖書公司，2015年。

《津田左右吉研究》，劉萍撰，北京市：中華書局，2004年。

《關於日本昭和初期老子思想的研究——主論津田左右吉和長谷川如
　　是閑的老子研究》，郭永恩撰，北京市：北京大學出版社，
　　2013年。

四　教育史、大學史

《國立中央大學一覽·教職員錄》（1931年），收入張研、孫燕京主編：
　　《民國史料叢刊》，第1084冊，鄭州市：大象出版社，2009年。

《國立中央大學一覽·文學院概況》（1930年），收入張研、孫燕京主
　　編：《民國史料叢刊》，第1082冊，同上。

《中華百科全書》「燕京大學」條（沈劍虹執筆），http://ap6.pccu.edu.
　　tw/Encyclopedia/data.asp?id=6786

《南京大學文學院百年史稿》，南京大學文學院編，南京市：南京大
　　學出版社，2014年。

《光復初期臺大校史研究：1945-1950》，李東華撰，臺北市：臺灣大
　　學出版中心，2014年。

《國立臺灣大學中國文學系系史稿（1929-2014）》，國立臺灣大學中
　　國文學系主編，臺北市：國立臺灣大學中國文學系，2014年。

《現代大學史學系概覽（1912-1949）》，王應憲編校，上海市：上海
　　古籍出版社，2018年。

《冷水江市教育志》，李謨高主編，冷水江：冷水江市教育委員會，
　　1993年。

〈為教育部不准國學專科學校立案訓勉諸生〉，何鍵撰，《國學報》，
　　第2卷第1期，1937年5月。

〈兩屆學術獎勵的比較觀與綜合觀〉，朱師逸撰，《高等教育季刊》，
　　第3卷第2期，1943年6月。

《陳立夫與中國戰時高等教育》，汪伯軒撰，臺北市：國立臺灣師範
　　大學歷史系碩士論文，2012年。

五　文學研究

〈論以一部論語入詩〉，陳延傑撰，《斯文》，第2卷第12期，1942年5
　　月。

〈學詩之法〉，陳延傑演講，尤敦誼紀錄，《國風》，第8卷第5期，
　　1936年5月。

〈學詩之法——陳仲子先生在國文系同學會講〉，陳延傑演講，彭鐸
　　記錄，《國立中央大學日刊》，第1669期，1936年4月28日；第
　　1671期，1936年4月30日。

《詩品注》，陳延傑撰，北京市：人民出版社重排印行，1998年。

《詩品研究》，曹旭撰，上海市：上海古籍出版社，1998年。

《詩品譯注》，周振甫撰，南京市：江蘇教育出版社，2006年。

〈詩品論疏序〉，高明撰，《高明文輯》下冊，臺北市：黎明文化事業
　　公司，1978年。

〈《詩品》研究的新成果——評新出版的三種鍾嶸《詩品注》〉，曹旭
　　撰，《文學遺產》，1988年第2期。

〈陳延傑《詩品注》校疑〉，蔡文撰，《松遼學刊》社會科學版，1990
　　年第1期、1991年第1期。

〈鍾嶸詩品研究七十年〉，程國賦撰，《許昌師專學報》，第19卷第6
　　期，2000年11月。

〈鍾嶸《詩品》應當重新作注（上）——兼論陳延傑《詩品注》〉，王
　　發國、陳曉超撰，《許昌師專學報》，第20卷第1期，2001年1月。

〈鍾嶸《詩品》應當重新作注（下）——論陳延傑《詩品注》〉，王發
　　國、陳曉超撰，《許昌師專學報》，第20卷第6期，2001年11月。

《張籍詩注》，陳延傑撰，臺北市：臺灣商務印書館，1967年臺1版。

《朱熹文學研究》，莫礪鋒撰，南京市：南京大學出版社，2000年。

〈春風化雨潤物無聲　登高望遠天地一新——《許昌師專學報》創刊
　　20周年紀念筆談〉，穆克宏撰，《許昌師專學報》，第21卷第3
　　期，2002年5月。

《反思批判與轉向——中國古典文學研究之路》，顏崑陽撰，臺北
　　市：允晨文化實業公司，2016年。

《民國大學的文脈》，沈衛威撰，臺北市：花木蘭文化出版社，2014
　　年。

〈應該『退休』的學科名稱〉，陳福康撰，《文學報》，1997年11月20
　　日；收錄於李怡、羅維斯、李俊杰編：《民國文學討論集》，北
　　京市：中國社會科學出版社，2014年。

〈從意義概念返回到時間概念——關於中國現代文學史的命名問
　　題〉，張福貴撰，收錄於《民國文學討論集》，同上。

〈民國機制：中國現代文學的一種闡釋框架〉，李怡撰，《廣東社會
　　科學》，2010年第6期；又收錄於《民國文學討論集》，同上。

〈從歷史命名的辨正到文化機制的發掘——我們怎樣討論中國現代文
　　學的「民國」意義〉，李怡撰，收錄於《民國文學討論集》，同
　　上。

〈從「民國文學的現代性」到「現代文學的民國性」〉，張堂錡撰，
　　《文藝爭鳴》，2012年9月號；又收錄於《民國文學討論集》，
　　同上。

〈「民國文學」研究的時空框架問題〉，張堂錡撰，《中國現代文學》，
　　第26期，2014年12月。

〈「民國文學」抑或「現代文學」——評析當前兩岸學界的觀點交
　　鋒〉，王力堅撰，《二十一世紀》雙月刊，2015年8月號。

〈共和國看民國——書評《民國文學討論集》〉，張琍璇撰，《民國文
　　學與文化研究》，第1輯，2015年12月。

〈從《民國老試卷》看民國想像與民國氣象〉，張堂錡撰，《民國文學
　　與文化研究》，第3輯，2016年12月。

〈民國熱大陸懷舊思潮正蔓延〉，盧素梅撰，《旺報》，2014年10月11
　　日。

六　年譜、傳記、回憶錄、紀念集

《積微翁回憶錄》，楊樹達撰，北京市：北京大學出版社，2007年。

《量守廬學記》，程千帆、唐文編，北京市：三聯書店，2006年。

《黃侃年譜》，司馬朝軍、王文暉撰，武漢市：湖北人民出版社，2005年。

《何鍵傳》，楊學東撰，北京市：東方出版社，2005年。

〈陳延傑生平述略〉，史筆撰，《文教資料》，1986年第6期（總號168期）。

〈五四時代的胡適、傅斯年、顧頡剛三位先生〉，楊向奎撰，《文史哲》，1989年第3期。

〈毛子水先生傳〉，宋淑萍撰，國立臺灣大學中國文學系主編：《國立臺灣大學中國文學系系史稿（1929-2014）》，臺北市：國立臺灣大學中國文學系，2014年。

〈《古史辨》自序〉，顧頡剛撰，《古史辨》，第1冊，同上。

《顧頡剛先生學述》，劉起釪撰，北京市：中華書局，1986年。

《歷劫終教志不灰——我的父親顧頡剛》，顧潮撰，上海市：華東師範大學出版社，1997年。

《顧頡剛年譜》，顧潮撰，北京市：中國社會科學出版社，1993年。

《顧頡剛年譜》，顧潮撰，北京市：中華書局，2011年增訂本。

《顧頡剛先生學行錄》，王煦華編，北京市：中華書局，2006年。

《紀念顧頡剛先生誕辰110周年論文集》，中國社會科學院歷史研究所、中山大學歷史系合編，北京市：中華書局，2004年。

〈記顧頡剛先生論《左傳》及對《左傳疏證》的期許〉，徐仁甫撰，收入王煦華編：《顧頡剛先生學行錄》，同上。

《師友雜憶》，錢穆撰，《錢賓四先生全集》，第51冊，與《八十憶雙親》合刊，同上。

《實說馮友蘭》，任繼愈等訪談，許進安采訪、王仁宇整理，北京
　　市：北京大學出版社，2008年。

〈緬懷羅孟瑋教授〉，林鈞南撰，收入廣東省興寧縣政協文史委員會
　　編：《興寧文史》，第5輯，1985年11月。

〈正直愛國的學者羅倬漢教授〉，何國華撰，《興寧文史》，第16輯，
　　1992年9月。

〈羅倬漢事蹟編年〉，戴偉華撰，《經學研究論叢》，第18輯，2010年
　　9月。

《牟潤孫先生學術年譜》，丘為君、鄭欣挺、黃馥蓉撰，臺北市：唐
　　山出版社，2015年。

《楊向奎學述》，楊向奎述，李尚英整理，杭州市：浙江人民出版
　　社，2000年。

《中國古典學・第二卷・楊向奎先生百年誕辰紀念文集》，吳銳編，
　　吉林市：吉林大學出版社，2009年。

〈何定生教授年表初稿〉，楊晉龍撰，《中國文哲研究通訊》，第20卷
　　第2期，2010年6月。

〈永遠的懷念──紀念定生教授逝世四十週年〉，曾志雄撰，《中國文
　　哲研究通訊》，第20卷第2期，2010年6月。

《桑榆憶往》，程千帆述，張伯偉編，收入《程千帆全集》第15卷，
　　石家莊市：河北教育出版社，2000年。

《詩囚》，許結撰，南京市：鳳凰出版社，2009年。

《人物百一錄》，胡文輝撰，杭州市：浙江大學出版社，2014年。

《白下區志》，南京市白下區地方志編纂委員會編，南京市：江蘇科
　　學技術出版社，1988年。

《南京社會科學志》，南京市地方志編纂委員會編，北京市：方志出
　　版社，1998年。

《南京人物志》，南京市地方志編纂委員會編：上海市：學林出版
　　社，2001年。

《學人側影》，黃進興撰，臺北市：允晨文化實業公司，2020年。

七　論著、詩文、讀書筆記、日記

〈采鑛行留別柳館長翼謀並柬蔡君尚思〉，蘇維嶽撰，《船山學報》，
　　第14期，1937年11月。

《自怡齋詩》，胡翔冬撰，己卯（1939年）仲夏金陵大學文學院刊。

《吳梅全集‧日記卷》，吳梅撰，王衞民編校，石家莊市：河北教育
　　出版社，2002年。

《黃侃日記》，黃侃撰、黃延祖重輯，北京市：中華書局，2007年。

《汪辟疆文集》，汪辟疆撰，上海市：上海古籍出版社，1988年。

《清暉山館友聲集：陳中凡友朋書札》，吳新雷等編纂，南京市：江
　　蘇古籍出版社，2000年。

《晞陽詩》，陳延傑撰，家藏手鈔本。

〈夏廬詩鈔〉，胡小石撰，《國學叢刊》，第1卷第1期，1923年。

《願夏廬詩鈔》，胡小石撰，吳徵鑄輯，收入《胡小石論文集》，上海
　　市：上海古籍出版社，1982年。

《願夏廬詩詞補鈔》，胡小石撰，吳徵鑄輯，收入《胡小石論文集編
　　續》，上海市：上海古籍出版社，1991年。

《北京大學圖書館藏胡適未刊書信日記》，北京大學圖書館編，北京
　　市：清華大學出版社，2003年。

《洪業論學集》，洪業撰：北京市：中華書局，1981年。

《顧頡剛讀書筆記》，顧頡剛撰，《顧頡剛全集》，第19冊，同上。

《顧頡剛日記》，顧頡剛撰，臺北市：聯經出版事業公司，2007年。

《傅斯年全集》，歐陽哲生主編，長沙市：湖南教育出版社，2003
　　年。

《注史稿叢稿》上、下冊，牟潤孫撰，北京市：中華書局，2009年增
　　訂本。

《海遺叢稿》一、二編，牟潤孫撰，北京市：中華書局，2009年。

《繹史齋學術文集》，楊向奎撰，上海市：上海人民出版社，1983
　　年。

《繙經室學術文集》，楊向奎撰，濟南市：齊魯書社，1989年。

《楊向奎學術文選》，楊向奎撰，北京市：人民出版社，2000年。

《李學勤講演錄》，李學勤撰，長春市：長春出版社，2012年。

《胡平生簡牘文物論集》，胡平生撰，臺北市：蘭臺出版社，2000年。

八　書函、檔案

〈蘇維嶽致蔡尚思函〉，蘇維嶽撰，收入蔡尚思撰：《中國思想研究
　　法》，《蔡尚思全集》，第2冊，上海市：上海古籍出版社，2005
　　年。

〈陳延傑致孫望函〉，陳延傑撰，此函附於陳氏所撰之《南京文獻書
　　目提要（初稿）》手抄油印本之書前。

《陳寅恪集‧書信集》，陳寅恪撰，北京市：三聯書店，2009年第2版。

《顧頡剛書信集》，顧頡剛撰，《顧頡剛全集》，第39-43冊，同上。

《羅香林論學書札》，廣東省立中山圖書館與香港大學馮平山圖書館
　　編，廣州市：廣東人民出版社，2009年。

〈何定生致顧頡剛函〉，何定生撰，寫作日期為1946年5月1日，未
　　刊，原件藏於顧潮處。

〈《周易程傳參正》申請獎勵說明書〉（申請1946、1947年度著作獎

勵），陳延傑撰，寫作日期為1945年，原件藏於南京中國第二
歷史檔案館，檔案編號：5-1360（2）。

〈陳延傑《周易程傳參正》審查意見表〉，湯用彤撰，寫作日期為
1946年1月26日，原件皆藏於南京中國第二歷史檔案館，檔案
編號：5-1360（2）。

〈陳延傑《周易程傳參正》審查意見表〉，錢穆撰，寫作日期為1947
年1月26日，原件皆藏於南京中國第二歷史檔案館，檔案編
號：5-1360（2）。

〈《詩箋》申請獎勵說明書〉（申請1946、1947年度著作獎勵），蘇維
嶽撰，寫作日期為1945年，原件藏於南京中國第二歷史檔案
館，檔案編號：5-1360（2）。

〈蘇維嶽《詩箋》審查意見表〉，錢穆撰，寫作日期為1946年3月5
日，原件皆藏於南京中國第二歷史檔案館，檔案編號：5-1360
（2）。

〈蘇維嶽《詩箋》審查意見表〉，汪東撰，寫作日期為1946年3月20
日，原件皆藏於南京中國第二歷史檔案館，檔案編號：5-1360
（2）。

索引

一　人名索引

二　書名篇名及報刊名索引

二劃

三劃

四劃

五劃

七劃

後記

　　本書之作，從寫作至發表與刊行時的各個階段，無論是在文獻資料的蒐集整理、手稿的辨讀、論述內容的建議，文句的修訂，以及其他間接的協助，皆在不同程度上受惠於眾多師友。臺灣方面，包含林慶彰老師、蔣秋華教授、楊晉龍教授（以上整體）；張堂錡教授、林登昱先生（以上第一章）；張素卿教授、張曉生教授、賴貴三教授、黃明理教授、蔡明順助教、徐偉軒學棣（以上第二章及附錄一）；黃忠天教授（第三章）；吳儀鳳教授、盧啟聰先生（第三章和附錄二）；馮曉庭教授（第五章）；陳逢源教授（第九章）；金周生老師、史甄陶教授、徐其寧小姐（以上附錄四），以及協助將羅倬漢、陳延傑與蘇維嶽三家著作打字輸入和校對的政大中文系研究所盧啟聰（時已就讀臺大）、范雅秀、莊士杰、李冀、徐偉軒、謝佳澄、許從聖、倫凱琪等諸位同學。中國大陸方面，則有徐興無教授（第一章）；戴偉華教授、已故的石立善教授、蘇芃教授（以上第二章）；陳坤先生、史筆法官、許結教授、徐興無教授、方文暉教授、劉重喜教授、孫原靖教授、趙生群教授、蘇芃教授、陳國安教授、顧謙教授與鳳凰出版社的林日波副總編輯和崔廣洲編輯（以上第三、四章）；顧永新教授、吳仰湘教授、陳峰教授（以上第五章）和顧潮老師（第六、七章和附錄四）。又有香港的陳煒舜教授（第一章）和盧鳴東教授（第八章），以及德國的蘇費翔教授（第六章）。此外，書稿的兩位審查人及本書各篇章在申請科技部計畫、研討會發表和投稿期刊時的審查人和講評人所提供的種種寶貴意見，使本書整體和相關篇章皆獲得修改精進的機

會，而萬卷樓圖書公司梁錦興總經理、張晏瑞總編輯和負責書稿的廖宜家、陳胤慧與呂玉姍三位前後任編輯，在編輯和出版所提供的專業協助，更是本書順利問世的關鍵，謹在此一併致上最深摯的謝忱。最後，也要感謝楊晉龍教授和陳煒舜教授，在百忙中惠賜書序，以及王汎森院士的題籤，使這本平凡的小書得賴以增光。

　　走筆至此，謹以《詩經》中〈淇奧〉的「有匪君子，終不可諼兮」這兩句詩，獻給這六位曾對民國經學貢獻心力的學者。

　　　　　　　　民國一〇九年八月車行健謹識於國立政治大學

經學研究叢書・經學史研究叢刊　0501029

民國經學六家研究

作　　者	車行健	
責任編輯	呂玉姍	
特約校對	林秋芬	

發 行 人　林慶彰

總 經 理　梁錦興

總 編 輯　張晏瑞

編 輯 所　萬卷樓圖書股份有限公司

　　　　　臺北市羅斯福路二段 41 號 6 樓之 3

　　　　　電話 (02)23216565

　　　　　傳真 (02)23218698

發　　行　萬卷樓圖書股份有限公司

　　　　　臺北市羅斯福路二段 41 號 6 樓之 3

　　　　　電話 (02)23216565

　　　　　傳真 (02)23218698

　　　　　電郵 SERVICE@WANJUAN.COM.TW

香港經銷　香港聯合書刊物流有限公司

　　　　　電話 (852)21502100

　　　　　傳真 (852)23560735

ISBN 978-986-478-351-9

2021 年 3 月初版二刷

2020 年 10 月初版

定價：新臺幣 520 元

如何購買本書：

1. 劃撥購書，請透過以下郵政劃撥帳號：

　帳號：15624015

　戶名：萬卷樓圖書股份有限公司

2. 轉帳購書，請透過以下帳戶

　合作金庫銀行 古亭分行

　戶名：萬卷樓圖書股份有限公司

　帳號：0877717092596

3. 網路購書，請透過萬卷樓網站

　網址 WWW.WANJUAN.COM.TW

大量購書，請直接聯繫我們，將有專人為

您服務。客服：(02)23216565 分機 610

如有缺頁、破損或裝訂錯誤，請寄回更換

國家圖書館出版品預行編目資料

民國經學六家研究 / 車行健著. -- 初版. -- 臺
北市 : 萬卷樓, 2020.10

　面 ；　公分. -- (經學研究叢書 ；501029)

ISBN 978-986-478-351-9(平裝)

1.經學史 2.民國史

090.98　　　　　　　　　　　　109002519